주식학개론

발 행 | 2024년 3월 11일

저 자 | 김영배

펴낸이 | 한건희

표지디자인 | 엔베르겐

표지그림 | 정다운

도표그림 | 유지윤

펴낸곳 | 주식회사 부크크

출판사등록 | 2014.07.15.(제2014-16호)

주 소 | 서울특별시 금천구 가산디지털1로 119 SK트윈타워 A동 305호

전 화 | 1670-8316

이메일 | info@bookk.co.kr

ISBN | 979-11-410-7592-7

www.bookk.co.kr

주식학개론

An Introduction to
STOCK.INVESTO.LOGY

김영배

주식에 대해 알아가는 것은
세상을 이해하는 과정이며
동시에 자기 자신을 찾아가는 길이다.
그러므로 철학哲學이다.

차례

시작하며Intro

세계 최초의 주식거래는 1603년 3월 3일에 네덜란드 암스테르담에서 이루어졌다. 네덜란드동인도회사의 지분을 보유하고 있던 얀 알레츠 토트 론덴Jan Allertsz tot Londen이란 사람이 자신의 지분 중에서 2,400길더 어치는 마리아 반 에그몬트 Maria van Egmont에게, 600길더 어치는 반 바르숨van Barssum 부인에게 매도한 것이 세계 최초의 주식거래다.

이 최초의 주식거래 이후에 지금까지 약 420년의 세월 동안 주식거래가 이루어지고 있다. 이 시간 동안 주식시장에는 많은 일이 일어났고, 주식회사와 주식거래는 인류 역사에 막대한 영향을 끼쳤다. 최초의 주식회사인 네덜란드동인도회사는 포르투갈이 100여 년 동안이나 독점했던 아시아와 유럽 사이의 무역을 가로채 네덜란드를 부강한 나라로 만들었고, 이 회사의 경쟁자였던 영국동인도회사는 인도를 지배하고 중국과의 무역을 장악하여 세계 최강의 나라가 되었다. 그 영향으로 전 세계인들은 영어로 서로 소통하게 되었다. 그 이후 주식회사 시스템은 인류의 생활을 풍요롭게 하는 많은 신문물을 새로 만들어내고 여러 사람에게 공급하는 아주 중요한 역할을 해왔다.

프랑스의 미시시피 회사와 영국의 사우스 시 회사의 주가 폭등과 폭락 사건으로 시작해, 주식시장이 가끔씩 경제에 대혼란을 일으키는 부작용도 있었다. 하지만 이것을 단순히 투기적 광기라고 매도해버리기에는 주식회사 시스템이 우리 인류에게 가져다준 긍정적 효과가 너무 막대하다. 우리를 둘러싸고 있는 물건들을 살펴보면 쉽게 이해가 된다. 인류의 어두운 밤을 밝혀주는 등불, 지금은 별것 아닌 것처럼 느낄 수도 있겠지만 이것이 없는 곳에서 하룻밤을 지내보면 그 고마움을 뼈저리게 알게 된다. 제네럴 일렉트릭GE이라는 주식회사가 만들었다. 지루한 저녁 시간을 즐겁게 해주는 텔레비전, 먼 거리를 쉽게 여행하게 해주는 기차, 자동차, 비행기, 생활에 필요한 많은 정보를 알려주는 컴퓨터와 스마트폰, 기타 모든 문명의 이기利器들은 모두 주식회사 시스템이 만들어낸 것들이다. 더 정확히 말하자면, 우리 생활 주변에서 주식회사가 만들어내지 않은 것을 찾아내기가 더 힘들다.

이처럼 주식회사나 주식이 인류에게 끼치는 영향이 막대함에도 주식거래에 관한 제대로 된 연구는 없었다. 주식투자로 돈을 버는 방법에 관한 책이나 강의는 수를 헤아릴 수 없이 많았지만, 모두 다 자신의 투자 경험을 설명하거나 유명 투자자의 방법을 설명하는 것들로서 주식거래의 한 측면만을 강조하는 것들 뿐이었다. 각자 자신의 방법만이 옳다고 믿는 바람에 이 사람은 저 사람의 방법을 경멸하고 저 사람은 이 사람의 방법을 무시하는 경우가 많았다. 주식투자에 관한 모든 측면을 전체적으로 설명하고 이해시켜줄 수 있는 책이나 강의는 없었다.

더구나 주식이 어떻게 탄생했는지, 어떤 과정을 거쳐 발전해왔는지, 인류사회에 어떤 영향을 끼쳤는지에 대한 제대로 된 설명이 없었다. 주식에 관한 제대로 된 연구가 필요한지 벌써 한참 지나버렸다. 주식거래는 투기꾼들이나 하는 어리석은 짓이 아니다. 인류 역사를 발전시키는 매우 중요한 것임에도 불구하고 여태까지 그에 관한 연구가 없었다.

어떤 분야의 지식을 한데 모아 분류하고 종합하여 체계를 세우는 작업을 학문이라고 한다면, 주식에 관한 지식을 분류하고 종합하여 체계를 세우는 학문을 주식학Stock.investo.logy이라고 부르는 것이 적절할 것이다. 늦었지만 이제라도 주식학을 시작해야 할 때가 되었다.

주식은 두 개의 얼굴을 가지고 있다. 주식회사의 지분이므로 일정한 가치를 갖는 유가증권이면서, 동시에 심한 변동성 때문에 카지노의 칩처럼 투기의 대상이기도 하다. 마치 두 얼굴을 가진 야누스처럼.

야누스Janus는 로마의 신으로, 문門의 신이다. 문은 두 개의 얼굴을 가지고 있다. 들어갈 때 보여주는 얼굴, 나갈 때 보여주는 얼굴. 로마에서 뒤통수가 없이 앞뒤로 모두 얼굴이 있는 동상이나 부조 또는 그림을 보았다면 그것이 바로 야누스다. 두 개의 얼굴 때문에 야누스는 양면성, 이중성을 상징하게 되었다. 로마인들은 한 해의 시작이면서 동시에 끝이기도 한 1월을 "야누스의 달Januarius"로 불렀고, 이것이 나중에 영어의 1월 "January"가 되었다.

어찌 보면 세상 모든 것이 모두 이중적이다. 모든 사물은 밝은 면과 어두운 면을 동시에 가지고 있다. 이런 이중성을 이해하지 못하고 둘 중에 어느 한쪽만 보고서 나머지 한쪽을 무시한다면 그것은 그 사물을 제대로 파악하지 못한 것이다. 오래 전부터 지중해 연안을 따라 무수하게 생겨났다 사라졌던 작은 도시국가들 중에서 로마만이 유일하게 대제국을 이룩한 것은 어쩌면 사물의 양면성을 이해할 줄 알았기 때문일 수도 있다.

주식거래는 투기인가 투자인가? 많은 논란이 있지만, 이중성을 인정한다면 쉬운 대답이다. 주식거래는 투자이면서 동시에 투기다. 투기이면서 동시에 투자다. "투기speculation"라는 용어를 나쁜 의미로 쓰는 사람이 많은데 이들은 둘 중 하나다. 이런 이중성을 이해하지 못하는 사람이거나, 알면서도 군중들을 제멋대로 이용하려는 사람이거나. 그러므로 이제부터 투기라는 말을 나쁜 의미로 쓰는 사람은 믿지 말아야 한다. 그들은 어리석거나 나쁘다.

주식에 투자해서 돈을 벌기는 매우 어려운 일이다. 주식투자에 뛰어드는 많은 사람들 대부분은 돈을 잃는다. 돈을 버는 사람은 매우 적은데 그 이유는 뭘까? 아마도 다음과 같은 이유들이 복합적으로 작용하기 때문일 것이다.

① 쌍방 경쟁매매

주식시장은 기본적으로 경매시장이다. 경매 즉 경쟁매매란 보통은 파는 사람 또는 파는 물건은 하나인데 사려는 사람은 많다. 미술품 경매나 수산물 경매를 생각해보자. 얼른 보면 파는 사람과 파는 물건이 여럿인 것처럼 보인다. 하지만 실제 매매는 하나씩 하나씩 순서대로 진행하므로, 한 번의 경매에 파는 사람은 한 명이며 파는 물건도 하나다. 사려는 사람만 여러 명이다.

주식시장은 이런 일반적인 경매시장보다 한 차원 더 복잡하다. 완벽히 똑같은 물건이 여러 개가 거래되는데, 파는 사람도 여러 명이고 사는 사람도 여러 명이므로 쌍방 경쟁매매이다. 이런 특성이 주가 변화를 복잡하게 만든다. 비싸게 팔려는 사람과 싸더라도 빨리 팔려는 사람, 싸게 사려는 사람과 비싸더라도 빨리 사려는 사람들이 엉켜서 매매가 이루어지므로 주가 변화가 심해지고 예측이 어려워지는 것이다.

② 비선형적 주가 변화

사람은 선형적linear으로 사고한다. 하지만 우주는 비선형적nonlinear이다. 사람은 직선으로 우주를 파악하려 하지만 우주에 직선은 없다. 그런데 선형적으로 사고하는 사람들이 다수가 모여 사고파는 게임을 하면 그 게임은 비선형적으로 변한다. 복잡계의 특성을 갖게 되는 것이다. 선형적으로 사고하는 사람에게 비선형적인 주가 변화는 적응하기 어려운 세계다.

③ 심리적 불안정

욕심과 공포는 진화의 결과물이다. 자연계에서 욕심과 공포는 자연스러운 것이며 생존하는데 반드시 필요한 것이다. 하지만 수많은 사람들이 모여 서로서로 돈을 벌기 위해 게임을 벌이는 주식시장에서 욕심과 공포는 대부분 오작동한다. 공포감을 느껴야 할 때 욕심이 작동되며, 욕심을 내야 할 때 공포가 작동되는 경우가 매우 많다. 욕심과 공포를 콘트롤하는 능력, 평정심을 주식시장 참여자들은 아주 쉽게 잃어버리는 경향이 있다.

④ 3차 함수 : 주가-시간-심리

주가의 변화는 3개의 변수가 작동하는 3차 함수다. 주가 차트를 보자. y축을 따라 위와 아래로 주가가 표시된다. 대부분의 주식투자자는 이것만 본다. 주가가 오를 것인가, 아니면 내릴 것인가. 1차 함수로만 생각하는 것이다.

하지만 x축을 따라 왼쪽에서 오른쪽으로는 시간이 표시된다. 주가1에서 주가2로 변하는 데는 시간1에서 시간2까지 걸리는 시간이 소요되는 것이다. 또한 이 변화는 선형적이 아니라 비선형적으로 변화한다.

주가와 시간, 이 2가지 변수에 또 한 가지, 시장참여자들의 심리가 또 하나의 변수로 작용한다. 욕심과 공포가 주가와 시간에 또 다른 파장의 변화를 준다.

⑤ 주가가 싼지 비싼지 결정하는 기준이 모호

어떤 주식이 싼지 비싼지 결정하는 것은 결코 쉬운 일이 아니다. 기준을 어디에 두느냐에 따라 결과가 매우 달라지기 때문이다.

이런 여러 가지 이유들로 인해 주식시장에 참여해 돈을 버는 사람의 수는 매우 적다.

여기에 더해 또 한 가지 아주 중요한 이유로, 주식에 큰돈을 투자하면서 기본지식도 습득하지 않고 뛰어든다는 점이다. 주식투자는 기본지식에 대한 공부가 필수적인 분야다.

주식학 개론은 주식투자에 관한 전반적인 측면을 포괄적으로 설명하고자 한다.

먼저 주식이 무엇인지 기본적인 개념 정리부터 시작하여, 주식투자법에는 어떤 것들이 있는지 분류를 해보고, 주식을 분석하는 방법은 어떤 것들이 있는지, 주식을 대하는 사람들의 심리는 어떻게 작동하는지, 주식 이외의 파생상품인 선물과 옵션은 어떤 것인지를 설명한다.

이어서 주식거래가 시작된 역사적 배경과 그 이후에 주식회사 시스템이 인류사회에 어떤 영향을 미쳤는지에 대해 좀 더 높은 관점에서 살펴본다.

제1장 주식의 기본개념

1. 사람은 거래하는 동물이다.

사람을 호모 사피엔스Homo sapiens라고 한다. 생각할 줄 아는 능력이 있기 때문에 붙여진 이름이다. 그것 외에도 사람을 다른 동물과 구분 지을 수 있는 특징이 있을까?

두 가지가 더 있다. 불을 사용하고, 거래를 한다. 불은 사람만이 사용할 수 있다. 거래도 사람만이 할 수 있다. 다른 동물들은 거래라는 것을 모른다. 뺏고 빼앗길 뿐이다. 거래하는 인간, 주고받는 인간, 장사하는 인간, 호모 메르카토리우스Homo mercatorius, 사람은 거래하는 동물이다.

2. 사람들이 사는 곳은 모두 시장이다.

시장이라고 하면 대부분 특정 장소들을 연상한다. 많은 사람이 모여서 물건을 사고파는 와자지껄하고 시끄러운 장소. 장터, 바자르, 마트, 마켓, 백화점 등.

하지만 시장의 범위는 그보다 훨씬 더 넓고 크다. 어떤 사람이 택시를 타고 목적지까지 가서 요금을 냈다고 하자. 그 택시도 시장이다. 택시운송이라는 서비스와 돈을 거래한 곳이므로. 어떤 사람이 몸이 아파서 병원에서 가서 진료를 받고 진료비를 냈다고 하자. 병원도 시장이다. 진료 서비스와 돈을 거래한 곳이므로. 사람들이 돈을 주고받는 모든 장소가 시장이다. 최근에는 컴퓨터와 스마트폰 안으로까지 그 범위가 확장되었다. 사람들이 사는 곳은 모두 시장이다.

3. 돈은 필수품이다.

닭을 한 마리 가지고 있는데 옷이 필요한 사람이 있다고 해보자. 또 옷을 가지고 있는데 닭이 필요한 사람이 있다고 하자. 거래를 해야 하는데 어떻게 해야 서로 만족할 수 있을까? 닭 한 마리와 옷 한 벌을 교환한다? 그런데 옷 한 벌의 값어치가 닭 열 마리의 값어치와 같다면?

사람은 보이지 않는 것을 본다. "추상"적 사고를 한다. 사람은 세상에 없는 것을 만들어 낼 줄 안다. "창조"적 사고를 한다. 돈은 사람이 닭과 옷을 거래하기 위해 추상적으로 창조해 낸 물건이다. 닭을 가진 사람은 시장에서 닭을 돈과 바꾼다. 이 돈을 가지고 다시 옷과 바꾼다.

돈, 얼마나 편리한 물건인가? 거래에 돈은 필수적이다. 동식물에게 물이 필수품이

듯 사람에게는 돈도 필수품이다. 거래하는 존재인 사람들에게 돈은 필수품이다.

4. 상업은 위대한 것이다.
농업이 경제의 중심이던 과거에는 상업은 천한 것이었다. 중세유럽에서는 장원 안에서 농업에 종사하는 것이 정상이었고, 장원 밖에서 상업에 종사하는 사람들은 비정상이었다. 더구나 상업에 꼭 필요한 금융업에 종사하는 것은 비천한 유태인이나 하는 짓이었다. 동양에서도 마찬가지다. 고대 중국의 상商나라가 패망하고 주나라가 들어서자, 나라를 잃고 농토를 잃은 상나라 사람들은 떠돌아다니며 장사를 해서 먹고살았다. 이후에 "商"이란 글자는 망한 나라 사람들이나 하는 천한 일, 상업商業을 의미하게 되었다. 지금도 마찬가지다. 시장경제가 비교적 늦게 도입된 아시아의 나라들에서는 아직도 상업은 천한 일로 여겨진다. 공부를 잘해서 관료, 법관, 정치인이 되는 것을 좋다고 여기고, 장사를 잘해서 돈을 버는 것은 천하다고 여긴다.

농업이 중심이던 과거가 좋은가, 상업이 중심인 현재가 더 좋은가?
농업시대의 국가는 필연적으로 신분세습제를 필요로 한다. 수메르의 길가메시 왕, 이집트의 파라오, 로마의 임페라토르, 중국의 황제, 그리고 비교적 최근에 "짐이 곧 국가다"라던 프랑스의 루이 14세까지. 농업시대의 국가는 왕과 노예가 있어야만 유지가 된다.
상업은 역사적으로 볼 때 가끔씩, 일시적으로, 그리고 국지적으로 활성화되기도 했다. 하지만 대부분은 자급자족을 기본으로 하는 농업사회의 보완적 역할밖엔 하지 못했다. 그러다가 15세기 말에 유럽인들의 대항해시대 이후 전 지구적으로 무역과 상업이 중심이 된 세상이 열렸다. 상업시대의 국가는 뜻밖에 민주정치를 가져왔다. 왕을 없애고, 천민을 없앴다. 상업은 천한 것이 아니다. 위대한 것이다. 천민을 시민으로 만든 위대한 것이다.

5. 상업의 규모가 커지면 동업자가 필요해진다.
영어의 "company"란 단어는 라틴어에서 유래했다. "~와 함께"를 의미하는 "cum"과, "빵, 밥, 양식, 먹거리"를 의미하는 "panis"가 합쳐져서 "함께 밥을 먹는 사람들"을 의미하게 되었다.
최초의 컴퍼니는 자연발생적으로 생겨났다. 원시시대 공동체 사회의 무리band, 그리고 현대의 가족family, 이 두 가지가 가장 정확한 의미의 컴퍼니일 것이다. 그야말로 밥을 같이 먹는 사람들이니까.

이 시대에는

① company = band = family

상업의 규모가 커지면서 두 사람 또는 여러 사람이 모여 함께 비즈니스를 하게
되었다. 컴퍼니는 점차 동업자partner를 의미하게 되었다.
동업자는 왜 필요할까?
첫째, 사업의 규모를 키울 수 있다. 한 사람의 자본보다는 두세 사람의 자본을 모
으면 더 큰 사업을 할 수 있다.
둘째, 위험을 줄일 수 있다. 혼자서 모험적인 사업을 하다가 실패하면 모든 것을
잃는다. 하지만 그 사업의 지분 1/2 또는 1/3만을 투자한다면 실패하더라도 모든
것을 잃지는 않는다.

② company = partners

역사에 등장하는 동업자의 종류에는 대표적으로 다음과 같은 것들이 있다.
* 로마의 소시에타societas
* 중세유럽의 길드gild
* 베네치아의 코멘다commenda

이 중에서 코멘다commenda는 조금 독특하다. 베네치아는 이민족을 피해 도망 온
피난민들이 바닷가 갯벌 위에 만든 해상도시다. 그래서 농사를 지을 수 없었고,
귀족이든 평민이든 상업을 통해 생계를 꾸려야 했다.
해상무역은 위험하지만, 수익이 좋은 사업이었다. 배가 난파당하거나 해적을 만나
빼앗긴다면 큰 손실이 되겠지만, 성공할 경우에는 엄청난 수익을 기대할 수 있었
다. 향신료, 비단, 도자기 등 아시아에서 들어온 상품들을 중간기착지인 콘스탄티
노플에서 사서 배로 운반해 유럽 여러 도시에 팔면 엄청난 수익이 되었다. 이런
해상무역의 특성 때문에 베네치아의 특유한 동업자 관계인 코멘다 제도가 생겨났
다.
주로 돈 많고 나이도 많은 부유한 상인이 돈을 댄다. 상대적으로 돈은 없지만 젊
고 용기 있는 젊은 상인은 배를 타고 나가 해상무역을 한다. 투자 상인이 100%
돈을 대면 나중에 수익금의 75%를 가져가고, 항해 상인이 나머지 25%를 가져간
다. 항해 상인이 돈을 조금 대면 나중에 배당 비율도 약간 더 커진다.
이런 코멘다 제도를 통해 상업이 발전한 베네치아는 엄청난 부를 축적하게 되었

다. 이탈리아반도의 북부, 동쪽 바닷가의 베네치아와 그 반대편 서쪽 바닷가의 제노바 그리고 그 중간의 피렌체에서는 이렇게 쌓은 부유함으로 문화가 크게 발전하게 되는데 그것이 바로 르네상스다. 인문학자, 화가, 조각가들이 자신의 능력을 마음껏 펼치도록 돈을 대준 사람들이 바로 이런 방식의 해상무역으로 돈을 벌어들인 사람들이다. 코멘다는 동업자와 회사 사이의 중간 형태라고 할 수 있다.

코멘다 제도를 통해 부유해지고 정치적 권력도 차지한 사람들이 나중에는 기득권층이 되어 사다리 걷어차기로 코멘다 제도를 없애버려서 결국 이 제도는 베네치아에서 소멸되었다. 하지만 코멘다는 나중에 북유럽에서 탄생하는 "주식회사의 기본적인 구조"를 잘 보여준다. 위험하지만 수익성이 높은 사업을 위해, 돈을 대는 사람과 모험적인 사업을 떠나는 사람으로 구성되는 동업자 관계, 이 관계가 바로 주주와 경영자로 구성되는 주식회사의 원형archetype이다.

6. 동업자들의 모임이 회사company가 되었다.

여러 사람이 돈을 모아 회사를 만들어 운영하면 사업의 규모는 훨씬 키울 수 있는 반면에 위험은 서로 나누어 분담할 수 있다. 즉 "사업규모 확장"과 "위험 분담"을 위해 회사가 탄생했다.

1400년대 말부터 유럽의 나라들은 배를 타고 나가 아시아, 아프리카, 아메리카에서 식민지개척과 해상무역을 시작하였다. 이른바 대항해시대와 해상무역의 시대가 열린 것이다. 포르투갈과 스페인은 이런 사업을 하는데 "국가nation"가 중심이 되었지만, 네덜란드와 영국에서는 상인들이 돈을 모아 운영하는 "회사company"들이 중심이 되었다.

1599년에 아시아로 갔다가 암스테르담으로 귀환한 배가 엄청난 수익을 내자, 네덜란드 내의 여러 도시들에서 회사들이 서로 경쟁적으로 아시아 무역에 뛰어들었다. 이런 경쟁은 네덜란드 전체로 보면 서로 손해였고, 그래서 1602년에 네덜란드 공화국의 의회가 여러 회사들을 연합하여 하나의 통합회사를 설립하였다.

세계 최초의 주식회사인 네덜란드연합동인도회사Vereenigde Oost-Indische Compagnie, VOC가 탄생하였다. 컴퍼니는 마침내 회사corporation를 의미하게 되었다.

③ company = corporation

영국동인도회사East India Company, EIC는 네덜란드동인도회사VOC보다 2년 앞선 1600년에 설립되었는데 왜 세계 최초의 주식회사라고 하지 않을까?

초기의 EIC는 자본금을 모아 한 번의 무역 항해가 끝나면 수익금을 나누어주고

정산을 마쳐버렸기 때문에 그 지분을 사고팔 이유가 없었다. 그러나 VOC는 수익금을 나누어주지 않고 사업을 계속 진행하다가 21년 후에 정산하기로 했으므로 그 지분을 중간에 사고팔아야 할 상황이 생겼다. 그 지분 즉 주식을 쉽게 사고팔 수 있는 완전한 의미의 주식회사는 그러므로 VOC가 세계 최초이다.

컴퍼니와 주식은 VOC와 EIC 이전에도 이미 존재하고 있었다. 역사에 기록된 최초의 주식은 탐험가였던 세바스티안 캐봇Sebastian Cabot이 1553년에 만들었다. 그는 영국에서 활동했지만, 원래는 베네치아 출신의 뱃사람으로 본명은 세바스티아노 카보토Sebastiano Caboto다. 당시에는 위험하지만 수익이 많이 남는 원거리 해상무역은 국왕만이 할 수 있었고, 일반인들 특히 돈 많은 상인들은 위험 때문에 끼어들려고 하지 않았다. 원거리 해상무역에 성공하면 엄청난 수익을 거둘 수도 있지만, 난파당하거나 해적을 만나 나포되면 원금을 모두 잃을 수도 있었기 때문이다. 즉 고위험 고수익 사업이었다. 사람들은 "고위험 고수익, 저위험 저수익"이 당연한 것이라고 모두 생각하고 있었다.
하지만 이런 고위험 고수익 사업을, "저위험 고수익" 사업으로 만들 수는 없을까? 고민한 사람이 바로 세바스티안 캐봇이었다. 그는 답을 찾았다. 위험을 여럿으로 쪼개면 되었다.
1553년에 캐봇은 이런 사람들을 끌어들이기 위해 한 주당 25파운드짜리 "증서"를 만들어 런던의 상인들에게 팔았고, 240명에게서 모두 6000파운드를 모금하였다. 이것은 해상무역의 위험을 1/240로 줄인 기발한 아이디어였다. 그럼에도 투자금 대비 수익은 높았다. 즉 "저위험 고수익" 사업이었다.

주식의 탄생 배경
; 위험도 높고 수익도 높은 해상무역에서, 위험은 낮추고 수익은 여전히 높게 얻으려는 목적으로, 사업의 지분을 여러 사람에게 나눈 것.
즉 저위험 고수익Low Risk High Return을 추구하기 위해 탄생하였다.

이 증서가 바로 최초의 주식이다. 이 증서를 발행한 회사의 이름은 "신세계로 향하는 상인 모험가 회사Company of Merchant Adventurers to New Lands"였다. 다만 사업이 끝나면 바로 정산을 하고 해산했으므로 영속성을 띤 주식회사가 되지는 못했다.

※ 회사를 의미하는 영어 단어들

* company ; 라틴어로 "밥을 같이 먹는 사람"이라는 의미에서, 동업자 partners라는 의미로, 나중에는 회사corporation라는 의미로 확장되었다.
예를 들어 처음에는 "Smith and company (스미스란 사람과 그 동업자들)"로 쓰이다가, 나중에는 "Smith company (스미스 회사)"로 변화했다. 이런 변화는 영국에서 1600~1700년 사이에 일어났다.
* corporation : 라틴어로 "몸, 신체"를 의미하는 "corpus"에서 유래하여, 주로 법인체 즉 법인을 의미한다.
* incorporated ; 동사 "incorporate법인을 설립하다"의 형용사형으로, 회사이름 뒤에 붙여 써서 법인임을 나타낸다. 예를 들어 "Smith inc."로 사용한다.
* firm ; 라틴어로 "튼튼한, 견고한"의 의미를 가진 "firmus"에서 유래한다. 소수의 유대감이 깊은 사원들이 모인 회사, 주로 법률회사law firm 등에서 사용한다.
* enterprise ; 프랑스어로 "착수하다, 시도하다"를 의미하는 "entreprendre"에서 유래한다. 주로 규모가 큰 기업, 대기업에서 주로 사용한다.

7. 회사는 법을 통해 국가로부터 인정을 받아야 한다.
종이 위에 글을 써서 나중에 증거자료로 쓰기 위해 작성한 문서를 라틴어로 카르타charta라고 한다. 카르타는 영어로 차터charter가 되었다. 하지만 차터는 단순히 종이 위에 글을 쓴 것을 말하는 것이 아니라, 그 내용이 권위가 있는 것 즉 국왕의 특별허가와 같은 내용을 적은 문서를 의미한다. 국왕이 특별히 허가한다는 내용을 종이 위에 써서 주는 것은 칙허장charter勅許狀이라고 하고, 국왕에게 이런 칙허를 받은 회사를 칙허회사chartered company라고 한다.
최초의 칙허회사는 1407년에 칙허장을 받은 "런던 상인 모험가 회사Company of Merchant Adventurers of London"이다. 앞에서 설명한 세바스티안 캐봇의 "Company of Merchant Adventurers to New Lands"도 칙허회사의 하나다. 이후 영국을 비롯해 네덜란드, 프랑스 등 유럽의 여러 나라에서 이런 칙허회사들이 생겨나기 시작했다.

다음은 칙허회사의 목록이다. 괄호 안의 숫자는 칙허장을 받은 해다.

영국

Company of Merchant Adventurers of London (1407)

Bristol Society of Merchant Venturers (1552)

Company of Merchant Adventurers to New Lands (1553)

Muscovy Company (1555)

Spanish Company (1577)

Eastland Company (1579)

Turkey Company (1581)

Venice Company (1583)

Barbary Company (1585)

Levant Company (1592)

East India Company ; EIC (1600)

Virginia Company (1606)

Plymouth Company (1606)

French Company (1609)

London and Bristol Company (1610)

Somers Isles Company (1616)

Guinea Company (1618)

New River Company (1619)

Massachusetts Bay Company (1629)

Providence Island Company (1629)

Courteen association (1635)

Royal West Indian Company (1664)

Hudson's Bay Company (1670)

Royal African Company (1672)

Hollow Sword Blade Company (1691)

Greenland Company (1693)

Bank of England (1694)

South Sea Company (1711)

African Company of Merchants (1752)

Sierra Leone Company (1792)

Van Diemen's Land Company (1824)

Canada Company (1825)

New Zealand Company (1825)

South Australian Company (1835)

Fiji Company (1840)

Eastern Archipelago Company (1847)

Standard Chartered (1853)

British North Borneo Company (1881)

Royal Niger Company (1886)

Imperial British East Africa Company (1888)

British South Africa Company (1889)

네덜란드

Brabantsche Compagnie (1599)

Dutch East India Company ; VOC (1602)

New Netherland Company (1614)

Australische Compagnie (1614)

Noordsche Compagnie (1614)

Dutch West India Company (1621)

Sociëteit van Suriname (1683)

Society of Berbice (1720)

Compagnie belge de colonisation (1841)

프랑스

Compagnie de Saint-Christophe (1625)

Company of One Hundred Associates (1627)

Compagnie des Îles de l'Amérique (1635)

Compagnie de Chine (1660)

Compagnie des Indes orientales ; French East India Company (1664)

Compagnie des Indes occidentales ; French West India Company (1664)

Compagnie de l'Occident (1664)

Compagnie du Mississippi ; Mississippi Company (1717)

이들 칙허회사는 민간회사이면서도 국가의 고유기능인 외교권과 교전권을 부여받아 가지고 있었다. 그래서 칙허회사는 주식회사로 발전해 가는 중간단계로서 "국가-회사 복합체nation-company complex"라고 할 수 있다.

국왕이 주던 칙허장은 나중에 의회에서 제정한 법률로 등록registration하도록 바뀌었다. 주식회사의 명칭 뒤에 붙여 사용하는 "inc."는 "incorporated"의 줄임말로, 법인으로 등록되었다는 뜻이다. 예를 들면 "Apple Inc.", "Amazon.com, Inc." 이처럼 회사는 법을 통해 국가로부터 인정을 받아야 한다.

8. 주식회사는 국가로부터 법적으로 유한책임limited liability을 인정받은 회사다.

사람은 자연이 만든 존재다. 사람은 자연인이다. 그런데 자연이 아니라 법이 만든 사람도 있다. 법인corporation, juridical person이 그것이다. 왜 굳이 법인이 필요했을까?

사람은 권리와 의무의 주체다. 회사도 소속되어 있는 사람들에게서 분리되어 스스로 권리와 의무의 주체가 되어야 사업을 하기에 편하기 때문이다. 아주 간단한 예를 들어, 어떤 회사가 은행에서 돈을 빌려온다고 하자. 법인 제도가 없으면 회사에 소속된 사람들이 열 명이든 백 명이든 각자 모두 차용증을 써야 한다. 하지만 회사 자체를 하나의 법인으로 정해 놓으면 회사 명의로 한 장의 차용증만 써주면 된다. 법인은 법적으로 자연인과 똑같은 대접을 받는다. 법인의 종류에는 다음과 같은 것이 있다.

* 사람이 모인 법인은 사단법인body corporate
* 재산이 모인 법인은 재단법인foundation corporation
* 이익 즉 영리를 목적으로 하는 법인은 영리법인profit corporation

주식회사는 대표적인 영리법인이다.

회사가 사업을 진행하다가 빚을 지게 되었는데 갚지를 못하게 되었다. 어떻게 해야 하나? 이것을 법으로 정해 놓았다.

회사의 빚을 사원이 갚을 의무가 있으면 "무한"책임회사
회사의 빚을 사원이 갚을 의무가 없으면 "유한"책임회사

유한책임회사의 사원 즉 주주는 회사의 빚에 대해 무한 연대책임을 질 필요가 없다. 회사가 망한다면 주식을 사기 위해 냈던 돈만 포기하면 되고, 추가로 자신의 돈으로 갚지 않아도 된다.

유한책임회사를 영어로 표기하면,
Limited Liability Company (LLC) = Company Limited = Co. Ltd.

주식회사의 명칭에 "LLC"나 "Co. Ltd."가 들어가는 이유다. 그 회사는 유한책임 회사라는 뜻이다. 예를 들어, 구글의 정식 명칭은 "Google LLC"다.

국가마다 법으로 규정하는 회사의 종류가 약간 다르다. 대한민국의 상법은 회사의 종류를 다음과 같이 5가지로 규정하고 있다.

① 합명회사
무한책임사원만으로 구성되는 회사.
사원은 회사의 채무를 채권자에게 변제할 "무한책임"을 진다.
사원 개개인이 각자 회사의 업무를 집행하고 회사를 대표한다.
가족, 친척, 또는 신뢰가 깊은 사람들끼리 공동으로 사업을 하기에 적합한 회사이다.
영어로 표현하면 "partnership company" 또는 "firm"이 여기에 해당한다.

② 합자회사
무한책임사원과 유한책임사원으로 구성되는 이원적 조직의 회사.
무한책임사원이 경영하는 사업에 유한책임사원이 투자금을 대고 참여하는 것으로, 한 명의 대표가 회사를 경영하면서 다른 사람에게는 투자금만 받고 경영에는 참여시키지 않는다.
투자한 사람은 경영에 참여하지는 않지만, 수익이 나면 나누어 받으며 채무에 대해서는 무한대로 책임을 지지 않고 자신이 출자한 돈까지만 책임을 진다.
주로 국내기업이 해외에 진출하면서 현지 경영상황에 익숙한 해외기업의 자금 출자를 받아 합자회사를 운영하는 경우가 많다.

③ 유한책임회사
유한책임사원만으로 구성되는 회사.
업무진행자가 업무를 수행하고, 주주총회나 사원총회 같은 기타 집단의 동의는 필요 없다.
다만 다수의 업무집행자가 있는 경우엔 과반수 결정에 따라야 한다.
지분을 얼마나 가지느냐에 따라 차등 의결권을 가지는 주식회사와는 달리, 보유한 지분에 상관없이 모두 동등한 의결권을 가진다.
IT업계처럼 인적자원이 중요한 업종을 위해 2011년에 신설된 혼합형 개념의 회사다.
경영이 자유롭다는 장점이 있지만, 지분을 증권화할 수 없어 외부 투자 유치가 어렵다는 단점이 있다.

④ 유한회사
유한책임사원만으로 구성되는 회사.
사원 전원의 책임이 간접이며 유한인 점, 분화된 기관을 가지는 점 등 많은 점에서 주식회사와 유사하나, 정관으로 지분의 양도를 제한할 수 있다는 점이 다르다.
주식회사와 비교하면 재무 상태를 공개할 의무가 없어 운영이 수월한 장점이 있다.
하지만 주식거래 절차가 복잡하여 외부자금을 투자받는 것이 힘든 것이 단점이다.

※ 유한책임회사 vs 유한회사
대한민국의 상법은 미국계 제도인 유한책임회사와 독일계 제도인 유한회사를 모두 인정하고 있다. 이런 예는 세계적으로 유례를 찾기 어렵다. 원래 유한회사 제도가 존재하던 일본의 경우는 유한책임회사에 상응하는 합동회사를 도입하면서 기존의 유한회사를 폐지하였다.

⑤ 주식회사
유한책임사원만으로 구성되는 회사.
주식의 발행으로 설립된 회사로, 모든 주주는 그 주식의 인수가액을 한도로 하는 출자의무를 부담할 뿐 회사의 채무에 대해 아무런 책임도 지지 않는다. 주식회사의 가장 중요한 특징은 주주의 유한책임이다.
대표이사가 회사를 대표하며 의사결정은 주주총회나 이사회에서 진행한다.
주식양도가 자유롭고 투자를 받기 쉬우며 가입과 탈퇴가 쉽기 때문에 회사의 규모를 키우는데 매우 유리하다. 하지만 이해관계인이 많은 만큼 주주총회나 공시의무 등 규제가 많다는 단점이 있다.

9. 주식회사의 특징
 ① 소유권의 분할
 ② 소유와 경영의 분리
 ③ 유한책임
 ④ 주권 양도의 편리
 ⑤ 이윤추구
 ⑥ 법인

① 주식은 피자와 비슷하다. 소유권이 여러 개로 분할되어있다.

주식회사의 소유권을 주권이라고 하는데, 이 주권은 여러 개로 분할되어있다. 돈이 많이 들어가는 큰 사업을 하기 위해서 여러 사람으로부터 돈을 모아 회사를 설립하기 때문이다.

주가 x 주식의 수 = 시가총액

② 주식회사는 소유와 경영이 분리되어있다.

소유자인 주주와 경영자인 CEO는 서로 다르다. 때로는 같을 수도 있는데, 대주주가 다른 주주들의 동의를 얻어 경영을 맡는 경우다.

③ 주주는 회사의 채무에 대해 책임이 없다.

주주의 책임은 처음에 주식을 사기 위해 들인 돈만으로 제한된다. 회사가 사업을 하다가 지게 된 빚에 대해서는 아무런 책임이 없다. 이것을 "유한책임"이라고 한다.

④ 주식은 양도하기가 편리하다.

양도(매도)가 편해서 주식을 현금화하기가 좋다. 거꾸로 주식을 양수(매수)하기도 매우 편하다.

⑤ 주식회사의 목적은 이익을 내는 것이다.

자선사업을 하기 위해 설립된 단체가 아니다. 주식회사는 이윤을 추구하는 영리법인이다. 그러므로 수익을 많이 내는 회사가 좋은 회사다. 주식회사의 가치는 이익을 얼마나 많이 내는가에 달려있다.

⑥ 주식회사는 법적으로 사람과 똑같다.

마치 일반 사람과 똑같이 법적으로 권리와 의무를 갖는 단체를 법인이라고 한다. 주식회사는 법인의 일종이다. 그러므로 회사의 채무에 대해 회사 스스로 책임을 진다. 소유주인 주주에게까지 책임을 묻지 않는다.

이상에서 설명한 것을 간단히 정리 요약해보면 다음과 같다.

* 주식회사란 소유권이 여러 개로 분할되어있고, 소유와 경영이 분리되어있으며, 소유주인 주주는 회사의 채무에 대해 법적으로 유한책임이며, 주권의 양도가 편리한, 이윤을 추구하는 영리법인이다.
* 주식이란 여러 개로 분할되어있는 주식회사의 소유권이다.

※ 주식을 의미하는 영어 단어 3가지의 차이점

* security ; 주식, 채권을 포함하여 종이 위에 권리를 표시한 모든 유가증권을 의미한다. 대표적으로 주식과 채권만을 의미할 때가 많다. 유가증권 또는 증권으로 번역한다.
* shares ; 주식 하나하나를 개별적으로 지칭할 때 사용한다. 하나의 주식만을 이야기하는 경우는 드물기 때문에 단수 "share"로 표현되는 경우가 없고 대개 복수 "shares"로 사용된다. 채권에는 사용하지 않는다. 주식, 주권 또는 지분으로 번역한다.
* stock ; 주식 여러 개를 하나의 묶음으로 지칭할 때 사용한다. 채권도 "stock"이라고 한다. 상황에 따라 증권 또는 주식으로 번역한다.

※ 주식회사의 영어 표기

* 비교적 소규모의 partnership company는 "대표자 and company"로 표시하는 경우가 많다. 예를 들면 "Smith and company"처럼. 대규모 주식회사에서도 이런 식으로 표기하는 경우도 가끔 있다.
* 유한책임회사임을 강조하여 "Smith Co. Ltd."로 표시하는 경우도 많다. 여기서 "Co. Ltd."는 원래 "Company Limited"이다. 이를 정확히 표현하면 "Limited Liability Company" 즉 유한책임회사다.
* 대규모 주식회사에서는 "Smith Inc."를 쓰기도 한다. "Inc."는 "Incorporated"의 약자이며, 법인으로 등록이 되었다는 의미이다.
* 특정 주식회사가 아니라 일반적인 주식회사를 말할 때는 "Joint-stock company"라고 표현한다. 이를 좀 더 정확히 표현해 보자면, "Incorporated, Limited liablity, Joint-stock company"라고 할 수 있겠다. "법인으로 국가에 등록이 되었으며, 법적으로 유한책임을 보장받은, 주식으로 소유권이 분할되어 있는 회사"라는 의미이다. 이 책에서는 앞으로 이런 의미의 주식회사를 줄여서 "Stock Company"라고 표현한다.

제2장 주식 투자법의 분류

무언가를 분류한다는 일은 쉬운 일이 아니다. 사람마다 모두 얼굴이 다른 것처럼 각자 다른 주식투자법을 단 몇 개의 카테고리로 분류해내는 것은 결코 쉬운 일이 아니다. 하지만 단순하게 가장 눈에 잘 띄는 특성을 기준으로 분류를 시도해 보면 불가능한 일도 아니다.

주식투자 방법에서 제일 먼저 눈에 띄는 특성은 무엇이 있을까? 바로 주식투자가 다음과 같은 두 가지 속성을 동시에 가지고 있다는 것이다.
1. 주식회사의 지분이므로 그 본질적 "가치value"를 가지고 있다.
2. 본질적 가치와 상관없이 "가격price"이 제멋대로 오르내리는 경우가 많이 있다.
이 두 가지 속성 중에서 어떤 것을 중시하느냐에 대한 의견은 사람마다 다르다. 그래서 이것으로 분류의 첫 번째 기준을 정할 수 있다.

[분류의 기준 1]
; 주식의 어떤 면을 중시하는가? - 가치? 가격?
=> 가치주의 vs 가격주의

세상 만물은 모두 시간이 지나면 변화한다. 분류의 기준 두 번째는 이런 변화에 대해 어떻게 대처하는가 하는 것이다. 과거부터 현재까지의 변화하는 방향으로 미래를 추측해볼 수는 있지만, 그 추측은 맞을 수도 있고 틀릴 수도 있다.
1. 기존의 변화를 "추종following"할 것인가?
2. 아니면 새로운 변화의 방향을 "예측anticipating"할 것인가?

[분류의 기준 2]
; 변화에 대해 어떻게 대처할 것인가? - 추총? 예측?
=> 추종파 vs 예측파

이 두 가지 분류의 기준을 가지고 주식의 투자법을 분류해본다.

1. 가격주의Priceism

주식은 그 본래의 가치와 무관하게 "가격"변동을 심하게 보이는 경우가 많다. 그러므로 "가격"에 집중하여야 한다.

가격price은 거래trade에서 발생하며, 거래는 시장market에서 일어난다. 앞에서 설명한 것처럼, 거래하는 존재인 사람들에게 집만큼이나 중요한 시장은 장터나 마트처럼 공간을 차지하고 외형을 갖춘 곳만 시장이 아니라, 주고받는 거래가 일어나는 모든 곳, 모든 시공간이 시장이다. 이 시장에서 거래가 일어나며, 파는 사람과 사는 사람이 동의하는 금액이 "가격"이다.

나한테 뭔가가 있다. 나는 그것을 최소한 얼마에 팔고 싶다. 그런데 그것을 사고자 하는 사람은 그것이 좀 비싸다고 생각한다. 그래서 둘이 협의해서 적당한 금액에 사고팔기로 결정한다. 그 사고팔기로 한 돈의 크기, 그것이 가격이다.

주가는 주식이 거래되는 "가격"이다. 주가는 앞에서 설명한 여러 가지 이유로 인해 마치 제멋대로 움직이는 것처럼 보인다. 하지만 일시적으로는 한쪽으로 지속되는 "방향성"을 갖는다. 위로든 아래로든 또는 옆으로든 주식의 가격이 일시적으로 보이는 방향성, 이것을 "추세trend"라고 한다.

그러므로

가격주의 ≒ 추세주의

Priceism ≒ Trendism

가격주의는 추세주의라고도 할 수 있다.

2. 가치주의Valueism

주식은 일시적으로는 제멋대로 움직이는 것 같지만, 장기적으로는 반드시 자기 본래의 "가치"에 수렴한다. 그러므로 "가치"에 집중하여야 한다.

3. 추종파Following Sect

과거 어느 시점으로부터 현재까지의 변화가, 현재부터 미래의 어느 시점까지는 당분간 지속될 것이다. 그런데 이 예상이 빗나간다면? 수정하면 된다.

그래서 추종파의 방법은, 현재 변화의 방향이 어디인가 파악해서 그 방향으로 우선 따라가 보고, 맞으면 계속 가고 틀리면 빨리 멈춘다.

초기 예측이 틀렸을 때의 대처방안

* 추세주의의 추종파 ; 손절매 - 손실이 더 커지기 전에 빨리 털고 나온다.
* 가치주의의 추종파 ; 분산투자 - 포트폴리오에 종목 수가 너무 적으면 한 종목의 가치판단이 틀렸을 때 너무 손실이 크므로, 종목 수를 많이 담아서 전체 포트폴리오의 손실을 줄인다.

4. 예측파Anticipating Sect

모든 변화에는 원인이 있다. 이런 원인은 이런 결과를 가져오고, 저런 원인은 저런 결과를 가져온다.
그래서 예측파의 방법은, 미래에 일어날 변화의 원인을 찾아 그것이 가리키는 방향으로 간다.

이상과 같이 2가지 분류기준에 따라, 주식투자법은 다음과 같은 4가지로 분류할 수 있다.

	추종파	예측파
추세주의	추세추종	추세예측
가치주의	가치추종	가치예측

주식투자법 ; 빅4
1. 추세추종 Trend Following
2. 추세예측 Trend Anticipating
3. 가치추종 Value Following
4. 가치예측 Value Anticipating

이 4가지가 주식투자법의 가장 명확한 분류법일 것이다. 그래서 이것을 우선 주식투자에 관한 4가지 전략, "Big 4"라고 해보자.

그런데 주식투자의 세상에 존재하는 대부분의 투자법은 위의 4가지 안에 들어가지만, 그렇지 않은 예외가 딱 하나 있다. 퀀트Quant.
퀀트는 위의 분류법으로는 분류되지 않는다. 추종파 (추세추종, 가치추종)와는 겹치는 부분이 있지만, 예측파 (추세예측, 가치예측)와는 전혀 관계가 없다. 그리고 추종파와도 관련이 없는 자신만의 고유영역도 있다. 그러므로 퀀트까지 포함해 5

가지 전략, "Big 5"라고 하기에는 약간 무리가 있다.

그래서 최종적으로 주식투자법은 다음과 같이 분류할 수 있다.

※ **주식투자법 ; "빅4 + 1"**

1. 추세추종 Trend Following
2. 추세예측 Trend Anticipating
3. 가치추종 Value Following
4. 가치예측 Value Anticipating
5. 계량분석, 퀀트 Quantitative Analysis, Quant

세상에 존재하는 모든 주식투자법들은 이 다섯 가지 카테고리 안에 모두 들어간다. 물론 사람들마다 각각의 방법을 나름대로 변형해서 사용하기도 하고, 또는 두 가지 이상의 방법을 병행해서 사용하기도 한다.

주식투자 이론들의 기본원리는 20세기 초반과 중반에 대부분 완성되었다. 추세주의의 원조인 찰스 다우가 추세에 대한 자신의 생각들을 월스트리트 저널에 기고한 것이 1900~1902년, 추세추종의 아버지 제시 리버모어가 "주식매매하는 법"이란 책을 출판한 것이 1940년, 추세예측의 대가 앙드레 코스톨라니가 자신의 투자법을 책으로 발표하기 시작한 것이 1939년이다.
가치주의의 원조이며, 동시에 가치추종의 아버지인 벤저민 그레이엄이 콜럼비아 대학교에서 증권분석을 강의하기 시작한 것이 1927년이며, 가치예측의 대가 필립 피셔가 자신의 이론을 정리해 책으로 출판한 것은 1958년이다.
또한 퀀트의 아버지 에드워드 소프가 "시장을 이겨라"라는 책을 펴낸 것이 1967년이다.

이후 각각의 이론들은 더 정교하게 다듬어지고, 서로 영향을 주고받으며 발전해가고 있다. 주식투자를 하려면 최소한 이 5가지 방법의 기본개념은 이해하고 시작해야 하지 않을까? 포커 게임에 끼어늘려면 최소한 풀하우스가 뭔지는 알고 끼어들어야 하듯이.

제3장 추세주의 vs 가치주의

앞장에서 간단히 설명한 추세주의와 가치주의에 대해서 좀 더 자세히 알아보자. 야누스의 얼굴이 두 개인 것처럼, 주식도 두 가지 측면을 동시에 가지고 있다. 주식회사의 소유권 즉 지분이므로 일정한 "가치"를 지니고 있으며, 동시에 가치와는 상관없는 듯 제멋대로 움직이는 것처럼 보이는 가격의 변동성 즉 "추세"를 보인다.

주식이 가치만을 지닌 것이었다면 세상에 넓게 퍼지지 않았을 것이고 세상의 변화에 많은 영향을 미치지도 못했을 것이다. 소수의 전문가들만이 거래하는 재미없는 자산이 되었을 것이다. 하지만 동시에 추세를 보이는 것이었기에 수많은 사람들이 참가하는 재미있는 시장이 된 것이다. 주식의 투기적 측면을 나쁘게 보면 안 되는 이유다.

추세주의와 가치주의는 서로 전혀 다른 세계관, 전혀 다른 가치관을 가지고 있다.

1. 추세주의Trendism

추세주의의 주장 ; 주식의 가격은 그 본질인 주식회사의 가치와는 무관하게 움직이는 경우가 많으므로, 가치를 따지기보다는 가격의 변동성 즉 추세에 맞춰서 투자해야 한다.

네덜란드동인도회사의 주식이 처음 거래된 1603년 3월 3일 이후 거의 300여 년 동안 주식거래는 거의 대부분 추세주의에 의한 것이었다. 가치주의에 의한 투자도 있었으나 추세주의에 비하면 미미한 수준이었다. 주식시장은 주기적으로 폭등하거나 폭락하였고, 투자자들은 그 변화 즉 추세를 미리 예측하고자 무한한 노력을 들였다. 그러나 대부분 큰 성과를 보지 못하였다.

1900년대가 되어서야 주가 변화를 예측하기 위한 도구들이 하나씩 개발되기 시작했다. 그중에서 찰스 다우의 평균주가는 혁명적인 것이었다. 추세주의자trendist들의 아버지로 찰스 다우를 꼽는 이유다. 또한 찰스 다우는 최초의 주식학자stockologist라고 할 수 있다. 경제학economy을 처음 시작한 사람이 아담 스미스라면, 주식학stockology을 처음 시작한 사람은 찰스 다우다.

찰스 다우 ; 다우이론

찰스 다우Charles Henry Dow (1851~1902) 이전에도 추세주의적 투자방법들은 이미 널리 알려져 있었고, 다우이론을 혼자서 모두 다 정리한 것은 아니다. 그럼에도 찰스 다우를 추세주의의 선구자라고 하는 이유는 그가 주식시장 전반에 흐르는 추세를 파악할 수 있는 도구를 발명하였고, 그것으로 사람들이 아주 쉽게 시장의 상황을 알 수 있게 되었기 때문이다. 추세주의의 첫 번째 디딤돌을 놓은 사람이 찰스 다우다.

찰스 다우는 그 당시에 뉴욕증권거래소에 상장되어있는 기업들의 주가를 모두 더해서 평균을 내는 방법으로 현재의 추세를 쉽게 파악할 수 있도록 했다. 지금 돌아보면 아주 단순한 방법처럼 보이지만 당시에는 매우 혁명적인 사건이었다. 마치 라이트 형제의 비행이 지금의 기술 수준으로 보면 보잘것없어 보이지만 당시에는 세상 사람들이 모두 깜짝 놀랄 일이었던 것처럼.
찰스 다우는 이것을 주가평균 (또는 평균주가)stock price average 라고 하였다. 참고로 주가지수stock price index란 용어는 후대에 사람들이 단순평균이 아니라 시가총액을 고려한 가중평균을 내면서 만든 것이다. 그러므로 다우존스지수는 지수가 아니라 평균average이며, S&P500은 지수index다.

찰스 다우가 이 평균주가의 움직임을 분석해 1900~1902년경에 월스트리트저널에 칼럼을 발표한 것이 다우이론의 기초가 되었다. 1902년에 "The ABC of stock speculation주식투기의 기본"이라는 책을 발표한 사무엘 넬슨Samuel A. Nelson이 "다우이론The Dow Theory"이라는 명칭을 처음 사용하였다. 1922년에는 월스트리트저널의 네 번째 편집국장이었던 윌리엄 해밀턴William P. Hamilton이 자신의 책 "The stock market barometer주식시장의 바로미터"를 출판하여 다우이론을 좀 더 자세하고 명확한 이론으로 발전시켜 세상에 널리 알렸다. 1932년에 로버트 레아Robert Rhea가 이들을 간단하게 정리하여 "The Dow theory다우이론"이란 책에 발표하였다.

찰스 다우는 주식시장의 플레이어로 큰돈을 벌고 그래서 그의 투자법이 유명해진 경우는 아니었다. 가난한 농가에서 태어나 교육도 제대로 받지 못했으나, 우연히

기자가 되어 활동하다가 금융정보의 중요성을 알아보고 에드워드 존스Edward Jones와 함께 작은 금융정보회사 "Dow, Jones & Company"를 1882년에 설립하였다. 매일 매일 주식시장이 끝난 오후에 에드워드 존스, 찰스 버그스트레서 Charles Bergstresser와 함께 그날의 주가 정보들을 2페이지 분량으로 정리하여 "Customers´ Afternoon Letter"란 이름의 정보지를 발행하여 판매하였다. 정식 신문이라기보다는 요즘의 증권가 찌라시 또는 경마장의 경마정보지 수준의 간행물이었다. 그러나 점차 발전을 거듭하여, 1889년 7월 8일에는 "The Wall Street Journal"이란 이름으로 정식 경제신문을 창간하였고, 이제는 경제 분야에 관심이 있는 사람이라면 모두 읽는 세계적으로 가장 유명한 경제신문이 되었다. 이렇게 된 가장 중요한 이유는 평균주가라는 개념을 창안하여 지면에 실었고 그것이 대단한 인기를 얻었기 때문이다.

찰스 다우와 그 동료들이 평균주가를 처음으로 발표한 날은 1884년 7월 3일이었다. 뉴욕증권거래소에 상장된 11개 기업의 주가를 모두 합친 후 11로 나누어 평균을 냈다. 그날의 평균주가는 69.93이었다.
1897년 1월 1일부터는 평균주가를 산업주평균과 철도주평균 2가지로 나눠서 발표했다. 1929년 말에는 그해 1월 1일을 기점으로 해서 공기업평균을 추가로 발표하였다. 철도주평균은 나중에 해운업과 항공업을 포함하여 운송주평균으로 명칭을 바꾸었다.

현재 다우존스지수는 3종류로, 산업주평균DJIA은 30종목, 운송주평균DJTA은 20종목, 공공주평균DJUA은 15종목을 단순평균 내서 산출한다. 이 종목들은 경제상황에 따라 다른 종목으로 교체되기도 한다.
* DJIA ; Dow Jones Industrial Average, 다우존스 산업주평균
* DJTA ; Dow Jones Transportation Average, 다우존스 운송주평균
* DJUA ; Dow Jones Utility Average, 다우존스 공공주평균

다우존스 평균주가는 기업의 주가를 시가총액의 크기에 상관없이 단순평균을 내서 산출하므로 대표성에 부족하다는 단점이 있다. 나중에 신용평가사인 S&P사에서 개발한 S&P500 지수는 시가총액 가중방식을 사용한다.

기술적 분석 중에서 최초로 발표된 것이 다우이론이다. 그러므로 찰스 다우는 기술적 분석의 시조라고 할 수 있다.

다우이론의 핵심은 다음과 같이 네 문장으로 요약할 수 있다.
* 주식시장 전체를 아우르는 추세가 있다.
* 이 추세는 평균주가로 파악할 수 있다.
* 개별종목은 이 추세의 영향을 받는다.
* 추세에도 크고 작은 것이 있는데, 큰 추세의 방향을 파악하는 것이 투자 성공의 핵심이다. 다우이론은 이 큰 추세를 파악하기 위한 여러 가지 방법들을 설명하고 있다.

다음은 다우이론을 정리한 것이다.

1. 평균주가는 주식시장에 관한 모든 것을 반영한다.
2. 평균주가에는 세 종류의 흐름이 있다. 이들 흐름은 동시에 이루어진다.
3. 세 종류의 흐름은 기본흐름, 이차적인 반동흐름, 그리고 매일 변화하는 일간등락이다.
4. 일간등락은 주가조작 세력에 의해 영향을 받을 수 있다.
이차적인 반동흐름도 어느 정도는 영향을 받을 수 있다.
하지만 기본흐름은 어떤 주가조작 세력에도 영향을 받지 않는다.
5. 기본흐름은 주식시장의 기저에 흐르는 가장 중요한 추세로, 대세하락이나 대세상승이라 한다. 이 흐름의 방향을 정확히 판단하는 것이 투자 성공의 핵심이다. 하지만 이 흐름의 지속기간을 예측할 수 있는 방법은 없다. 1년 미만일 수도 있고, 수년 동안 이어질 수도 있다.
6. 대세하락은 주식시장의 긴 하락흐름으로, 중간중간에 이차적인 반등이 나타난다. 이 흐름에는 세 가지 국면이 있다.
 1단계, 주가가 더 상승할 것이라는 희망을 포기하는 단계
 2단계, 경기불황과 기업이익 감소에 따라 주식을 매도하는 단계
 3단계, 주가에 관계없이 내던지듯 주식을 파는 단계
7. 대세상승은 주식시장의 전반적인 상승흐름으로, 중간중간에 이차적인 조정이 나타난다. 이 흐름에도 세 가지 국면이 있다.
 1단계, 기업경기의 미래에 대한 신뢰가 조금씩 되살아나는 단계
 2단계, 기업이익의 증가가 확인되고 주가도 따라서 오르는 단계
 3단계, 투기열풍으로 주가가 급격히 올라가는 단계
8. 이차적인 반동흐름은 대세하락에서 나타나는 중간반등과 대세상승에서 나타나는 중간조정이다. 대개 3주에서 수개월 동안 이어진다.

이차적인 반동흐름은 이전 하락폭 또는 상승폭의 1/3 ~ 2/3를 반납하는 것이 일반적이다.

이차적인 반동흐름은 기본흐름의 반전으로 오인되기 쉽다.

9. 일간등락은 작은 움직임으로 이것을 보고 어떤 결론을 내릴 수는 없다. 그럼에도 일정기간 동안의 일간 주가차트는 어떤 패턴을 보이게 되고 이는 향후 주가를 예측하는데 도움을 준다.

10. 주가상승이 계속되는 동안 전고점을 돌파하고, 이어서 나타나는 하락세가 전저점보다 높은 수준에서 멈춘다면 이는 시장이 강세장임을 의미한다.

11. 반대로, 주가상승에도 불구하고 전고점 돌파에 실패하고, 이어서 나타나는 하락세가 전저점보다 낮은 수준으로 떨어진다면 이는 시장이 약세장임을 의미한다.

12. 평균주가가 2~3주 동안 약 5% 범위 내에서 움직이는 주가흐름을 박스권이라 한다.

현재 시장에서 대규모 매물이 출회되고 있거나, 또는 대규모로 물량확보가 이루어지고 있다는 것을 의미한다.

주가가 박스권 상단의 저항선을 돌파해 상승한다면 그동안 물량확보가 완료되었으며 앞으로 주가가 더 오를 것이라고 예상할 수 있다.

반대로, 주가가 박스권 하단의 지지선을 깨고 하락한다면 그동안 물량출회가 완료되었으며 앞으로 주가가 더 떨어질 것이라고 예상할 수 있다.

13. 이중천정, 이중바닥에 의한 주가 예측은 큰 의미가 없고 상당히 속기 쉬운 개념이다.

14. 주식시장이 과매수 상태일 경우 상승할 때는 거래량이 부진하다가 하락할 때는 거래가 활발해진다.

반대로, 주식시장이 과매도 상태일 경우 하락할 때는 거래량이 부진하다가 반등할 때는 거래가 활발해진다.

대세상승은 폭발적인 과도한 거래량과 함께 막을 내리고 아주 적은 거래량과 함께 시작된다.

15. 대형우량주들은 대부분 평균주가와 같은 방향으로 움직인다. 그러나 일부 개별종목 중에는 평균주가와는 전혀 다른 요인들에 의해 주가가 결정되는 경우도 있다.

16. 두 가지 평균주가 (산업주평균과 철도주평균)은 반드시 서로 확인해 주어야 한다.

17. 다우이론이 100% 완벽한 것은 아니다.

2. 가치주의Valueism

가치주의의 주장 ; 주식의 가격이 단기적으로는 제멋대로 움직이는 것처럼 보이지만, 장기적으로는 반드시 그 본질인 주식회사의 가치에 수렴한다.

주식은 주식회사의 소유권이다. 주식회사는 영리법인이다. 영리 즉 수익을 추구하는 법인체다. 그러므로 주식의 "가치value"는 "그 주식회사가 얼마나 수익을 잘 내는가"에 달려있다.

현재 사용되고 있는 "가치주"란 용어는 "재무분석에 의해 평가된 금액보다 더 적은 금액에 거래되고 있는 주식"을 의미한다. 그러므로 정확히 표현하면 "저평가된 주식" 즉 "저평가주"가 이에 맞는 표현이다. 가치주란 용어의 본래의 의미는 현재 수익을 잘 내고 있거나 앞으로 잘 내게 될 것으로 예상되는 회사의 주식이다. 그러므로 가치주와 저평가주는 정확히 구분해서 사용해야 한다.

추세주의가 대세를 이루던 1600년대~1800년대에도 미미하나마 가치주의적인 투자방법은 있었다. "value inveting"이란 용어도 이미 사용되고 있었다. 그러나 추세주의에 비하면 하찮은 수준이었다.

1910년대부터 벤저민 그레이엄이 재무분석을 통한 가치주의 방식의 투자로 큰 성공을 이루고 그것을 세상에 책과 강의로 알리면서 가치주의 투자법이 추세주의 투자법에 상대가 되는 수준이 되었다. 지금에 와서는 가치주의는 투자라고 존중받고 추세주의는 투기라고 비웃음의 대상이 될 정도로 판세가 역전되었다. 그래서 벤저민 그레이엄을 가치주의자valueist들의 아버지라고 한다.

벤저민 그레이엄 ; 증권분석

주식투자에 관한 이론은 벤저민 그레이엄Benjamin Graham (1894~1976) 이전과 이후로 나뉜다. 추세주의가 대부분이던 주식의 세상에 가치주의라는 신세계를 활짝 열어젖힌 사람이 벤저민 그레이엄이다.

그가 활동을 시작한 1910년대에는 주식에 대한 재무분석은 거의 없었다. 있기는 있었지만 아주 미미한 수준이었다. 주식거래자 대부분은 시장을 움직이는 거물급 투자자들에 대한 소문에만 관심이 있었다. "누가 어떤 주식을 매집하기 시작했다더라"하는 소문들이 사람들의 최대 관심사였다.

이런 상황에서 증권 관련 업무를 시작한 벤저민 그레이엄은 남들과는 다르게 가격의 변동성이 아니라 주식의 본질인 재무분석에 답이 있음을 알아챘다. 재무분석을 통해 알아낸 가치가 시장에서 거래되는 주가보다 훨씬 낮을 때 그 주식을 매수하는 것, 그리고 가치가 주가보다 훨씬 높을 때 공매도 하는 것이 매우 안전하면서도 높은 수익을 낸다는 것을 알았다. 이것을 "증권분석"이라 하며, 나중에 그의 책 제목이 되었다.

이런 분석 방법을 기술적 분석에 대한 상대적 개념으로 기본적 분석fundamental analysis이라 한다. 여기서의 기본fundamental은 주식 가격의 원천인 주식회사의 가치를 말한다. 그 가치는 우선 재무상태로 파악한다. 즉 기본적 분석이란 주식회사의 재무상태를 분석해서 현재의 주가가 어떤가를 파악하는 방법을 의미한다.

가치주의와 벤저민 그레이엄에 대한 설명은 가치추종 투자법 편에서 좀 더 자세히 다루기로 한다.

제4장 주식 투자법

앞에서 주식 투자법은 다음과 같이 5가지로 분류됨을 설명했다.

① 추세추종 Trend Following
② 추세예측 Trend Anticipating
③ 가치추종 Value Following
④ 가치예측 Value Anticipating
⑤ 계량분석, 퀀트 Quantitative Analysis, Quant

이 장에서는 각각의 투자법에 대해 자세히 알아본다.

①추세추종 투자법

도그마 ; 주가는 추세를 형성하며 상승하거나 하락하는 경향이 있으므로 현재의 추세를 판단하여 그 추세에 동참한다.

이슈 ; 그렇다면, 현재의 추세를 판단하는 기준은 무엇으로 할 것이냐? 또한 이 판단이 틀렸을 경우에는 어떻게 할 것이냐?

[그림4-1] 추세추종의 개념도

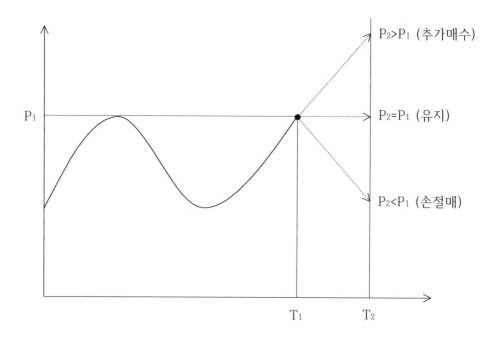

1. 추세의 의미

추세란 단어를 일반적으로 사용할 때는 "유행fashion"과 비슷한 의미로 사용한다.

38

"무엇이 추세다."라는 말은 "무엇이 유행이다."라는 말과 비슷한 의미다.
하지만 추세란 말을 주식시장에서 사용할 때는 "가격변동의 방향성"을 말한다. 즉 상승추세, 하향추세를 말하며, 빼먹는 경우가 많은데 횡보추세도 추세다. 다만 횡보추세란 말은 잘 사용하지 않고 박스권box pattern이란 용어를 더 많이 사용한다.
추세란 용어는 주로 주식시장의 전반적인 흐름을 이야기할 때 사용한다. 그래서 상승추세가 강해지면 강세장이라고 하고, 하락추세가 강해지면 약세장이라고 한다. 하지만 개별주식의 주가변동에도 추세란 용어를 사용한다. 예를 들면 "A란 주식이 상승추세에 있다. B란 주식은 하락추세다. C란 주식은 횡보 중으로 박스권에 갇혀 있다."라는 식이다.

주식시장의 초기에는 투자방식의 개념들이 서로 불분명하였고, 이때의 추세추종은 문자 그대로 "유행을 따른다."라는 식이었다.
그러다가 1900년대 초반에 제시 리버모어가 추세추종의 개념을 정립하여 널리 알리고부터 진정한 추세추종 투자법이 시작되었다. 후대의 추세추종자들은 그의 방식을 더 정교하게 다듬었고, 5가지 투자법의 한 분야로 맨 먼저 자리를 잡았다.

2. 원시적 형태의 추세추종

추세추종 즉 추세를 따르는 전략은 주식거래가 시작된 이래 가장 먼저 그리고 가장 많이 선택된 매매 방법이다. 현재도 가장 많은 사람들이 따르고 있는 방법이며 어찌 보면 가장 원시적이면서도 보편적인 방법이라고도 할 수 있다. 그러나 제대로 된 개념이나 원칙이 없이 그냥 대충 중구난방식으로 이루어지던 투자법이기도 했다. 말 그대로 "유행을 따르는 투자법"으로 가장 범위가 넓은 방법이었다.

주식시장의 탄생 자체가 이런 유행을 따르는 투자 때문이었을 수도 있다. 대항해시대에 아시아와 신대륙으로의 항해무역이 큰 수익을 내자 너도나도 설립했던 칙허회사charted company들도 넓은 의미의 추세추종이라 할 수 있고, 윌리엄 핍스 선장이 침몰한 보물선을 인양해 큰 수익을 투자자들에게 안겨주자 너도나도 설립했던 보물선인양 회사들도 추세추종이라 할 수 있다. 최근에도 어떤 사업이 큰 수익을 줄 것이라는 소문이 나면 너도나도 같은 사업을 하는 회사를 설립하고 그런 회사의 주식을 사들이는데 이것 또한 추세추종이라 할 수 있다.
어떻게 보면 추세추종 이외의 다른 투자법들이 분류되어 나오기 이전에는 원시적인 형태의 추세추종법 만이 존재하고 있었다고 해도 과언이 아니다. 이런 식의 추세추종 방법의 대표적인 것들로 모멘텀 투자, 테마 투자 등이 있다.

모멘텀 투자momentum investing

모멘텀은 원래 "탄력, 추진력, 여세"를 의미하는 단어다. 이것을 물리학에서는 "운동량"이나 "가속도"라는 의미로 사용하며, 기하학에서는 "곡선 위의 한 점의 기울기"라는 의미로 사용한다. 주로 학문적인 용어로 사용되는 단어다.
이것을 주식거래에 사용하여 모멘텀 투자라 할 때는 "곧 급등할 이유가 있는 주식"을 의미한다. 즉 이륙 직전의 비행기처럼 매입하자마자 주가가 급등할 주식을 찾아 투자하는 방법을 말한다. 그래서 이 방법에서는 무엇보다 타이밍timing이 가장 중요하다.

테마 투자thematic investing

어떤 한 주식 종목이 대박을 쳤다면 또는 대박을 칠 것으로 예상이 된다면, 그와 유사한 종목들이나 그와 연관된 사업을 하는 종목들이 덩달아 함께 상승하고 하락한다. 이런 현상을 "테마를 이룬다."라고 한다.
예를 들어 한국에서는 북한 관련 테마가 자주 나타난다. 남북한 관계 또는 미북 관계가 악화되면 방위산업 주식들이 테마를 이루어 상승하고, 반대로 관계가 좋아지면 북한경제의 재건에 사용될 건설자재나 인프라 관련 주식들이 테마를 이루어 상승한다.
이외에도 추세추종에는 여러 가지 변형들이 있다.

3. 차트, 차티스트, 기술적 분석

추세추종자trend follower들의 가장 기본적인 도구는 차트chart다. 이 차트를 연구해서 주식거래에 응용하는 사람을 차티스트chartist라고 한다. 또한 차티스트들이 차트를 사용해서 주식거래의 기술trading technique이란 측면으로 주식을 분석 analysis한 것을 기술적 분석technical analysis이라고 한다.

4. 추세추종의 개념 정립 ; 제시 리버모어

※ **추세추종의 기본 개념**
(추세추종 투자법은 2단계로 되어있다.)

① 추세는 예측하려고 아무리 노력해봤자 성공하기가 매우 힘들다. 그러므로 우선 현재 주가가 상승하는 추세면 상승 쪽으로 따라가고, 하락하는 추세에 있으면 하락 쪽으로 따라간다. 단, 초기 투자금액은 반드시 소액으로 시작해야 한다.

② 초기 투자 이후에 방향이 맞아 수익이 나면 투자금액을 더 추가하고, 틀려서 손실이 나면 빨리 손절매하고 빠져나온다.

위의 내용은 얼른 보면 별것 아닌 것처럼 보일지도 모르지만, 이 개념이 최초로 세상에 나왔을 때는 주식시장에 엄청난 반향을 일으킨 일대 사건이었다. 이 기본 개념을 최초로 정립한 사람이 제시 리버모어다.

제시 리버모어

제시 리버모어Jesse Lauriston Livermore (1877~1940)는 미국 뉴잉글랜드에서 가난한 농부의 아들로 태어났다. 어려서부터 독서를 좋아하고 수학을 잘했다고 한다. 14세가 되자 공부는 그만하고 농부가 되라는 아버지의 말을 어기고, 어머니가 몰래 쥐어 준 5달러를 들고 대도시인 보스턴으로 도망쳐서 증권회사의 시세판을 기록하는 서기가 되었다.
당시에는 주가가 주가표시기를 통해 종이에 인쇄되어 나왔는데, 증권회사에서는 이 주가를 시세판에 옮겨 적는 일을 나이 어린 소년들에게 주로 맡겼다. 리버모어가 그 일을 하게 된 것이다.

주가표시기는 주가를 전신기telegraph를 통해 전달하는 장치로, 주가가 종이테이프에 찍힐 때 "틱 틱" 거리는 소리가 나기 때문에 "티커ticker"라고 불렸다. 티커가 나오기 전에는 수가를 먼 거리에 있는 사람에게 알릴 때, 편지처럼 만들어 특수 배달부에게 배달시키거나 우편으로 발송하기도 했다. 심지어 비둘기를 이용하기도 했다고 한다.

전신기는 1837년에 사무엘 모스Samuel Morse가 발명했는데, 모스 부호를 사용해 먼 거리에 있는 사람에게 정보를 전달하는 혁신적인 기계장치였다. 1867년에 에드워드 캘러헌Edward Callaghan이 전달내용을 종이테이프에 찍어내는 방법을 개발해 주식시세기를 발명했다. 혁신적인 발명품이었지만 고장이 잦아, 1871년에 토머스 에디슨이 성능을 향상시킨 주가표시기를 개발하여 널리 사용하게 되었다.

증권회사에는 티커에서 나오는 종이테이프가 엄청나게 쌓이게 되는데, 축제날 같은 때 거리로 둘둘 말린 이 테이프들을 던지는 것이 유행하였다. 군사 퍼레이드를 하거나, 스포츠선수들이 승리해서 거리에서 개선 퍼레이드를 할 때면 거리를 향해 둘둘 말린 색종이를 던졌는데, 바로 이것이 주가테이프를 던지던 것에서 유래한 것이다. 티커가 사라져서 지금은 이런 풍경도 사라졌다.

오늘날에는 종이테이프 대신 전산 처리된 주가가 전광판 화면을 통해 실시간으로 표시되고 있다. 지금도 뉴스가 진행되는 도중 텔레비전 화면 아래에 오른쪽에서 왼쪽으로 숫자나 글자들이 지나가는데, 이것이 바로 티커의 흔적이다.

어린 리버모어는 증권회사에서 이런 일을 하면서 주가를 수첩에 기록하고 연구했는데, 15세 때 직장동료인 친구와 함께 처음으로 주식거래를 시작했다.

당시에는 돈이 많은 사람들이나 증권거래소에서 주식을 사고팔 수 있었고, 돈이 적은 사람들은 "bucket shop주식방"이라고 하는 무허가중개소에서 주식거래를 했다. 하지만 이곳에서는 실제로 주식을 사고파는 것이 아니라, 가게주인이 손님의 거래 상대가 되어 주가표시기에 찍혀 나오는 가격에 거래를 하는 일종의 야바위 노름판이었다. 더구나 거래하는 주식의 전부를 사고파는 것이 아니라 10%의 증거금만 내고 거래를 하므로, 가진 돈의 10배에 해당하는 주식을 사고팔 수 있었다. 이런 방식은 이익이 날 때는 엄청나지만 손실이 날 때는 순식간에 가진 돈 전부를 잃게 되는 구조였다. 때로는 이익이 날 때도 있지만 딴 돈을 거의 모두 다시 걸고 다음 거래를 했기 때문에 순식간에 빈털터리가 되는 경우가 대부분이었다.

하지만 리버모어는 이런 야바위판에서 돈을 땄다. "boy plunger꼬마 노름꾼"이란 별명도 얻었다. 시간이 지나자 이런 가게들에서 입장을 거절당할 만큼 유명인사가 되었다. 그래서 그는 2,500달러를 들고 월스트리트로 진출하였다. 여기에서 엄청난 성공을 이루었고, "The great bear of wall street월가의 큰곰"이라는 별명을 얻었다. 유명인사가 되어 화려한 삶을 살았다. 요트를 타고 출퇴근했으며 유명 연예인과 스캔들을 일으키기도 했다. 하지만 몇 번의 실패와 파산을 했고, 마침내 우울증이 겹쳐 권총 자살로 인생을 끝냈다.

그는 살아생전에 이미 월스트리트의 전설적인 인물이 되었으며, 많은 수의 추종자

를 거느린 대가가 되었다. 그의 투자 방법을 배우기 위해 많은 사람들이 연구와
노력을 기울였고 여러 권의 책이 출간되었다.

제시 리버모어는 자기 자신을 스페큘레이터speculator로 생각했으며 그것을 자랑
으로 여겼다. 당시에는 스페큘레이터란 말이 그렇게 나쁘게 인식되지 않았다. 그는
인베스터investor를 별로 좋아하지 않았으며, 투기적 목적으로 주식을 샀다가 주가
가 하락하는 바람에 손절매를 하지 못하고 오랫동안 부유하게 된 사람을 "비자발
적 투자자"라 부르며 경멸스럽게 생각했다.
하지만 시간이 지나면서 스페큘레이터는 노름꾼과 비슷한 의미로 쓰이게 되었으
며, 누구나 투자자로 불리기를 좋아하게 되었다. 특히나 가치투자가 유행해지면서
다들 가치투자자라고 불리고 싶어 하게 되었다. 이제는 투기적 거래자들도 스페큘
레이터 대신에 트레이더trader로 불리고 싶어 한다.

제시 리버모어의 주식매매법은 피라미딩pyramiding 이라는 이름의 매매기법으로
만 알려져 있다. 하지만 그의 주식매매법은 단순히 매매기법일 뿐만 아니라, 심리
상태의 중요성, 자금관리의 중요성도 강조하고 있다. 피라미딩 기법 자체가 일종의
매매 방법이면서, 동시에 심리적 안정감을 추구하고, 나아가 자금관리의 목적까지
달성하려는 다목적 방법론이다. 그의 매매 방법은 타이밍, 심리, 자금관리, 이렇게
3개의 부분으로 이루어져 있다.
제시 리버모어의 주식매매 방법을 요약정리하면 다음과 같다.

[추세추종 투자법 ; Livermore`s Method]

① 예측이 아니라 추종
주가는 예측할 수 있는 것이 아니다. 투기란 것이 원래는 미래의 주가를 예측하는
것이 전부지만, 사람들의 심리적 특성에 따라 움직이기 때문에 주가는 예측하기가
힘들다. 그러므로 주가의 움직임을 따라가야 한다.
강세장 또는 약세장이라는 용어는 사용하지 않는 것이 좋다. 심리적으로 고정관념
을 갖게 되기 때문이다. 대신 상승추세, 하락추세란 용어를 사용하는 것이 좋다.
상대적으로 짧은 기간이긴 하지만 심리적 고정관념에서 자유롭기 때문이다.

② 심리의 중요성
주식을 거래하는 사람에게 가장 중요한 것은 심리적 안정이다. 욕심과 공포심 즉
감정에 휘둘리면 큰 손실을 입게 될 뿐이다. 인간의 심리적 장애를 극복하기 위

해, 시장에 진입하기 전에 중요한 사항들을 미리 결정에 두는 것이 좋다. 어느 가격에 진입할 것인지, 위험에 노출시킬 금액은 얼마인지, 거래를 청산할 기준은 무엇인지 등을 결정해두고 시작해야 감정에 흔들리지 않게 된다.

나중에 그의 후계자들은 이러한 매매 방법을 기계적 매매mechanical trading라고 하였다. 감정적 휘둘림을 피하기 위해 미리 결정해둔 기준에 따라서 마치 기계처럼 매매한다는 뜻이다.

③ 주도주
거래를 할 때는 그 당시에 주식시장을 선도하는 주식을 선택해야 한다. 관심을 받기 시작한 업종에서 각광 받는 종목을 남들보다 먼저 파악해서 거래해야 한다. 하지만 주도주는 시시때때로 변화한다. 그러므로 항상 현재의 주도주가 무엇인지 늘 관심을 기울이고 있어야 하고, 그것을 매매해야 한다.

④ 주가의 기록
시장의 움직임을 정확히 파악하기 위해 주가를 스스로 기록하는 것이 중요하다. 스스로 기록하다 보면 주가를 움직이는 어떤 힘을 느낄 수 있다.

(리버모어가 활동하던 당시에는 지금처럼 컴퓨터로 제공되는 차트가 없었다. 차트를 만들어 파는 업자들도 있었지만, 고객이 받아볼 때는 시간이 좀 지난 뒤였다. 리버모어는 주가를 기록하는 자신만의 독특한 방법을 개발하여 사용했으며, 자신의 책 "How to trade in stocks"에 자세히 설명하고 샘플까지 덧붙여 놓았다. 다른 사람들에게도 스스로 주가를 기록하는 것이 주식시장의 힘을 느낄 수 있는 좋은 방법이라고 권장했다.)

⑤ 시점선택timing
아무 때나 진입하는 것이 아니고 시장이 자신의 모습을 보여줄 때까지 충분히 인내하고 기다리는 것이 중요하다. 또한 타이밍을 결정할 때에는 심리상태가 매우 중요하다. 욕심과 공포에서 벗어나 평정심을 유지할 수 있을 때에 거래를 시작해야 한다. 리버모어는 이를 심리적 시간psychological time이라 하였다.

⑥ 전환신호pivotal point
피봇pivot은 바퀴처럼 회전하는 물체의 축 즉 중심점을 의미한다. 주가가 피봇을 중심으로 회전한다는 신호 즉 전환신호가 포착될 때 진입해야 한다.
전환신호로는 다음과 같은 것들이 있다.
1. 특정 가격대 돌파

10달러, 20달러 등을 돌파할 때를 말한다. 이런 가격들은 시장참가자들의 심리에 지지선 또는 저항선으로 작용하며, 이것이 돌파될 때는 그 방향으로 더욱 쏠리는 경향이 있기 때문이다.

2. 신고가, 신저가 돌파

현재의 추세가 상승 쪽이라고 판단되면, 주가가 일시적 조정을 보인 후 전고점을 돌파하고 신고가를 기록할 때 매수해야 한다. 하락추세 때도 마찬가지로 주가가 일시적 반등을 보인 후 전저점을 돌파하고 신저가를 기록할 때 공매도해야 한다.

⑦ 위험신호

전환신호를 포착하고 진입했는데 예상과 달리 주가가 움직인다면 이것은 위험신호이다. 이때에는 빨리 포지션을 청산하고 빠져나와야 한다.

⑧ 손실을 짧게, 수익은 길게

시장에 진입한 후에 주가가 예상과 달리 움직여 손실이 난다면 빨리 손절매를 하고 나와야 한다. "곧 다시 반등하겠지" 또는 "원금은 회복해야지" 하는 마음으로 지체하다 보면, 작은 손실로 끝날 결과가 매우 큰 손실로 확대되기가 쉽다.

반면에 수익이 난다면 짧은 조정에 겁먹지 말고 기다려야 한다. 이미 내 것이 된 수익금을 다시 잃어버릴까 걱정하는 마음으로 포지션을 너무 빨리 청산한다면 큰 수익을 놓치게 되기 쉽다. 이것 역시 심리적 안정감이 중요하다.

제시 리버모어는 이것을 "이익은 스스로를 돌보지만, 손실은 절대 그런 법이 없다."라는 말로 설명했다.

⑨ 분할매수pyramiding

시장에 진입할 때는 수익을 날 것으로 예상하고 진입하지만 실제로 수익이 날지 손실이 날지는 알 수 없다. 그러므로 손실은 줄이고 수익은 늘릴 수 있는 방법으로 진입해야 한다. 대부분의 사람들은 자신이 베팅할 수 있는 최대금액으로 시작한다. 수익이 난다면 좋겠지만 손실이 날 때는 자신이 가진 돈 전체를 잃어버릴 위험에 처하게 된다.

마치 큰 군대가 진군할 때에는 척후병, 선발대, 본진의 순서대로 나아가듯이, 시장에 진입할 때는 이와 같이 해야 한다. 500주를 매수할 계획이라면, 처음 진입가격에 100주만 먼저 매수해 본다. 그래서 수익이 나는 방향으로 움직일 경우 추가로 100주를 매수한다. 이런 방식으로 500주까지 매수한다.

주의해야 할 것은 수익이 날 때 추가매수 해야 한다는 점이다. 대개는 손실이 날 때 추가매수를 하는 경우가 많은데, 이것은 손실을 평균화할 목적으로 물타기scale trading를 하는 것이다. 처음 100주에서 손실이 난다면 빨리 포지션을 청산하고 빠져나와 손실을 줄여야 한다. 공매도를 할 때에도 마찬가지 방법으로 시행한다.

⑩ 자금관리
이처럼 시장에 진입할 때도 자금관리가 중요하지만, 성공적으로 거래를 끝마친 뒤에도 자금관리가 중요하다. 대부분의 사람들은 지난번 성공에 고무되어 수익금 전체를 다음 거래에 투입하지만 그렇게 해서는 안 된다. 수익금의 절반 정도는 계좌에서 인출하여 예금 등 안전한 곳으로 이동시켜야 한다. 거래 방법만큼 중요한 것이 자금관리다.

5. 손절매stop loss, loss cut ; 추세추종자의 필수품

누군가 주식시장에 처음 발을 들여놓으면 반드시 맨 먼저 듣게 되는 소리가 "손절매를 잘하라"라는 말일 것이다. 이른바 자칭 고수들이 약방에 감초처럼 써먹는 말이 바로 이것이다. 그런데 이 말이 맞는 것일까?
손절매는 추세추종자에게만 필요한 것이다. 추세추종 외의 다른 투자법을 따르는 투자자들, 다시 말해 추세예측자들이나 가치주의자들은 손절매를 하지 않는다. 주가가 떨어지면 오히려 추가매수를 하기도 한다. 그들에게 주가 하락은 더 싼 가격에 원하는 물건을 살 수 있는 더 좋은 기회이기 때문이다. 손절매는 추세추종자에게만 필수품이다.

6. 기계적 매매, 시스템 트레이딩

추세추종을 하기 위해서는 인간의 심리적 장애를 극복해야만 한다. 즉 감정에 휘둘리지 않고, 논리적이고 이성적이며 냉정해야 한다. 마치 인간이 아닌 기계처럼 행동해야 한다. 그래서 그런 방식의 매매 방법을 기계적 매매mechanical trading라고 한다. 기계적 매매는 시스템 트레이딩system trading이라고도 한다. 시스템 트레이딩은 미리 정해진 체계적 순서 즉 시스템대로 매매한다는 뜻이다.

7 후대의 추세추종자들

제시 리버모어로부터 시작된 추세추종 투자법은 이후 수많은 사람들이 따라 하기 시작하면서 주식투자법 중에서 가장 큰 분파가 되었다. 그러나 성공적인 추세추종자들은 세상에 잘 드러내려고 하지 않는다. 은둔적 성향이 있는 사람들이 많이 포

함되어 있기 때문이기도 하지만, 그보다는 투기꾼이라는 비난을 피하기 위해서 일 것이다. 추세추종자들은 약세장에서도 활동하는데 공매도 투자로 성공할 경우 일반인들의 비난을 피하기가 어렵다. 시장의 흐름에 따라 하락 방향으로 투자했을 뿐인데, 투자의 세계를 모르는 사람들은 이들 때문에 약세장이 온 것으로 오해하기 때문이다. 조지 소로스 때문에 파운드화가 폭락한 것이 아니라, 파운드화가 폭락할 것을 미리 예견해서 큰 수익을 낸 것뿐이다.

추세추종은 주식거래는 물론이지만, 특히 선물이나 외환을 거래하는 경우에 매우 유용하다. 원자재commodity의 선물과 외환은 가치를 평가하기가 어렵고, 수요와 공급을 파악하기도 어려운 경우가 많기 때문이다. 또한 레버리지leverage를 사용하기 때문에 추세추종 이외의 다른 방법으로는 접근하기가 곤란하다. 그래서 유명한 추세추종자 중에는 선물이나 외환 거래자가 많이 있다.

리처드 데니스와 터틀

이들 추세추종자 중에 가장 유명한 사람이 리처드 데니스Richard J. Dennis다. 유명해진 이유는 터틀turtle이라고 부르는 제자들을 키워냈고 그들이 성공적인 트레이더가 되었기 때문이다.
1983년 무렵 그는 친구와 논쟁을 하다가 내기를 걸었는데, 트레이더는 선천적으로 타고나는 것인가 아니면 학습에 의해 후천적으로 배우는 것이 가능한 것인가가 논쟁의 내용이었다. 그는 후천적으로 학습이 가능하다는 쪽이었고 그래서 학생들을 키워내기로 하였다. 마침 논쟁을 하던 곳이 거북이 농장이어서 학생들을 터틀이라고 부르게 되었다. 1,000명이 넘는 지원자 중에서 다양한 연령, 다양한 직업의 사람 13명이 최종적으로 선발되어 교육을 받았다. 이들은 실제로 좋은 실적을 보여주었고, 그래서 많은 트레이더들의 관심의 대상이 되었다.

②추세예측 투자법

도그마 ; 추세는 그것을 일으키는 원인이 있어서 상승하고 하락하므로, 그 원인을 찾아 거기에 맞게 투자하면 된다.

이슈 ; 그렇다면 추세를 변화시키는 원인은 무엇이냐?

[그림4-2] 추세예측의 개념도

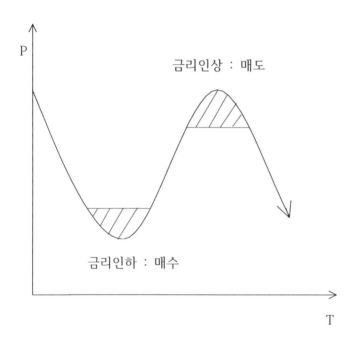

I. 패턴pattern

그리스인들은 원래 우주를 카오스chaos라고 불렀다. 인간이 이해할 수 없는 무질서한 혼돈의 세계였다. 그러다가 피타고라스라는 사람이 처음으로 우주를 코스모스cosmos라고 불렀다. 카오스에 "수number"라는 잣대를 들이대 질서정연한 우주,

코스모스로 이해한 것이다. 자연은 항시 무질서한 것처럼 보이지만, 인간이 만든 어떤 잣대를 들이대면 질서가 보이기 시작한다.

주가 변화도 그렇다. 변화무쌍하고 이해하기 곤란해 보이지만 어떤 잣대를 들이대면 그 질서의 실체가 보일 것만 같았다. 주식시장에서의 잣대는 패턴이라고 한다. 피타고라스가 우주를 재는 잣대는 수이고, 주식시장 참여자들이 주가 변화를 재는 잣대는 패턴이다. 이 패턴을 파악하는 방식이 사람마다 다를 뿐이다.

규칙적인 패턴을 신호signal 라고 하고, 그 외의 불규칙적인 것들을 잡음artifact 라고 한다. 패턴을 파악한다는 것은, 많은 잡음들 속에서 신호를 파악하는 것이다.

카오스적인 불규칙성을 보여주는 대표적인 예로는 파도와 날씨를 들 수 있다. 파도 하나하나는 예측할 수 없지만, 밀물과 썰물이 바뀌는 시간과 사리(대조기)와 조금(소조기)은 예측이 가능하다. 마찬가지로 며칠 뒤의 날씨는 예측할 수 없지만, 몇 달 뒤의 계절은 예측이 가능하다. 짧은 기간의 변화는 예측이 곤란하지만, 좀 더 긴 시간을 두고 보면 변화의 패턴이 보이기 시작한다.

카오스는 예측이 불가능하지만, 코스모스는 예측이 가능하다. 불규칙적으로 움직이는 주가 변화에서 패턴을 파악해 "도식화Schematization"한 다음 미래의 주가를 예측하는 것, 이것이 추세예측자들이 추구하는 방식이다.

추세예측의 방식 ;
과거의 패턴을 파악 -> 도식화Schematization -> 미래의 변화를 예측

다음에 설명할 랠프 엘리어트의 "파동wave", 우라가미 구니오의 "계절season", 앙드레 코스톨라니의 "달걀egg"은 모두 패턴을 도식화한 것이다.

추세예측의 첫 번째 과정은 패턴을 파악하는 것이다. 무질서해 보이지만 일정 기간 지속되는 "추세"가 있고, 추세는 때가 되면 "순환"하며, 이 순환에는 어느 정도의 "주기"가 있다.

패턴 ; 추세 - 순환 - 주기

1. 추세trend
패턴을 파악하는 기본구조는 추세다. 자연계에 존재하는 추세를 쉬운 예를 들자면 다음과 같은 것들이 있다.

* 파도가 육지를 향해 밀려오는 추세 ; 밀물
* 파도가 육지에서 멀어져 가는 추세 ; 썰물
* 밀물과 썰물의 차이가 점점 더 커지는 추세 ; 사리 (대조기)
* 밀물과 썰물의 차이가 점점 더 작아지는 추세 ; 조금 (소조기)
* 봄 날씨는 변화무쌍하지만, 결국엔 따뜻해져서 여름이 올 것이다.
* 가을 날씨도 변화무쌍하지만, 결국엔 추워져서 겨울이 올 것이다.

마찬가지로 주식시장에도 추세가 있다. 주가가 전반적으로 상승하는 상승추세와, 반대로 주가가 전반적으로 하락하는 하락추세가 있다. 횡보하는 추세도 있는데 박스권이라 부른다. 상승추세가 길어지고 강해지면 강세장, 하락추세가 길어지고 깊어지면 약세장.

약세장을 "bear market"이라 하는데 그 이유는, 예전에 곰 사냥꾼들이 곰 가죽을 가지고 있지 않은데도 우선 팔고 나서 나중에 곰 가죽을 구해 구매자에게 인도해 준 데서 유래했기 때문이라고 한다. 주식을 가지고 있지 않은 투자자가 주식을 빌려서(대주) 먼저 판 후에, 나중에 되사서 갚아주는 것을 공매도라고 하는데, 이 공매도 투자자가 득세하는 장세를 "bear market"이라고 하게 되었다.

강세장은 "bull market"이라 하는데, 곰은 앞발을 들고 일어서서 아래로 찍어 내리며 공격하는데 반해, 황소는 머리를 숙인 후에 두 뿔로 상대를 치받아 올리는 모습에서 유래되었다고 한다. 약세장보다는 강세장을 바라는 사람들이 훨씬 더 많기에, 월스트리트에는 황소 동상이 서 있다.

2. 순환cycle
추세의 속성은 순환이다. 영원히 한 방향으로 지속되는 추세는 없다. 어느 정도 시간이 흐르면 추세는 방향을 바꾼다. 마치 숨을 쉬는 것처럼.

모든 살아있는 것들은 숨을 쉰다. 사람은 살아있기에 들숨과 날숨을 쉬고, 심장이 수축과 이완을 한다. 바다도 살아있기에 밀물과 썰물이 있고, 사리와 조금이 있다. 지구도 살아있기에 낮과 밤이 있고, 여름과 겨울이 있다. 태양도 살아있기에 흑점 극대기와 극소기가 있다. 경제도 살아있기에 호황과 불황을 오간다. 주식시장도 살아있기에 상승추세와 하락추세가 있고, 강세장과 약세장이 있다.

3. 주기period
추세의 순환에는 규칙적인 주기가 존재하는가? 오래전부터 경기변동의 순환 주기에 관한 이론들이 있었다.

윌리엄 스탠리 제본스William Stanley Jevons는 경제학 분야에서 한계혁명을 주도한 인물로 유명한 경제학자다. 그는 이론경제학 이외에도 응용경제학 분야에도 관심이 많았는데, 열정적으로 수많은 데이터들을 통계 분석해서 그 결과들을 발표했다. 그 연구 중 하나가 "경기변동의 궁극적 원인이 과연 무엇인가?"였다.

그의 결론은 "태양의 흑점주기"였다. 태양의 흑점 극대기와 극소기의 주기는 약 11년인데, 이 주기가 지구의 날씨에 변화를 가져와서 곡물의 수확량이 변동함에 따라 경기가 변동한다는 결론이었다

통계적으로 아이스크림은 7~8월 한여름에 가장 많이 판매된다. 또한 물에 빠져 사망하는 사람의 수도 그때가 가장 많다. 그렇다면 아이스크림이 익사의 원인인가?

그의 이론은 이처럼 통계적 상관관계가 결코 인과관계를 의미하지 않는다는 사실로 인해 비판을 받기도 했지만, 대략 10여 년 주기로 발생하는 경제위기와 시장붕괴의 원인을 찾으려는 노력만큼은 인정받을 만했다. 실제로 주식시장의 붕괴는 대략 10년 주기로 찾아온 경우가 많았다.

그 외 경기변동의 순환주기설에는 다음과 같은 것들이 있다.

① 키친 파동 Kitchin cycles
짧은 단기파동으로, 약 40개월 (3~4년)을 주기로 나타나는 파동이다.
통화공급량, 금리, 재고변동 등에 따라 나타난다.
② 주글라 파동 Juglar cycles
중기파동으로, 약 10년을 주기로 나타나는 파동이다.
설비투자의 변화와 관련하여 나타난다.
③ 콘트라티에프 파동 Kondratiev cycles
가장 긴 장기파동으로, 약 50~60년을 주기로 나타나는 파동이다.
기술의 혁신, 신자원의 개발 등 혁신적인 변화에 의해 나타난다.

이들 중에서 주글라 파동은 주식시장 참여자들의 관심을 많이 받았다. 대체로 10여 년마다 붐과 패닉이 나타났기 때문이다. 이른바 "주식시장 10년 주기설"이다.

II. 추세의 원인

주식거래가 시작된 이래 주식시장에서는 상당히 주기적으로 보이는 주가 폭등과 폭락이 반복되었다. 붐과 패닉의 경험이 쌓이면서 사람들은 주식시장에 추세라는

것이 있다는 것을 느끼게 되었다. 동시에 추세를 일으키는 것이 무엇일까 하는 궁금증 또한 자연스럽게 생겨났다. 지금 주식시장이 붐으로 가고 있는지 패닉으로 가고 있는지 즉 현재의 추세가 무엇인지 알고 싶었는데, 그것은 추세의 원인이 무엇인지 알아야 가능한 일이었다. 추세의 원인을 알게 된다면 추세의 미래를 예측할 수 있고, 그래서 추세보다 앞서서 투자해 엄청난 수익을 낼 수 있기 때문이다. 하지만 주가의 흐름은 마치 술 취한 사람의 걸음걸이random walk처럼 제멋대로인 것 같았고, 저 멀리서 추세를 일으키고 있는 것은 눈에 보이지 않았다.

주기를 가지고 순환하는 추세, 이 추세를 비유하는 데는 바닷가나 호숫가로 밀려오는 "물결"이 매우 적절해 보였다. 추세를 "물결, 파도tide"에 비유한 것은 찰스 다우다. 다음은 그가 1901년 1월 31일자 월스트리트 저널에 기고한 내용이다.

"어떤 사람이 바닷가에서 파도가 밀려오는 것을 지켜보고 있다. 그는 파도가 가장 깊숙이 들어오는 지점을 정확히 알고 싶었다. 그래서 그는 밀려 들어올 때마다 파도가 닿는 지점의 모래사장에 막대기를 세웠다. 막대기는 더이상 깊숙이 들어올 수 없는 지점까지 도달했고, 마침내 파도는 다시 천천히 바다 쪽으로 멀어져 갔다. 이 방법은 주식시장의 흐름을 관찰하고 측정하는데 유용하다."

그렇다면 추세변화를 일으키는 원인은 무엇이냐? 저 수평선 너머에서 추세라는 파도를 일으키고 있는 것은 도대체 무엇이냐?

※ 추세의 원인으로 지목된 것들
1. 자연법칙
2. 금융상황과 경제상황
3. 통화량과 군중심리
4. 거시경제지표

1. 추세의 원인은 "자연법칙"이다 ; 랠프 엘리어트

추세의 원인에 대한 초창기의 이론들은 그 답을 주로 자연에서 찾았다. 윌리엄 제본스는 경제순환의 원인을 태양의 흑점 활동으로 설명했고, 찰스 다우는 주식시장의 추세를 바닷가로 밀려오는 파도로 설명했다. 랠프 엘리어트도 자연에서 그 답을 찾으려 했다.

랠프 엘리어트

랠프 엘리어트Ralph Nelson Elliott (1871~1948)는 젊은 시절엔 여러 가지 직업을 전전하다가 나중에 회계사가 된 사람이다. 이질에 걸려 5년 동안이나 병상에 누워지냈다. 이때 소일거리 삼아 주식시장의 변동성에 관심을 가지고 연구를 했는데, 병이 나을 무렵에 독특한 이론을 창안했다

그에 따르면, 사람은 독창적인 존재이지만 다른 모든 존재들처럼 자연의 법칙에 따라 행동한다. 그는 주식시장의 추세 변동을 자연계에 존재하는 "wave물결, 파동"로 비유하여 설명하였는데, 그 파동은 "상승 5파, 하락 3파"의 기본구조로 도식화된 것이었다.

엘리어트 파동의 기본구조는 상승추세는 5개의 파동으로, 하락추세는 3개의 파동으로 구성되어있다. 상승추세의 5개의 파동 중에서 1,3,5번째 파동은 주동파로 상승 방향이며, 2,4번째 파동은 반동파로 하락 방향이다. 하락추세의 3개의 파동 중에서 1,3번째 파동은 주동파로 하락 방향이며, 2번째 파동은 반동파로 상승 방향이다. 이 기본구조는 마치 프랙탈fractal처럼 여러 단계degree의 차원을 가진다.

그는 이 기본구조가 왜 그렇게 구성되어있는지에 대한 설명으로, 첫 번째 책 "The wave principle (1938)"에서는 인간의 신체에서 예를 들었다. 몸에서 갈라진 지체는 모두 5개 (머리, 두 다리, 두 팔), 머리에서도 5개 (코, 두 귀, 두 눈), 팔에서도 5개 (손가락), 다리에서도 5개 (발가락)로 갈라진다. 인간의 감각도 5가지 (미각, 후각, 시각, 촉각, 청각)이다.

두 번째 책 "Nature's law (1946)"에서는 그 설명으로 자연계에 내재하는 법칙인 피보나치 수열, 황금비율을 들었다. 피보나치 수열Fibonacci sequence은 "1, 2, 3, 5, 8, 13, 21, 34, 55, 89, 144..."로 앞의 수와 다음의 수를 합치면 그다음의 수가 되는 수열이다. 이웃하는 두 개의 수 중에서 작은 숫자로 큰 숫자를 나누면 1.618로 시작하는 무한소수이고, 반대로 큰 숫자로 작은 숫자를 나누면 0.618로 시작하는 무한소수가 된다. 이 1.618을 황금비율golden ratio이라고 하는데 자연계에 내재하는 비율이라고 하며 심지어 이집트 기자의 대피라미드에서도 사용되었다고 주장한다.

이 이론을 사용하여 1937년에 발생한 주식시장 폭락을 예언해 적중하여 많은 관심을 받았지만, 세상에 알려지는 것을 싫어하여 극히 소수의 계승자들에게만 전해

져 내려와 신비한 비법처럼 보였다.

이 이론으로는 한 파동의 시작과 끝이 어디인지 불확실하고, 하나의 파동이 어느 단계degree에 속하는지 구분하기 어려우며, 하나의 파동에 걸리는 시간이 얼마인지 미리 알 수 없다는 큰 결점이 있다. 하지만 신비주의적인 성향이 있는 사람들은 아직도 그 비법의 진수를 찾아 헤매고 있다.

그런 결점들도 있지만, 엘리어트 이론이 남긴 공적도 있다. 추세주의자들은 그 추세의 시작과 끝만을 본다. 그 중간과정에 대해서는 별로 관심을 기울이지 않는다. 하지만 엘리어트는 상승추세에서는 최소한 두 번의 큰 조정을 거치고, 하락추세에서는 적어도 한 번의 큰 반등을 거친다는 점을 일깨운다. 여기서 "조정, 반등"은 "주가가 추세와 반대로 간다"는 점도 의미하지만, 추세가 완성되기 위해서는 "시간이 걸린다"는 점도 의미한다. 추세주의자들 중에는 처음에 방향은 맞췄지만, 조정을 거치고 시간이 걸린다는 점을 잊고서 중간에 생각을 바꾸는 바람에 손실을 보는 경우가 매우 많다. 엘리어트 파동이론에서 배울 점은 바로 이것이다.

2. 추세의 원인은 "금융상황과 경제상황"이다 ; 우라가미 구니오

주식시장의 추세가 아무리 제멋대로인 것 같아도 실물경제와 무관할 수는 없고, 실물경제의 핏줄과 같은 금융과도 무관할 수는 없다. 즉 주식시장의 추세는 경제상황과 그에 영향을 미치는 금융상황에 달려있다고 할 수 있다. 이런 사실을 가장 명확하게 설명한 것은 우라가미 구니오다.

우라가미 구니오

우라가미 구니오浦上邦雄 (1931~2001)는 상업학교를 졸업하고 증권회사에 입사해 애널리스트가 된 사람으로 주식시장의 추세를 계절season에 비유하여 큰 관심을 받았다.

예전부터 경기가 순환한다는 사실은 널리 알려져 있었다.
회복기 -> 활황기 -> 후퇴기 -> 침체기
주식시장의 상황은 실물경기와 약간의 시간차가 있다는 것도 널리 알려져 있었다. 경기는 아직 한참 침체기일 때 주식시장은 이미 기지개를 켜기 시작하고, 경기가 불꽃처럼 타오르는 활황기일 때 주식시장은 먼저 하락하기 시작한다.

즉 실물경기보다 주식시장의 장세가 먼저 선행하는데, 이것은 마치 일조량과 기온의 관계와 비슷하다. 지구의 북반구에 일조량이 가장 많은 때인 하지는 6월 21일 경인데, 실제 기온이 가장 높은 시기는 그보다 약 1~2달 이후이다. 마찬가지로 일조량이 가장 적은 동지는 12월 21일 무렵인데, 실제 기온이 가장 낮은 시기는 그보다 1~2달 이후이다.

우라가미 구니오는 이 사실에 착안해 주식시장의 장세phase를 4가지로 구분해 사계절four seasons로 도식화하였다.

① 금융장세Financial Phase ; 봄
경기는 불황기인데 주가는 상승하는 상태.
주가가 폭락하고 경기가 식은 상태에서, 중앙은행이 경기를 부양하기 위해 금리를 내리고 정부가 재정지출을 늘리면서 시중에 돈이 많아져 주식시장으로 흘러가는 상태이다. 경기는 아직 불황인데도 주가는 오른다. 유동성장세Liquidity Phase라고도 하며, 봄에 해당된다.

② 실적장세Earning Phase ; 여름
경기도 활황이며 주가도 상승하는 상태.
중앙은행과 정부의 정책이 어느 정도 효과를 발휘하여 경기가 상승기로 접어들고 기업들의 실적이 좋아지는 상태로 주식시장도 여전히 강세장일 때이다. 여름에 해당된다.

③ 역금융장세Reverse Financial Phase ; 가을
경기는 아직 호황인데 주가는 하락하는 상태.
주가가 급등하고 경기가 활황 상태를 보이면, 중앙은행이 인플레이션을 억제하기 위해 금리를 올리고 정부가 재정 지출을 줄이면서 시중에 돈이 줄어들어 주식시장에서 돈이 빠져나간다. 경기는 아직 활황인데 주가는 내리기 시작한다. 가을에 해당된다.

④ 역실적장세Reverse Earning Phase ; 겨울
경기도 불황이며 주가도 하락하는 상태.
경기가 식어져 기업들의 실적이 감소하는 상태이며, 주식시장도 약세장이다. 겨울에 해당된다.

3. 추세의 원인은 "동화당과 군중심리"나 ; 앙느레 코스톨라니

추세예측 투자법을 반석 위에 올린 사람은 앙드레 코스톨라니다. 추세예측의 아버

지라 할만하다. 물론 이전에도 추세예측 이론은 있었다. 하지만 랠프 엘리어트는 단순한 이론가였고, 우라가미 구니오도 애널리스트였을 뿐 플레이어는 아니었다. 시장에 직접 참여한 플레이어이면서 추세예측 투자법을 가장 포괄적으로 명확하게 설명한 사람은 앙드레 코스톨라니였다. 그는 수요와 공급의 원칙을 주식시장에 적용시켜서, 추세를 시중의 통화량과 시장참여자의 군중심리로 설명하였다.

돈 + 심리 = 추세

시중에 돈이 많은지 적은지도 중요하지만, 주식시장에 참여하는 사람들의 심리상태도 중요하다. 그러므로 시장참여자의 심리상태도 추세의 한 원인으로 보았다. 그래서 그는 주식시장의 추세를 "통화량과 군중심리가 만들어내는 변주곡"으로 보았다. 변주곡인 이유는, 있는 그대로의 모습을 보여주는 거울이 아니라 여기저기 약간 찌그러져 있는 거울처럼 변형되어 보여주는 거울이기 때문이다.
돈과 심리, 둘 중에서는 돈 즉 통화량을 추세의 더 중요한 요인으로 꼽았다. 군중심리는 변덕스럽지만 시간이 지나면 통화량을 따라가는 것으로 보았다.

앙드레 코스톨라니

앙드레 코스톨라니Andre Kostolany (1906~1999)는 헝가리에서 태어났으며, 유태인이지만 카톨릭 세례를 받았다. 18세 때 아버지의 권유로 파리로 가서 증권거래에 입문하였다. 많은 성공과 실패의 경험을 통해 자신만의 투자법을 확립하였다. 나이가 들어서는 자신의 투자법을 강연과 책을 통해 사람들에게 가르쳤다. 1999년 93세의 나이로 사망했다.
앙드레 코스톨라니의 주식매매 방법을 요약정리하면 다음과 같다.

[추세예측 투자법 ; Kostolany`s Method]

① 주식시장은 세상을 비추는 거울이다. 하지만 찌그러진 거울이어서 똑같은 모습으로 비추지는 않는다.

② 실물경제와 주식시장은 마치 공원을 산책하는 주인과 그의 개로 비유할 수 있다. 주인은 한 방향으로만 걸어가는데, 개는 주인 앞으로 갔다가 뒤로 갔다가 한다. 주인이 실물경제이고 개는 주식시장이다. 현재 개가 달리는 방향이 추세다.

③ 추세는 수요와 공급의 원칙에 의해 움직인다. 수요가 많으면 상승추세가 시작되고, 공급이 많으면 하락추세가 시작된다.
"주식이 많은가, 바보가 많은가?" 주식이 많으면 주가는 떨어질 것이고, 바보가 많으면 주가는 올라갈 것이다.

④ 추세를 결정하는 수요와 공급은 돈과 심리에 의해 움직인다. 돈은 시중에 유통되는 통화량을 의미하고, 심리는 주식시장참여자의 군중심리를 의미한다.

⑤ 통화량은 중앙은행이 결정하는 금리와 국가의 재정정책에 의해 결정된다. 경기가 나빠져 중앙은행이 금리를 내리면 시중에 통화량이 증가하고, 경기가 좋아져 인플레이션을 방지하기 위해 금리를 올리면 통화량이 적어진다.

⑥ 시중의 돈을 큰 대야에 비유하면, 주식시장은 작은 대야다. 큰 대야에 물이 넘치면 작은 대야로 물이 흘러오고, 큰 대야에 물이 줄어들면 작은 대야에서 큰 대야로 물이 흘러간다.

⑦ 금리가 내리면 통화량이 많아지고 주가가 오르기 시작한다. 금리가 오르면 통화량이 적어져 주가가 내리기 시작한다.

⑧ 하지만 추세를 결정하는 요인으로 통화량만큼이나 주식시장참여자의 심리도 중요하다. 특히 군중심리가 중요하다. 사람들은 독립적으로 생각하고 행동하기보다는 다른 사람들을 따라 행동하는 경향이 있다.

⑨ 주식시장참여자는 소신파와 부화뇌동파가 있다. 소신파가 되기 위해서는 4가지 있어야 한다.
1. 돈 ; 빌린 돈이 아닌 내 돈, 곧 사용해야 될 돈이 아니라 장기간 묻어두어도 될 돈으로 투자해야 마음이 조급해지지 않을 수 있다.
2. 생각 ; 남의 생각이 아닌 내 생각이 있어야 한다. 자신의 생각에 대한 믿음, 신념, 상상력 등이 필요하다.
3. 인내심 ; 주식은 처음에는 항상 생각과 다르다가 마지막에 가서야 생각처럼 된다. 주식시장의 논리는 "2+2 = 5-1" 이다. 바로 4가 되지 않는다. 5에서 1을 빼는 시간 동안 기다리는 인내심이 필요하다.
4. 행운

⑩ 추세의 순환은 거래량과 주식소유자의 수에 따라 구분된다. 즉 주식이 소신파의 손에 있느냐 아니면 부하뇌동파의 손에 있느냐에 의해 구분된다. 그는 이것을 기준으로 주식시장의 추세를 달걀egg로 도식화하였다.

⑪ 주식시장이 과매도 상태일 때 주식을 매수해야 한다. 이때에는 종목을 선정해야 하는데, 큰 수익을 얻을 수 있는 주식은 성장산업의 주식과 턴어라운드turn arroud 주식이다.

코스톨라니의 달걀
상승운동
　A1, 수정국면 ; 거래량도 적고 주식소유자 수도 적다.
　A2, 동행국면 ; 거래량과 주식소유자 수가 증가한다.
　A3, 과장국면 ; 거래량은 폭증하고 주식소유자도 많아진다.
하강운동
　B1, 수정국면 ; 거래량이 감소하고 주식소유자 수가 서서히 줄어든다.
　B2, 동행국면 ; 거래량은 증가하나 주식소유자 수는 계속 줄어든다.
　B3, 과장국면 ; 거래량은 폭증하나 주시소유자 수는 적어진다.

B3, A1 ; 과매도 상태 -> 매수한다.
A2, ; 기다리거나 가지고 있는 주식을 계속 보유한다.
A3, B1 ; 과매수 상태 -> 매도한다.
B2 ; 기다리거나 현금을 보유한다.

4. 추세의 원인은 "거시경제 지표"다 ; 앤서니 크레센치

후대의 추세예측자들

앙드레 코스톨라니 이후에 추세예측 투자법을 따르는 사람들이 많았지만, 그 이론과 방법을 더 정교하게 하고 또 그것을 널리 알린 사람은 앤서니 크레센치다. 그는 자신의 투자법을 하향식 투자Top-down investing라 하였다. 위에서 아래로, 큰 그림에서 세부 사항으로, 전체에서 부분으로 범위를 좁혀가기 때문에 하향식 Top-down이라고 한다.

앤서니 크레센치

앤서니 크레센치Anthony Joseph Crescenzi는 채권운용사 PIMCO의 수석부사장 겸 펀드매니저다. 여러 가지 거시경제지표를 분석해서 인과관계를 예측해 시장의 추세와 유망업종을 선택한다.

① 전체적인 추세를 파악한다.

여기에서의 추세는 경기상황이나 주식시장의 상승추세, 하향추세를 말하는 것이 아니다. 세상과 사람들이 변화하는 방향 즉 유행을 말한다.

② 이런 추세를 파악하는 데는 "거시경제 지표"가 중요한 역할을 한다.

③ 업종 선택

이번 추세에 가장 각광 받을 업종을 선택한다.

④ 종목 선택

부실기업이 아닌 업종 대표주를 선택한다.

⑤ 종목 선택이 힘들 때는 ETF에 투자한다.

5. ETF ; 추세예측자들의 유용한 도구

하향식투자의 한 방법으로 ETF (Exchange Traded Fund상장지수펀드)가 유용하게 사용되고 있다. ETF는 인덱스펀드인데, 거래소에 상장되어 마치 주식처럼 거래되는 펀드다. 인덱스펀드란 펀드의 수익률이 KOSPI와 같은 지수index의 수익률을 똑같이 따라가도록 만든 펀드다.

ETF는 비교적 최근에 개발된 금융상품으로, 세계 최초의 ETF는 1990년 캐나다 증권거래소에 상장된 TIPS ; Toronto 35 Index Participation Units다. 미국에서 최초로 상장된 ETF는 1993년에 상장된 SPDR ; S&P 500 Depositary Receit로 보통 "spider"라고 부른다. 그 후 ETF는 미국을 중심으로 세계적으로 급성장해 왔는데, 현재는 뉴욕증권거래소의 총 주식 거래량 중에서 ETF의 거래량이 40% 정도를 차지할 정도다.

주가지수를 추종하는 ETF뿐만 아니라 여러 가지 다양한 종류의 ETF가 개발되어 있다. 업종지수 즉 섹터지수 ETF, 파생상품 ETF, 원자재commodity ETF, 통화 ETF 등이 있다.

파생상품이나 원자재 등은 선물futures로 거래해야 하는데, 선물은 레버리지를 사용해야 하므로 수익성도 좋지만 위험도도 매우 높다. 그러나 ETF는 그런 위험이 없어서 하향식 투자자에 적합한 도구다.

③가치추종 투자법

도그마 ; 주식의 가격은 단기적으로는 기업의 가치와 일치하지 않는 경우가 많지만, 장기적으로는 가치에 수렴한다.

이슈 ; 그렇다면 가치는 무엇으로 측정할 수 있느냐? 측정된 가치가 틀렸다면 어떻게 할 것이냐?

[그림4-3] 가치추종의 개념도

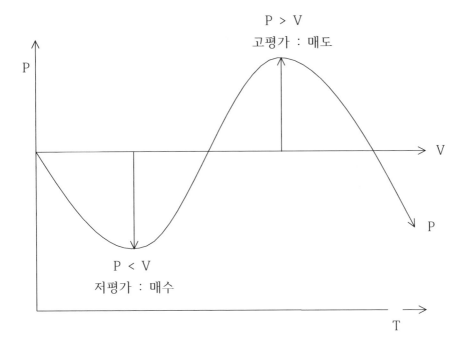

1. 가격 vs 가치

가격은 어떤 물건이 거래되는 금액이다. 그리고 가치는 그 물건이 가지고 있는 실제적 중요성이다. 예를 들어, 물 한병의 가격은? 그리고 그것의 가치는? 현재 물 한병이 1,000원에 팔리고 있다면 그것이 물의 가격이다. 가격은 명확하다. 하지만 그 물의 가치는 정확히 표현할 수가 없다. 비 한 방울 내리지 않는 사막에서 물 한병의 가치와 맑은 물이 흘러내리는 계곡에서 물 한병의 가치는 결코 같지 않다.

그렇다면 가격과 가치는 서로 동일한가? 다른가?

가격은 반드시 가치에서 출발한다. 하지만 서로 동일하지 않다. 이런 이유로 가격은 명확하지만 항상 불안정한 변동성을 보인다. 다시 물 한병의 예를 들어, 수 십 명의 사람들이 먼 길을 걸어간다고 치자. 출발한 직후에는 물 한 병이 1,000원에 팔렸다. 한참을 가다가 사람들이 가지고 온 물이 떨어지자 물 한 병은 10,000원으로 올랐다. 마침내 사막에 다다르고 물이 없어 죽을 지경이 되자 물 한 병은 그 사람이 가진 모든 돈만큼으로 올랐다. 조금 더 가자 숲과 맑은 물이 흐르는 계곡이 나왔다. 그때는 아무도 물을 사지 않았고, 그래서 물 한병의 값은 "0"이 되었다. 주식의 가격 즉 주가의 변동성이 방금 설명한 물 한병의 가격변동과 비슷하게 변화한다.

2. 가치의 종류

과거가치 vs 미래가치

중세와 근세 초기의 유럽에서는 동남아에서 생산되는 향신료가 어마어마한 가격에 팔렸다. 과거의 가격이며 과거의 가치다. 대항해시대가 시작되어 배로 많은 향신료를 실어나르기 시작하자 향신료의 가격은 뚝 떨어졌다. 가격만 변하는 것이 아니라, 시간의 흐름에 따라 또는 상황에 따라 가치도 변화하는 것이다.

내재가치intrinsic value

현재의 자산가치와 미래의 수익가치의 합을 내재가치라고 한다. 자산가치는 현재의 순자산액을 말하며 순자산액을 발행주식의 수로 나누어 계산한다. 수익가치는 기업의 장래 수익력을 현재 가치로 평가한 금액을 말하며 미래의 1주당 추정이익을 이자율로 나누어 계산한다.

3. 주식의 가치

주식은 주식회사의 소유권이다. 주식회사는 영리법인이다. 영리 즉 수익을 추구하는 법인체다. 그러므로 주식의 "가치"는 그 주식회사가 "얼마나 수익을 잘 내는 가"에 달려있다.

주식의 가격 변동성 즉 추세에 투자하는 것이 추세주의trendism라면, 주식회사의 수익성에 기반한 가치에 투자하는 것을 가치주의valueism라고 한다.

4. 가치주의valueism

추세주의가 대세를 이루던 1600년대~1800년대에도 미미하나마 가치주의적인 투자방법은 있었다. "value inveting가치투자"이란 용어도 이미 사용되고 있었다. 그러나 추세주의에 비하면 하찮은 수준이었다.

1910년대부터 벤저민 그레이엄이 재무분석을 통한 가치주의 방식의 투자로 큰 성공을 이루고, 그것을 세상에 책과 강의로 알리면서 가치주의 투자법이 추세주의 투자법에 상대가 되는 수준이 되었다. 지금에 와서는 가치주의는 투자라고 존중받고 추세주의는 투기라고 비웃음의 대상이 될 정도로 판세가 역전되었다. 그래서 벤저민 그레이엄을 가치주의자valueist들의 아버지라고 한다.

1934년은 주식투자법의 역사에서 매우 중요한 해였다. 벤저민 그레이엄이 "Security Analysis증권분석"이란 책을 출판하여 주식이론의 역사에 새로운 장을 열어젖힌 해이기 때문이다. 이 책은 그레이엄이 1918년부터 "월스트리트 매거진"을 포함한 신문과 잡지에 기고했던 내용과 1927년부터 컬럼비아대학에서 가르쳤던 내용을 담고 있다.

그 후 1949년에는 전문가가 아닌 입문자들을 위하여 "The Intelligent Investor 현명한 투자자"를 출간하였다. 주식투자에 관한 책 중에서 가장 중요한 책을 단 한 권만 선택하라면 "현명한 투자자"를 꼽는다.

5. 가치추종 투자법

주식의 가치는 그 주식회사가 얼마나 수익을 잘 내는가에 달려 있지만, 그 수익이란 것도 시간에 따라 변화한다. 앞에서 설명한 물 한병의 가치 변동, 향신료의 가치 변동처럼 주식의 가치도 시간에 따라 변화한다.

과거부터 현재까지의 수익성으로 계산된 가치와, 현재부터 일정 시점의 미래까지의 예상 수익으로 계산된 가치는 다르다. 과거부터 현재까지의 가치가 미래에도 계속될 것으로 보고 투자하는 것이 가치추종 투자법이다. 반면 현재부터 일정 시점의 미래까지의 가치를 예상하고 투자하는 방법이 가치예측 투자법이다.

벤저민 그레이엄

가치투자의 아버지, 벤저민 그레이엄Benjamin Graham (1894~1976)의 본명은 베냐민 그로스바움Benjamin Grossbaum이다. 영국 런던에서 태어난 유태인이다. 아버지가 사업을 위해 그가 1살 때 가족을 데리고 미국 뉴욕으로 이주했으며, 미국 사회에 동화되기 위해 성을 "Grossbaum"에서 "Graham"으로 바꾸었다.

아홉 살 무렵에 아버지가 일찍 돌아가셔서 어린 시절을 가난하게 보냈고, 공부에 재능이 있어서 컬럼비아 대학교를 2등으로 졸업했다. 철학 교수, 수학 교수, 영문학 교수 등 세 과목의 교수로부터 각각 자기 과목의 교수가 되라는 제안을 받았으나 모두 거절하고 월스트리트를 선택했다.

월가에서 맨 처음에는 채권판매원 즉 세일즈맨으로 일을 시작했으나 그쪽으로는 소질이 없었고, 채권의 가치를 분석해 보고서를 작성하는 일에 능력을 보여 통계원statistician이 되었다. 통계원이란 명칭은 나중에 증권분석가security analyst 즉 애널리스트로 바뀐다. 주식회사의 재무 상태를 파악해서 그 회사의 주식이 현재 싼지 비싼지를 평가하는 것, 즉 주식의 가치를 평가하는 것이 그가 가장 잘하는 일이었다.

그러던 중 1915년에 "구겐하임 익스플로레이션 컴퍼니"라는 회사가 파산계획을 발표했다. 구겐하임은 구리광산회사들 (네바다, 치노, 레이 컨솔리데이티드, 유타)의 주식을 대량으로 보유하고 있었고 이 주식들은 뉴욕증권거래소에서 활발하게 거래되고 있었다. 그가 계산을 해보니 구겐하임이 회사를 청산하면서 보유 중인 구리광산회사의 주식들을 주주들에게 나눠줄 때 이 주식들의 시가총액이, 현재 구겐하임의 시가총액보다 높았다. 즉,

(네바다 + 치노 + 레이 컨솔리데이티드 +유타) 의 주가 > 구겐하임의 주가

더 비싼 이 회사들의 주식을 공매도하고 동시에 더 싼 구겐하임의 주식을 매수한다면, 청산이 이루어졌을 때 아무런 위험도 없이 그 차액만큼의 수익이 발생한다는 사실을 알아챘다. 그는 회사에 이 사실을 보고했고 회사는 그에게 수익금의 20%를 주는 조건으로 매매를 맡겼다. 이것이 그의 최초의 성공사례였고, 이후로도 이런 식의 투자가 그의 주력 투자방식이 되었다. 그는 이처럼 주로 차익거래와 헤지거래를 통해 위험이 적거나 거의 무위험으로 수익을 창출하고자 했다.

차익거래arbitrage란, 같은 상품에 대해 두 가지 가격이 매겨져 있을 때 싼 쪽을 매수하고 비싼 쪽을 공매도해서, 나중에 가격이 같아졌을 때 청산해서 수익을 내는 거래를 말한다. 위에서 말한 구겐하임에 대한 투자가 바로 차익거래에 속하는 투자법이다.

헤지거래에서 헤지hedge는 원래 "생울타리" 즉 살아있는 나무를 줄을 지어 심어서 마치 담벼락처럼 만든 것을 말한다. 이 단어를 투자 분야에서 차용해서 "위험을 줄이는 거래"라는 의미로 사용한다. 간단한 예를 들자면, 어떤 주식을 매수했을 때 나중에 주가가 오르면 좋겠지만 떨어질 경우를 대비에 풋옵션을 적당량 매수해두면 적은 금액으로 위험을 줄일 수 있다.

벤저민 그레이엄이 회고록에서 밝힌 주요 투자방식은 다음과 같다.
① 전환사채를 액면가 부근에서 매수한다. 동시에 보통주를 공매도해서 헤지한다.
② 보통주를 공매도한다. 풋옵션을 매도해서 헤지한다.

그는 이런 방식을 적절히 사용해서 주가가 오르거나, 내리거나, 심지어 박스권에서 횡보할 때에도 적절한 수익을 냈다.
이 방식은 최초의 헤지펀드 운용자로 알려진 알프레드 윈슬로우 존스의 "롱-숏 전략"과 비슷하다. 또한 최초의 퀀트라고 알려진 에드워드 소프의 워런트와 보통주를 결합한 "통계적 차익거래", 그중에서 특히 "페어 트레이딩"과도 비슷하다. 벤저민 그레이엄은 헤지펀드보다 앞선 헤지펀드 운용자였고, 퀀트보다 앞선 퀀트였다. 정확히 말하자면 그는 최초의 헤지펀드 운용자이고, 또한 최초의 퀀트였다고 할 수 있다. 이런 방식의 거래를 시도한 세 사람 즉 벤저민 그레이엄, 알프레드 윈슬로우 존스, 에드워드 소프는 공통점이 있는데 수학을 아주 잘한다는 것이다. 수학을 잘한다면 이런 방식의 투자에 관심을 가져봐도 된다.
사람들은 벤저민 그레이엄을 단순히 저평가 종목에 장기 투자하는 가치투자자로만 알고 있지만, 그는 결코 단순하게 투자하지 않았다. 벤저민 그레이엄을 제대로 알려면 반드시 회고록을 읽어보아야 한다.
그레이엄의 주식매매 방법을 요약정리하면 다음과 같다.

[가치추종 투자법 ; Graham`s Method]

① 주식은 소유권의 일부 즉 지분이다. 주식시장은 이 지분을 사고파는 시장이다. 그런데 이 주식시장은 조울증 환자와 비슷하다. 기분이 나쁠 때는 헐값에 자기 지분을 팔려고 하고, 기분이 좋을 때는 훨씬 비싼 값에 남의 지분을 사려고 한다. (Mr. Market)

② 이처럼 주식시장에서는, 단기적으로는 주가와 기업의 가치가 따로 가는 듯 보인다.

(Discrepancies between price and value)

③ 하지만 장기적으로 보면 주가는 결국 가치에 수렴해간다.
(Convergence of price to value)

④ 그러므로 싸게 사라. 기업의 가치를 계산해 그것보다 싼 가격에 사라.
(저가 매수)

⑤ 싸게 사는 기준은 재무제표, 특히 대차대조표에 있다.
순유동자산이 시가총액보다 훨씬 많은 주식을 찾아라.
　순유동자산 > 시가총액
　　(순유동자산 = 총자산 - 고정자산 - 부채)

⑥ 혹시 잘못될 수도 있으므로, 안전거리를 넉넉히 확보하라.
(Margin of safety)

⑦ 소수의 종목으로는 위험하므로, 되도록 여러 종목에 충분히 분산하라.
(분산투자)

④가치예측 투자법

도그마 ; 현재보다 미래에 가치가 아주 크게 성장할 가능성이 높은 주식을 찾아내 장기투자하면 성공할 수 있다.

이슈 ; 그렇디면, 그런 주식은 어띤 방법으로 찾아낼 수 있느냐?

[그림4-4] 가치예측의 개념도

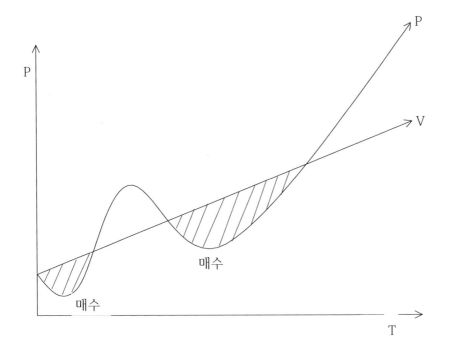

1. 성장산업 투자

미래에 가치가 아주 많이 증가할 것으로 예측되는 기업의 주식, 즉 "성장주 투자"

는 아주 오래된 주식투자법이다. 어떻게 보면 최초의 주식투자법이라고도 할 수 있다. 하지만 초기의 성장주 투자는 성장기업이 아니라 성장산업에 투자하는 방식이었다. 그래서 정확히 표현하자면 "성장산업 투자"라고 해야 한다.

최초의 성장산업 투자는 신세계로 항해 무역을 떠나는 회사에 대한 투자였다. 이런 회사들은 국왕으로부터 칙허chater를 받은 칙허회사chartered company였다. 대항해시대는 이런 회사들을 탄생을 자극했고, 이 회사들이 새로운 땅을 찾아 나섰기 때문에 대항해시대는 더욱 가속화되었다. 대항해시대와 이 회사들은 상호불가분의 관계에 있었다.

이후로 새로운 기계나 새로운 기술이 도입되면서 성장산업에 대한 투자는 주기적으로 붐을 일으켰다. 기관차와 철도가 개발되면서 철도회사가 성장산업으로 각광을 받았고, 자동차회사, 컴퓨터회사, 인터넷회사 등으로 이어졌다. 21세기인 지금도 성장산업 투자는 여전히 "새로운 세계"를 찾고 있고, 새로운 세계를 만들어나가고 있다.

그 과정에서 프랑스의 미시시피 회사 버블이나 영국의 사우스 시 회사 버블처럼 많은 부작용이 발생했고, 그래서 이런 식의 투자를 투기적 광기에 빠진 멍청한 사람들이 하는 짓이라고 경멸하는 사람들이 많다. 하지만 실제로는 이런 투자가 새로운 문물을 만들어내고 새로운 시대를 열어젖히는 "창조의 기관차"였다.

2. 성장주 투자

앞에서 설명한 원시적 성장산업 투자가 아니라, 어떤 산업군에 속하던 성장 가능성이 매우 높은 특정 기업을 찾아 투자하는 방법을 "성장주 투자"라고 한다.

성장주 투자의 개념을 최초로 명확하게 정립하고 기술한 사람은 필립 피셔다. 우리는 이제 그 방식을 "가치예측 투자법"이라고 표현한다. 미래에 그 "가치"가 아주 많이 증가할 것으로 "예측"되는 기업의 주식에 투자하는 방법이기 때문이다.

필립 피셔

필립 피셔Philip Arthur Fisher (1907~2004)는 1927년에 스탠포드 대학교 비즈니스 스쿨에 입학하여 1년 과정을 마치고, 1928년에 샌프란시스코의 앵글로-런던 뱅크Anglo-London Bank에서 증권분석가로 주식 관련 일을 시작하였다.

1931년에 투자자문회사인 피셔 앤드 컴퍼니Fisher & Co.를 설립하여 1999년 91세 때까지 운영하였다. 언론에 노출되는 것을 꺼리는 성격이라서 세상에 잘 알려지지 않았는데, 1958년에 저서 "Common stocks and uncommon profits"를 발표하고 나서 투자자로 그리고 투자론의 저자로 유명해졌다. 1960년대에는 모교인 스탠포드 대학교에서 투자론을 강의하기도 하였다.

텍사스 인스트루먼트, 모토로라 등 초우량기업을 초창기부터 찾아내 아주 오랫동안 보유한 것으로 유명하다.

필립 피셔의 주식매매 방법을 요약정리하면 다음과 같다.

[가치예측 투자법 ; Fisher`s Method]

① 탁월한 기업의 주식을 사는 것, 그것이 주식투자에 성공하는 가장 좋은 방법이다.

② 그런 기업의 주식은 주식시장이 좋든 나쁘든 장기적으로 좋은 결과를 가져다 준다. 하지만 이런 기업은 매우 소수이며 찾아내기가 힘들다. 그렇다고 불가능한 것은 아니다.

③ 수많은 기업 중에서 조사해야 할 대상을 먼저 선정한다.
이때는 다음 사항을 우선적으로 살펴본다.
- 매출액의 성장성 및 지속가능성
- 경쟁업체의 도전을 막아낼 능력

④ 조사대상으로 선정되면, 그 기업과 관련된 다양한 사람들로부터 평판을 듣는다.
(scuttlebutt, 소문듣기)
기업의 고객, 납품업체, 경쟁업체, 전직 임직원, 관련분야 과학자 등이 포함된다. 특히, 은행원은 많은 도움이 된다.
이를 통해 파악해야 할 것은 "기업활동이 얼마나 뛰어난가?"이다.
- 시장지배력을 가진 제품이나 서비스의 보유 여부
- 연구개발 능력
- 생산조직의 효율성
- 영업능력 및 마케팅 능력
- 영업이익률

- 재무역량 등

⑤ 필요한 정보를 어느 정도 (최소한 50%이상) 확보한 후에 경영진을 면담한다. 기업을 움직이는 사람들 즉 인적요소를 파악한다.
- 최고경영진은 진실하고 유능한가?
- 경영진은 두터운가? 그들 간의 관계는 좋은가?
- 신제품이나 신기술을 개발에 적극적인가?
- 이익을 바라보는 시각이 장기적인가?
- 경영진은 좋을 때는 물론 나쁠 때도 주주들 및 직원들과 소통을 하는가?
- 노사관계는 좋은가?

⑥ 이상의 과정을 통해 투자대상 기업으로 선정되면 가격이 적당한가를 따져본다. 이때 주의할 점, 성장률이 서로 다른 주식들을 단순히 PER만으로 비교해서는 안 된다. 즉, 훌륭한 기업인데 PER가 다른 기업들의 평균치보다 높은 가격에서 거래된다고 너무 비싸다고 판단해서는 안 된다.

⑦ 가장 적당한 투자대상은 훌륭한 기업이 "낮은 PER"로 거래되고 있을 때이다. 그다음 적절한 투자대상은 훌륭한 기업이 "적당한 PER"로 거래되고 있을 때이다.
훌륭한 기업이지만 "너무 높은 PER"로 거래되고 있을 때에는, 이미 보유하고 있는 경우에는 계속 보유하는 것이 좋지만 신규로 매수하기에는 다소 부담스럽다.

* 리스크가 큰 경우는, 펀더멘털이 평균 수준 이하이면서 증권가에서 그보다도 더 낮은 평가를 받는 주식이다. - 가치주 비판
* 리스크가 가장 큰 경우는, 도저히 정당화할 수 없을 정도로 증권가에서 과도하게 평가하거나 낙관적인 이미지를 갖고 있는 주식이다. 치명적인 손실을 입을 가능성이 높다. - 고평가 성장주 비판

⑧ 투자종목의 수는 분산하는 것보다 "집중"하는 것이 좋다. 군대에서 "걸어 총"을 할 때 필요한 총의 개수가 적당하다.
(걸어 총은 소총 3자루를 삼각뿔 형태로 세우는 것이다. 여기에 2~3자루를 더 기대기도 한다. 10개 이상은 세우기가 힘들다. 그러므로 필립 피셔가 말하는 바는 "3~5개의 종목"에 집중하라는 의미다.)

⑨ 훌륭한 기업의 주식을 매수했다면, 주가가 급등하여 증권가에서 통상적으로 받아들여지는 수준보다 너무 높아 보인다고 팔면 안 된다. 이런 주식은 급등 후에 약간의 조정만을 거치고 또다시 급등하기 때문이다.

4. 다면평가multisource evaluation

이상과 같은 필립 피셔의 방식을 한마디로 표현하자면 "다면평가"라고 부르는 것이 가장 적절할 것 같다.

다면평가란 용어는 원래 기업의 인사평가에서 사용하는 용어였다. 인사를 공정하고 객관적으로 시행하기 위해, 평가 주체를 그 직원의 상사 한 사람만으로 한정하는 것이 아니라 그 부하직원, 동료직원 등으로 다양화하는 인사평가제도다. 상사한 사람이 조직원을 평가하는 하향식 평가는 상사의 주관에만 의존하므로 조직원의 자질과 능력을 전체적으로 또한 객관적으로 평가하기 어렵다. 이러한 단점을 보완하기 위해 상사의 평가는 물론 부하직원의 상향 평가, 동료직원의 수평적 평가, 그리고 필요한 경우 고객의 평가까지 동원하는 것이 다면평가이다.

한 기업을 평가할 때 주력상품이나 재무능력 등 한두 가지 면만 살펴보는 것이 아니라, 그 기업과 관련된 모든 사람들과 기관들을 통해 여러 면을 두루 살펴서 그 성장 가능성을 판단하는 것이므로, 필립 피셔의 방식은 "다면평가"라는 용어를 차용해서 사용하는 것이 좋겠다.

5. 후대의 가치예측자들

필립 피셔의 성장주투자 즉 가치예측 투자법을 따르는 가장 유명한 투자자로는 워런 버핏과 피터 린치가 있다.

워런 버핏

워런 버핏Warron Edward Buffett (1930 ˚)은 미국 네브래스카 오마하Omaha에서 증권중개인 출신으로 공화당 하원의원을 지낸 하워드 호만 버핏의 장남으로 태어났다.

어려서부터 주식에 관심이 많았다. 하지만 초창기에는 성공적이지 못했다. 남들처럼 추세추종을 기웃거리고 다녔다. 그러다가 벤저민 그레이엄을 알게 되었고, 그레이엄이 교수로 있는 콜롬비아 대학교에 입학하였다. 거기서 그는 그레이엄에게 가치추종에 대해 배웠고 신세계를 만난 것 같은 느낌이었다.

하지만 자신이 직접 여러번 시도를 해보고 나서 저평가된 주식을 여러 개 사서 모으는 것은 남이 피다 버린 담배꽁초를 주워서 피는 것과 같다는 것을 깨달았다. 그때 필립 피셔를 알게 되었고, 단순히 저평가된 주식이 아니라 미래에 크게 성장할 주식을 찾아내는 것이 중요하다는 것을 알았다. 워런 버핏의 투자법을 한마디로 요약하면 다음과 같은 한 문장으로 표현할 수 있다.

"소비자독점력이 있는 회사의 주식을, 적정한 가격에 사서, 장기간 보유한다."

① 소비자 독점력 - 자유시장경제는 경쟁을 중요시한다. 생산자와 판매자가 서로서로 경쟁을 해야 소비자에게 유익하기 때문이다. 그래서 자유롭게 맘껏 사고팔도록 허용하지만, 독점 또는 과점만은 국가에서 철저히 단속한다. 그런데 여러 회사의 상품이 경쟁하고 있어도 꼭 그 회사의 상품만을 소비자들이 고집하는 경우가 있다. 그래서 자연스럽게 독점처럼 되어버리는 상품, 가장 좋은 예가 코카콜라다. 이런 능력을 소비자 독점력이라고 한다.

② 적정한 가격 - 이렇게 좋은 회사들은 당연히 주가가 비싸다. 하지만 딱 두 가지 경우에 주가가 싸진다.

첫째, 이런 회사의 초창기, 사람들이 아직 알아보지 못할 때,

둘째, 주가 폭락기, 주식시장 전체가 상황이 나빠져 모든 주식에 투매가 일어나고 있을 때, 이때 워런 버핏은 눈여겨보고 있던 이런 회사의 주식을 이때 유유히 사 모은다.

③ 장기간 보유 - 워런 버핏이 어떤 주식을 새로 샀다는 것은 뉴스에서 자주 볼 수 있어도 팔았다는 뉴스는 아주 가끔 있긴 하지만 좀처럼 보기 힘들다. 여기서 "장기간"은 최소 10년을 의미한다.

워런 버핏은 자신의 투자법을 벤저민 그레이엄 85%에 필립 피셔 15%를 더한 것이라고 한 적이 있다. 85%가 훨씬 큰 비중이므로 그레이엄처럼 버핏도 가치주종자겠지 라고 추정할 수도 있겠다. 하지만 그가 말한 것의 의미는, 그레이엄에게서 가치주의의 기본기를 배우고, 피셔에게서 가치예측을 배워 마침내 자신의 투자법을 완성했다는 뜻이다. 그레이엄의 가치주의에 발을 딛고 서서, 피셔의 가치예측을 따라할 때 진짜 좋은 주식을 찾을 수 있었다는 말이다.

420년 주식거래의 역사상 가장 큰 수익률을 가장 장기간 기록한 사람, 오마하의 현인Oracle of Omaha, 버크셔 해서웨이의 회장, 워런 버핏은 가치예측자다.

피터 린치

피터 린치Peter Lynch (1944~)는 미국 매사추세츠주 뉴턴Newton에서 태어났다. 아버지는 보스턴 칼리지의 수학과 교수였는데 린치가 7살 때 암으로 세상을 떠나 형편이 어려웠다. 11살 때부터 골프장에서 캐디로 아르바이트를 했는데, 이때 골프장에서 피델리티 인베스트먼트 사장이었던 조지 설리번을 만난 것이 인연이 되어 나중에 피델리티에 입사한다.

보스턴 칼리지 재학 중에 플라잉타이거 항공의 주식으로 5루타를 쳐서 와튼 스쿨의 등록금을 벌었다고 한다.

1966년에 피델리티의 인턴사원이 되어 근무하다가, 1967년에 ROTC 포병 중위로 텍사스와 한국에서 복무했다. 당시는 베트남전이 한창이어서 포병장교는 대부분 위험한 베트남으로 배치되는데 한국으로 가게 되어서 운이 좋았다고 한다.

1974년에 피델리티의 주식분석가로 근무를 시작해, 1977년부터는 피델리티의 마젤란 펀드를 맡으며 펀드매니저 생활을 시작했다. 1977년부터 1990년까지 마젤란 펀드는 연평균 29.2%라는 어마어마한 수익률을 기록해 "월가의 전설"이 되었다. 1990년 비교적 이른 나이인 46세에 가족과 더 많은 시간을 보내고자 은퇴했다.

피터 린치는 주식을 다음과 같이 6종류로 분류하였다.
① 저성장주
; 크고 오래된 회사들로 성장은 멈췄지만 현금흐름은 양호하기에 배당금이 높은 편이다.
② 대형우량주
; 연간 10% 정도 성장하는 대형주로 경기후퇴기에 안전판 역할을 한다.
③ 고성장주
; 연간 20~25%로 성장하는 작고 진취적인 회사의 주식들
④ 경기순환주
; 경기순환에 따라 부침하는 자동차, 항공, 철강, 화학업종의 주식들
⑤ 턴어라운드주
; 파산 위기까지 갔다가 기사회생하는 불사조 같은 회사들, 대표적인 예로 크라이슬러

⑥ 자산주
; 저평가된 자산을 가지고 있는 회사

피터 린치는 초대형 펀드를 운영했으므로 대형우량주나 자산주, 때에 따라서는 경기순환주나 턴어라운드주도 보유했지만, 주된 관심사는 고성장주였다. 즉 그는 가치예측자다.

피터 린치의 고성장주 투자법을 정리해보면 다음과 같다.

1. 주식투자에 성공하려면 자신이 잘 아는 분야에 투자하라.
야구 경기에서 1루 2루 3루에 모두 주자가 있는 상태에서 타자가 홈런을 치면 10루타가 된다. (점수는 4점을 얻는다) 피터 린치는 이에 빗대서 초대박 종목을 "10루타 종목Ten bagger"이라고 하였는데, 이런 주식은 펀드매니저보다 일반인 투자자가 더 찾기 쉽다고 했다. 펀드매니저는 사무실에 갇혀 있기에 고성장주를 찾기 어렵지만, 일반투자자는 길거리를 걷다가, 마트에서 쇼핑을 하다가, 또는 자기 사무실에서 자신의 업무를 하다가 이런 좋은 주식을 찾을 수 있다고 했다.
예를 들어 직업이 의사인 투자자라면, 효과적인 신약이 개발되어 자신이 처방하기 시작한 약을 만드는 제약회사의 주식을 눈여겨보라고 하였다. 괜히 석유회사같이 전혀 모르는 분야에 기웃거리지 말고.

2. 이런 주식을 찾았다면 그다음은 주가가 적당한지 알아봐야 한다. 피터린치가 고성장주이면서도 저평가된 주식을 찾는 방식은 다음과 같다.

① "고성장주"는 성장하고 있는 회사, 뭔가 커지고 있는 회사, 즉 성장률이 높은 회사를 말한다. 그중에서도 특히 순이익이 커지고 있는 회사, "이익성장률"이 높은 회사를 말한다. 이것을 재무제표 중에서 손익계산서를 통해 확인한다. 연간순이익을 찾아서 전년과 비교해 얼마나 증가했는지 계산한다. 그리고 2년 전, 3년 전, 5년 전 이익성장률과도 비교해본다. 예를 들어 어떤 회사의 작년 순이익이 100억 달러였는데, 올해 순이익이 120억 달러라면 올해의 이익성장률은 20%다.
(피터 린치는 좀 더 정확하게 이익성장률에 배당수익률도 더해서 계산하지만, 복잡해지고 큰 의미가 없으므로 여기서는 생략한다.)

② 이것을 PER과 비교해서 저평가되어 있는지 살핀다.
PER이 30이라면, 이익성장률/PER = 20/30 = 0.67

PER이 20이라면, 이익성장률/PER = 20/20 = 1
PER이 10이라면, 이익성장률/PER = 20/10 = 2

이 숫자가 1보다 낮으면 거들떠볼 필요가 없고, 1.5면 양호한 편이지만, 진짜 좋은 회사는 2 이상이다. 초대박 주식을 찾은 거다. 잘하면 10루타를 칠 수도 있다.

⑤계량분석 투자법 ; 퀀트

도그마 ; 수학적인 방법들 특히 통계와 확률과 알고리즘을 컴퓨터와 함께 이용하면 시장수익률을 능가하는 수익 즉 알파α를 창출할 수 있다.

이슈 ; 그렇다면, 알파α를 창출할 수 있는 통계와 확률과 알고리즘은 무엇이냐?

주식투자에서 컴퓨터는 하나의 도구에 불과하다. 컴퓨터와 주식투자를 연결 지어 생각할 때 사람들이 맨 먼저 느끼는 감정이 부담스러움이다. 알고리즘, 퀀트 이런 어려운 용어도 버거운데, 이런 것을 자유자재로 사용하는 수학자, 물리학자, 컴퓨터공학자, 대학교수들이 나의 상대라고? 왠지 답답한 느낌이 든다. 이제라도 나도 컴퓨터를 좀 공부해야 하나? 하지만 너무 걱정하지 않아도 된다. 컴퓨터는 그저 도구일 뿐이다. 그 뒤에는 욕망과 두려움에 시달리는 사람이 있을 뿐이다. 그 사람이 수학자, 물리학자, 컴퓨터공학자, 대학교수라 할지라도 말이다.

컴퓨터는 도구일 뿐이므로 주식투자 하는 사람이 컴맹일지라도 큰 문제는 없지만, 미국 증권거래소에서 발생하는 주식거래의 약 85%가 컴퓨터에 의해 이루어진다고 하고 컴퓨터를 이용해 큰돈을 번 사람들이 있다고 하니 궁금하기도 하고, 그래서 조금은 알아보는 것도 나쁘진 않겠다. 아니 기본개념 정도는 알아두는 것이 현명할 것이다.

컴퓨터를 이용한 주식매매라고 하면 맨 먼저 퀀트가 떠오른다. 에드워드 소프의 이름이 맨 앞에 나와야 하지 않나 생각할 것이다. 그러나 이야기는 추종파 following sect부터 시작해야 한다. 주식투자법을 분류할 때 설명했던 추종파와 예측파, 그중에서 추종파가 컴퓨터와 관련이 많다. 컴퓨터는 추종파들의 도구이다. 예측파들도 컴퓨터를 이용하겠지만 그것은 정보를 수집할 때뿐이고 거래 자체에는 사용하지 않는다. 하지만 추종파들은 거래 자체에 컴퓨터를 사용한다. 추종파에는 추세추종과 가치추종이 있다.

1. 추세추종과 컴퓨터

추세추종자들의 아버지, 제시 리버모어는 "심리적 시간psychological time"이란 용어를 사용했다. 그는 그것을 "주가를 움직이는 힘이 너무나 강해 저항선을 뚫어버릴 수밖에 없는 시점"이라고 설명했고, 그 시점에 최초의 거래를 했다고 한다. 즉 주가 변화를 뚫어져라 바라보다가 큰 움직임이 막 시작하려는 순간에 첫 거래를 시작했다는 뜻이다. 마치 고양잇과 동물이 먹잇감을 꼼짝도 하지 않고 응시하다가 용수철처럼 튀어 나가는 순간과 비슷하고, 또 투우사가 빨간 천으로 소를 놀리다가 소에게 칼을 꽂는 위험천만한 순간, 즉 진실의 순간momentum of truth과도 비슷하다.

그런데 왜 그런 시간에 "심리적psychological"이란 단어를 사용했을까? 아마도 탐욕과 공포 같은 감정의 굴레에서 벗어나 맑고 투명한 이성으로 바라보았을 때에만 그런 순간을 포착할 수 있기 때문이었을 것이다. 제시 리버모어는 감정을 배제하고 투명한 이성으로 주식시장을 바라보는 개인적 능력이 강한 사람이었던 모양이다.

그의 뒤를 이은 추세추종의 후계자들은 감정 변화에 휘둘리지 않기 위해 어떤 조건이 주어지면 마치 기계처럼 자동으로 매매를 실행하고자 했고, 그것을 기계적 매매mechanical trading라고 표현했다. 그 기계적 매매가 현실화된 것이 시스템 트레이딩system trading이다. 시스템 즉 일련의 조건에 의해 자동으로 매매가 실행된다. 사람이 스스로 조건을 정해 놓고 그대로 거래를 실행해도 시스템 트레이딩이지만, 컴퓨터가 자동으로 실행하도록 코딩하면 훨씬 간단하다. 컴퓨터는 추세추종자에겐 매우 유용한 도구이다. 실제로 퀀트들이 많이 사용하는 전략 중에 하나가 추세추종 전략이다.

시스템 트레이딩과 문자적으로 비슷한 용어로는 프로그램 트레이딩, 알고리즘 트레이딩이 있다.

프로그램 트레이딩program trading은 컴퓨터에 프로그램된 대로 매매한다고 해서 붙여진 이름이다. 그런데 프로그램 트레이딩은 원래의 문자적 의미와는 다르게 지수차익거래에만 한정되어 사용되고 있다.

차익거래arbitrage란 한가지 상품이 두 가지 가격으로 판매되고 있을 때 이 가격의 차이를 이용해서 무위험 수익을 얻고자 하는 거래이다. 이 가격의 차이를 스프레드spread라고 하는데 이 중에서 싼 것을 매수하고 비싼 것을 공매도해서, 시간이 흐른 다음 두 가격이 하나로 수렴될 때 청산해서 수익을 얻는 방법을 말한다. 기의 위험이 없는 거래다.

지수차익거래란 주식의 현물가격과 선물가격의 차이를 이용한 차익거래를 말한다. 즉 선물과 현물 중에서 상대적으로 고평가된 것을 팔고 그와 동시에 저평가된 것을 사서, 나중에 두 가격이 서로 수렴할 때 거래를 청산해 수익을 얻는 거래방법이다. 선물이 현물보다 비쌀 때를 콘탱고contango라고 하는데, 이때는 현물을 매수하고 선물을 공매도한다. 이를 프로그램 매수거래라 한다. 반대로 선물이 현물보다 쌀 때는 백워데이션backwardation이라고 하는데, 이때는 현물을 공매도하고 선물을 매수한다. 이를 프로그램 매도거래라 한다. 앞서서 식은 죽 먹기처럼 쉬워 보인다. 하지만 이런 거래가 가끔 오작동하면 주식시장에 큰 혼란을 초래한다. 1987년 주식시장 대폭락의 원인은 프로그램 트레이딩이 원인이었다.

알고리즘 트레이딩algorithmic trading은 말 그대로 알고리즘에 따라 거래를 한다는 뜻이다. 알고리즘algorithm이란 용어는 9세기 페르시아의 수학자 알-콰리즈미 خوارزمی al-Khwārizmī의 이름에서 유래했다.

알고리즘이란 "어떤 문제를 해결하기 위한 논리적 절차logic process"를 말한다. 컴퓨터의 프로그램을 작성하는 기초가 되는 것이다. 컴퓨터를 동작시키기 위해서는, 정보를 어떻게 입력하고 입력된 정보를 어떻게 처리하며 얻어진 데이터를 어떤 형태로 출력할 것인가 등을 프로그램으로 완전히 기술해야 한다. 이것이 알고리즘이다. 알고리즘을 표현하는 방법으로는 자연어, 순서도, 가상 코드, 프로그래밍 언어 등이 있다. 알고리즘이 좋고 나쁨에 따라 같은 결과를 구하는 처리에서도 시간이나 조작성에 큰 차이가 날 수가 있다.

알고리즘 트레이딩은 초기에는 헤지펀드나 뮤추얼펀드 같은 전문기관들에서만 사용했으나, 2000년 이후부터 알고리즘 트레이딩을 위한 소프트웨어와 프로그래밍 언어가 일반인들에게도 소개되면서 알고리즘 트레이딩의 이용자가 늘어나고 있다.

2. 가치추종과 컴퓨터

가치추종의 기본은 재무제표 분석이다. 재무제표는 숫자로 되어있고, 이 숫자들을 이용해 주식거래 알고리즘을 만들면 그게 바로 알고리즘 트레이딩이다.

3. 퀀트Quant

퀀트는 계량분석Quantitative analysis 그리고 계량분석가Quantitative analyst의 줄임말이다. 방법이면서 동시에 사람을 지칭하는 용어다. 계량적quantative이란 단어와 비슷한 말로는 "numerical숫자로 나타낸", "statistical통계적"이란 단어가 있다. 그러므로 퀀트를 쉽게 설명하면 숫자나 통계를 통해 주식을 분석하고 거래하는 사람들이라고 할 수 있겠다.

퀸트는 다른 4가지 주식투자법들과 어떤 연관성이 있을까? 어떻게 분류해야 할까?

퀸트는 추세주의, 가치주의 둘 다 관련이 있다. 반면 추종파와는 관련이 많지만, 예측파와는 관련이 거의 없다. 그럼 이들을 추세주의, 가치주의 다음으로 계량주의로 분류하는 것이 좋을까? 아니면 추종파, 예측파 다음으로 계량파로 분류하는 것이 좋을까?

이렇게 억지로 분류하는 것보다는 그냥 퀸트로 두는 것이 나을 수도 있겠다. 제5의 투자법 정도로.

옛날에 도박을 좋아한 수학자가 있었다. 수학을 잘하는 도박사였는지도 모른다. 아무튼 그는 수학공식을 이용해 라스베가스의 카지노에서 딜러를 이기고 돈을 땄으며, 역시 수학을 이용해 월스트리트에서 주식시장을 이기고 큰돈을 벌었다. 그리고 조용히 주식시장을 떠나 자유롭게 살았다. 이 멋진 도박사 아니 수학자의 이름은 에드워드 소프다. 퀸트의 아버지로 불린다.

에드워드 소프

에드워드 소프Edward Oakley Thorp (1932~)는 시카고에서 태어나 어린 시절에 캘리포니아로 이주했다. UCLA에서 물리학으로 학사 석사 과정을 전공하고, 수학으로 박사학위를 받았다. 가난 때문에 돈을 벌고 싶어 했고, 엉뚱하게도 카지노에서 딜러를 이기고 돈을 따야겠다는 생각을 했다.

카지노가 멍청한 손님들로부터 돈을 긁어내는 방법은 단순하다. 확률이 손님보다 조금 더 유리한 놀이를 만들어놓고 돈을 걸게 한다. 48 : 52 정도면 된다. 이 정도 확률이면 손님들은 돈을 따기도 하고 잃기도 하다가 결국엔 주머니를 모두 털리게 된다. 확률 게임인 거다. 에드워드 소프는 이것을 간파하고 카지노 딜러를 이기는 전략을 세운다.

① 확률이 딜러보다 자신에게 약간 유리하게 되도록 약간의 꼼수를 쓴다. 착용형 컴퓨터 같은 것을 옷 속에 숨겨서라도.

② 베팅할 때에는 전체 자금 중에서 정해진 공식에 따라 결정된 일정 비율의 금액만을 정확히 베팅한다.

③ 인내심을 가지고 이것을 꾸준히 반복한다.

세 과정이 모두 중요하지만 특히 과정 ②가 중요하다. 이 베팅 비율은 켈리 공식이라고 알려져 있다.

4. 켈리 공식Kelly criterion

벨 연구소에 근무하던 연구원 존 켈리John L. Kelly가 1956년 발표한 공식이다. 벨 연구소는 전화에 관한 것을 연구하는 곳이므로, 원래는 어떤 전송채널이 나타낼 수 있는 최대속도에 대한 연구의 결과로 내놓은 공식이었다. 아주 따분하고 재미없는 연구였는데, 나중에 도박이나 주식투자를 할 때 전체 자금 중에서 얼마만큼의 자금을 투입해야 수익률이 높아지는가에 관한 공식으로도 유용하다는 것이 알려졌고, 그래서 아주 유명해졌다.

패배하면 베팅한 금액 전부를 잃고, 승리하면 베팅금액 x 배당률을 획득하는 비교적 단순한 게임일 때, 켈리 공식에 따른 베팅비율은 다음와 같다:

베팅비율 (%) = (배당 x 승리 확률 - 패배 확률) / 배당

예를 들어, 승리확률이 60%인 도박에서 (승리확률 = 0.6, 패배확률 = 0.4), 도박사가 승리하면 1대1 보상을 받을 경우 (배당 = 1)의 베팅 비율은 다음과 같다.

베팅 비율(%) = (1 x 0.6 - 0.4) / 1 = 0.2 / 1 = 20 (%)

즉, 도박사는 베팅할 때마다 전체 보유자금의 20%씩을 걸어야 도박에 성공할 수 있다.

이것을 표로 나타내보면 다음과 같다.

승률	투자 금액
10%	투자 금지
20%	투자 금지
30%	투자 금지
40%	투자 금지
50%	0%
60%	20%
70%	40%
80%	60%
90%	80%
100%	100%

에드워드 소프는 이런 전략으로 결국 "딜러를 이기"고, 카지노마다 돌아다니며 자신이 옳음을 증명했다. 하지만 앙심을 품은 카지노 사람들이 건너 준 마취제를 탄 커피를 마시고 쓰러지고 만다. 그래서 카지노를 떠나 주식시장으로 가서 "시장을 이길" 방법을 연구하기 시작한다. 역시 수학적인 방법으로.

에드워드 소프가 주식시장을 이긴 비법에 대해 설명하려면, 그보다 먼저 주식시장에 관심을 가졌던 수학자를 만나기 위해 시간을 조금 거슬러 올라가 1900년으로 가봐야 한다.

5. 옵션의 적정가격 산정

주식의 가격은 제 가치에서 벗어나 저평가되거나 고평가되는 경우가 많다. 이렇게 저평가된 주식을 매수하거나 고평가된 주식을 공매도하는 투자방법을 우리는 벤저민 그레이엄의 가치추종 투자법이라고 한다. 이 방법은 재무제표를 통해 그 주식의 적절한 가치를 어느 정도 산정할 수 있어야 가능하다.
주식과 마찬가지로 옵션도 저평가되거나 고평가되는 경우가 많다. 옵션의 적정한 가격을 산정할 수 있다면, 저평가된 옵션을 매수하고 고평가된 옵션을 매도해서 수익을 낼 수 있지 않을까? 라는 엉뚱한 생각을 한 수학자가 있었다.
프랑스의 수학자 루이 바실리에Louis Bachelier (1870~1946)가 옵션의 적정가격을 산정하는 방정식을 1900년에 박사학위 논문으로 제출했다. 그는 정규분포 (가우스분포라고도 한다)로부터 옵션의 적정가격을 산정해냈다. 그의 지도교수였던 유명한 수학자 앙리 푸앵카레Henri Poincare는 물론 당시의 수학자들은 주식시장과 금융에 관심이 없었기에, 그 논문은 도서관에서 먼지가 쌓이게 되었고 그는 지방대학의 수학 교수로 평범하게 여생을 보냈다.

50여 년간 프랑스의 한 도서관에서 먼지를 맞고 있던 루이 바실리에의 논문을 노벨 경제학상을 받은 미국의 경제학자 폴 새무얼슨Paul A. Samuelson이 1950년대에 발견하였다. 그리고 1964년, 폴 쿠트너Paul H. Cootner란 경제학자가 이 논문을 편집하여 그의 책 "The random character of stock market prices주가의 무작위성"에 발표하였다. 바로 이 논문이 에드워드 소프의 눈에 들어왔고, 그는 이 방정식을 이용해 옵션의 적정가격을 산정하고 돈을 버는 방법을 찾아냈다.
그는 돈을 버는 것으로 끝냈지만, 이 논문을 철저히 검증하고 증명해 발표한 사람들이 있었다. 피셔 블랙Fischer Black은 1972년에, 마이런 숄즈Myron Scholes는

1973년에 그 결과를 발표하였다. 이 공로가 인정받아 마이런 숄즈와 로버트 머튼 Robert Merton은 1997년 노벨 경제학상을 받았다. 피셔 블랙도 암으로 일찍 사망하지 않았다면 같은 상을 받았을 것이다.

지금은 그것을 두 사람의 이름을 따서 "블랙-숄즈 모델Black-Scholes Model"이라고 부른다. 블랙-숄즈 모델을 통해 파생상품인 옵션과 주식을 결합해 차익거래, 헤지거래가 가능하게 되었다. 수많은 수학자와 물리학자들이 주식시장, 그중에서도 파생상품 시장으로 뛰어들게 된 이유다. 루이 바실리에가 살던 시대와는 세상이 참 많이 바뀐 것이다.

여담 하나,

평범하게 살다가 잊혀져간 루이 바실리에의 방정식과 아주 유사한 방정식이 5년 뒤에 발표되었는데, 이것은 아주 아주 유명해졌다. 1905년에 26세의 한 남자가 3가지 논문을 발표했는데, 상대성 이론, 광전효과, 그리고 마지막 세 번째 논문 "브라운 운동을 설명하는 방정식"이 바로 그것이었다. 이 방정식은 이론으로만 알려졌던 분자와 원자의 존재를 실제로 증명해냈기에 매우 중요하다고 한다. 그 남자의 이름은 알버트 아인슈타인이다.

6. 통계적 차익거래statistical arbitrage

원래 차익거래란, 한가지 물건에 두 가지 가격이 매겨져 있다면 더 싼 가격은 사고 동시에 더 비싼 가격은 팔아서 나중에 두 가격이 하나로 수렴될 때 거래를 청산해 위험 없이 수익을 추구하는 거래를 말한다.

예를 들어, 어떤 이유에서인지 금값이 서울에서 단위당 900달러인데 뉴욕에서는 1100달러에 거래되고 있다고 하자. 그럼 뉴욕에서 금을 사서 비행기나 배로 운반해 서울에서 팔면 되겠네? 하지만 이것은 차익거래가 아니라 그냥 유통업이다.

어떤 금융회사가 서울지점에서는 900달러에 금을 매수하고 동시에 뉴욕지점에서는 1100달러에 공매도를 한다. 그러고 시간이 지나면 유통업자들에 의해 두 도시의 금값이 같아져 1000달러가 된다. 이때 서울에서는 1000달러에 매도해 100달러를 수익으로 남기고, 동시에 뉴욕에서 1000달러에 환매수를 해서 역시 100달러를 수익으로 남긴다. 이것이 차익거래다. 이것을 "공간적 차익거래"라고 해보자.

S전자의 주식이 있는데, 오늘 이 주식의 가격 즉 현물가격이 10000원이다. 그런데 3개월 뒤의 이 주식 선물가격은 11000원으로 높게 거래되고 있다. 이때 현물

을 10000원에 매수하고, 선물을 11000원에 공매도해둔다. 시간이 흘러 두 가격의 차이가 0에 가깝게 줄어들면 두 거래 계약을 해지해 수익을 남긴다. 이것을 "시간적 차익거래"라고 해두자. 이런 거래는 주로 프로그램 매매로 실행한다.

이제 좀 더 이해하기 어려운 "통계적 차익거래"로 들어가 보자. 가격이 비슷하게 움직이지만 가끔씩 불균형을 보이는 한 쌍의 상품들이 있다. 예를 들어 보통주와 옵션처럼. 옵션이 저정가격은 위에서 설명한 블랙-숄즈 모델에 의해 추정할 수 있는데, 이것이 적정수준보다 저평가 된다면 옵션을 매수하고 동시에 보통주를 공매도해서 헤지 한다. 시간이 흘러 두 상품의 가격이 하나로 수렴할 때 두 가지 거래 계약을 해지하고 수익을 챙긴다. 두 상품이 쌍을 이룬다고 해서 페어 트레이딩 pairs trading이라고도 하는데, 이런 거래처럼 통계적으로 계산하여 위험 없이 수익을 추구하는 거래방식이 바로 통계적 차익거래statistical arbitrage다. 퀀트들의 주종목이 바로 이것이다. 이런 종류의 수익을 남기기 위해 퀀트들은 어마어마한 양의 주식과 파생상품을 사고판다.

그런데 퀀트 이전에도 이와 유사한 방식의 투자법을 구사한 사람들이 있었다.
① 벤저민 그레이엄의 차익거래 및 헤지거래
② 알프레드 윈슬로우 존스의 롱-숏전략
이 세 가지는 이름만 다를 뿐 실제 내용은 서로 아주 유사하다.

7. 헤지거래와 헤지펀드

헤지hedge란 용어는 원래 울타리를 의미하는 단어였다. 그것도 살아있는 나무로 둘러친 생울타리를 말한다. 최초의 헤지펀드는 1949년에 알프레드 윈슬로우 존스 Alfred Winslow Jones가 만들었다. 오스트레일리아의 부유한 집안에서 태어나, 4살 때 미국으로 이주했다. 하버드를 졸업한 후에 외교관이 되었는데 1930년대에 히틀러 치하의 독일에서 부영사까지 지냈다고 한다.
1942년 포춘Fortune 지에 취직했는데 취재를 하던 도중 자산투자 업계에 뭔가 어설픈 게 많다는 걸 느끼고 기자 생활을 그만두고 자기의 돈과 친구들의 돈을 출자해 1949년에 펀드를 만든 게 헤지펀드의 시초라고 한다.

헤지펀드의 기본적인 정의는 다음 두 가지이다.
① 펀드지만 다수의 사람에게 공개 모집하는 것이 아니라 소수의 사람들 특이 돈 많은 사람들에게서 자금을 모집한다. (사모펀드)

② 주가가 오르거나 내리면 한쪽 방향일 때에는 큰 손실이 나므로 동시에 양쪽 방향으로 매매해서 위험을 줄인다. (헤지)

주식을 매수한 상태를 롱 포지션long position이라하고, 공매도한 상태를 숏 포지션short position이라 하는데, 주가가 변동하면 수익의 가능성도 있지만 손실의 가능성도 높아진다. 알프레드 존스는 롱 포지션과 숏 포지션을 적당히 결합해서 주가가 오르든 내리든 수익을 낼 수 있는 롱-숏 전략long-short strategy을 구사해 안정적인 수익을 낼 수 있는 펀드를 만들었고, 그래서 그것을 "위험으로부터 울타리를 친 펀드"라는 의미로 헤지펀드hedged fund라고 했다.
하지만 현대의 많은 헤지펀드들은 이런 헤지거래를 하기는커녕 매우 위험한 일방향 거래를 주로 하게 되었고, 말만 헤지펀드지 실제는 리스크 펀드가 되고 말았다.

8. 다양한 퀀트

퀀트의 스펙트럼은 다양하다. 컴퓨터 없이 혼자서 자신만의 알고리즘으로 거래를 해도 퀀트는 퀀트다. 하지만 대부분의 퀀트는 고성능의 컴퓨터를 사용하고 헤지펀드를 운용하는 사람들이다.
퀀트와 관련된 분야는 수학과 물리학에서 시작해, 통계학, 컴퓨터공학, 인공지능 순으로 그 주류가 변해왔다. 현재는 인공지능이 퀀트의 주류가 되었다.
퀀트들은 항상 시장수익률을 초과하는 수익, 즉 알파 α를 찾아 헤맨다. 알파는 지수대비 변동성, 즉 베타 β와 관련이 높아 퀀트들은 항상 베타에 주의를 기울인다.

모든 분야가 마찬가지지만, 매우 성공적인 극소수의 퀀트가 있는가 하면 대부분의 퀀트는 그저 그런 수익을 내거나 대부분은 손실을 낸다. 심지어 세계 경제를 나락으로 떨어뜨리는 위험한 퀀트도 있다.
르네상스 테크놀로지의 제임스 사이먼스James Harris Simons (1938~)는 매우 성공적인 퀀트다. 2015년 한 해에만 2조 원을 보수로 받았다고 한다. 그는 원래 유명한 수학자였다.
반대로 롱텀캐피탈매니지먼트Long Term Capital Management (LTCM)의 퀀트들은 세계 경제를 위험으로 몰아넣었다. LTCM은 1994년에 살로먼 브라더스의 부회장이자 채권거래팀장이었던 존 메리웨더가 설립한 미국의 헤지펀드다. LTCM의 초기 자산은 12.5억 달러로 시작하였으나 1997년까지 연 28~59%의 고수익을 냈고, 1997년 동아시아 외환위기 때에도 고수익을 내서 자산이 25억 달러까지 불어났다.

그러나 1998년 러시아의 모라토리엄 선언으로 인해 다량의 러시아 국채를 보유하고 있던 LTCM의 펀드는 붕괴 위기로 치달았다. LTCM이 전 세계의 은행들과 거래하던 파생상품 규모는 1998년 9월 23일의 추산에 따르면 1조 2,500억 달러 이상이었다. 이것이 전 세계적 경제위기로 이어질 것을 우려한 미국의 연방준비제도가 다른 대형은행과 투자기관을 동원해 대규모 구제금융을 지원하여 위기를 막았다.

LTCM 소속의 퀀트는 MIT, 하버드 등 유명 대학의 석사 박사 출신들로 구성되었으며, 두 명의 노벨 경제학상 수상자도 포함되었다. 앞에서 설명한 블랙-숄즈 모델을 발표해 1997년에 노벨 경제학상을 받았던 마이런 숄즈와 로버트 머턴이다.

결론적으로 주식투자에서 컴퓨터는 하나의 도구에 불과하다. 잘 이용하면 약이 되지만, 잘못 이용하면 독이 되고 만다. 몰라도 주식을 거래하는 데는 아무 문제가 없다. 아주 잘 안다고 해도 돈을 번다는 보장도 없다. 도구를 사용하는 사람의 능력이 문제일 뿐이다. 피터 린치가 말한 것처럼 누구나 자기의 생활 주변, 직업 등 자신이 잘 아는 분야에서 좋은 주식을 찾을 수 있듯이, 수학자 물리학자 대학교수들도 자신들이 가장 잘 아는 분야에서 좋은 주식을 찾는 것뿐이다.

제5장 투자법의 비교

앞에서 주식투자법을 5가지로 분류하고 설명하였다. 여기서는 각 투자법의 독특한 특성들에 대해 서로 비교해보고자 한다.

주식격언과 투자법

* 무릎에서 사서, 어깨에서 팔아라. -> 추세추종
; 추세가 시작된 이후에 매수해서, 추세가 모두 끝난 후에 팔아라.

* 동트기 직전이 가장 어둡다. -> 추세예측
; 모두가 비관론에 젖어 주식을 팔 때가 바로 주식을 사야 할 때다.

* 계란은 한 바구니에 모두 담지 마라. -> 가치추종
; 한두 종목에 집중하면 위험하므로 여러 종목으로 분산하라.

* 될성부른 나무는 떡잎부터 다르다. -> 가치예측
; 성장 가능성이 높은 회사는 초창기부터 뭔가 다르다.

1. 추세추종 투자법

주식거래자들이 가장 많이 선택하는 방법이다. 누구나 쉽게 시작할 수 있기 때문이다. 그렇다고 아무나 성공할 수 있는 방법은 결코 아니다. 추세추종법으로 성공하기 위해 갖추어야 할 자질로는 다음과 같은 것들이 있다.
첫째 "순발력", 짧은 시간 안에 살지 말지, 손절매를 할지 말지, 결정을 내릴 수 있어야 한다. 둘째 "평정심", 욕심과 공포에 휘둘려 평정심을 잃으면 백전백패한다. 순발력과 평정심은 주식거래자라면 누구나 필요한 덕목이지만, 추세추종 투자법에서는 특히 더 중요한 자질이다. 추세추종자들은 그런 감정의 휘둘림에서 벗어나 이성에 의한 합리적 결정을 내릴 수 있어야 하기에 기계적 매매mechanical trading란 용어를 좋아한다.

추세추종자들의 가장 중요한 도구는 기술적 분석, 특히 차트다. 차트에 표시된 가격의 변동성, 거래량, 기타 여러 가지 지표들을 분석해서 "타이밍 timing"을 포착하고자 한다. 타이밍이란 용어를 사용한다면 거의 대부분 추세추종자라고 해도 맞다. 추세예측자들도 타이밍이란 말을 쓰지만 추세추종자들만큼은 아니다. 가치주의자들은 아예 타이밍이란 말을 경멸한다.

진입 타이밍 (매수 또는 공매도를 시작할 때), 손절매 타이밍 (어느 정도 손실이 나서 거래를 청산해야 할 때), 청산 타이밍 (매수한 주식을 매도하거나, 공매도한 주식을 환매수할 때)처럼, 추세추종자에게 타이밍은 주식거래의 시작과 끝이다.

"손절매"란 용어도 추세추종자들만의 것이다. 처음 주식시장에 발을 들여놓은 초보자라면 고참들에게 꼭 듣게 되는 말이 있다. "손절매를 잘해야 한다." 이런 말을 하는 사람이 있다면 그 사람은 자신이 알든 모르든 추세추종 투자법을 따르고 있다.

추세예측자, 가치주의자들은 손절매를 하지 않는가? 그들도 손절매를 하기는 한다. 그러나 추세추종자처럼 손실이 나서 기계적으로 손절매를 하는 것이 아니라, 초기 매입할 때의 판단이 틀렸다고 생각될 때만 손절매를 한다. 보유 중인 주식의 가격이 떨어졌어도 초기 매입할 때와 상황이 다르지 않다면 그들은 손절매를 하지 않고 반대로 추가매수를 할 수도 있다.

선물futures을 거래하는 데에는 5가지 투자 방법 중에서 추세추종 투자법이 가장 유용하다. 선물로 거래되는 원자재commodity나 지수 등은 가치를 판단하기 어렵기 때문이며, 또한 선물은 레버리지를 사용해야 하기에 설사 가치판단을 정확히 했다 하더라도 조금만 반대 방향으로 움직여도 원금을 잃어버리기 때문이다. 선물 거래자는 대부분 추세추종자다. 가끔은 가치주의자들이 헷지를 하기 위해 선물을 거래하는 경우도 있지만, 그런 경우 그들은 선물보다는 옵션을 선호한다.

2. 추세예측 투자법

추세예측자에게 필요한 자질은 사물의 부분보다는 전체를 보는 "거시적 안목"이나. 산을 볼 때 산속의 나무 하나하나 바윗돌 하나하나에 신성을 써서 산을 파악하는 것이 아니라, 산을 그냥 산 전체로 파악하는 안목을 가진 사람에게 적합한 방법이다. 또한 추세예측자에게 필요한 자질은 "인내심"이다. 초기의 예측과 다르게 주가가 변한다고 하더라도 전체적인 상황이 변하지 않았다면 서둘러 매도하지 않고 이겨내는 인내력이 추세예측자의 필수 자질이다.

추세예측자의 중요한 도구는 거시경제지표, 그중에서도 "금리"다. 금리의 오르내림에 따른 통화량의 변화, 바로 이것이 주가를 움직이는 근본 원인이라고 본다. 그래서 그들은 항상 중앙은행의 발표에 귀를 기울인다.

금리 즉 이자는 "돈의 가격"이다. 금리가 오른다는 것은 돈의 가격이 오른다는 것이고, 그래서 사람들은 돈을 은행에 맡긴다. 시중에는 돈이 줄어들 것이고 그래서 주식의 가격도 내릴 것이다. 금리가 내린다는 것은 돈의 가격이 내린다는 것이고, 그래서 사람들은 은행에서 싼 가격에 돈을 빌려 사업도 하고 투자도 할 것이다. 주가도 오를 것이다.

추세예측자들은 금리 이외의 다른 거시경제지표에서도 투자 아이디어를 얻는다. 그 아이디어에 따라 종목을 고른다. 마치 위에서 아래를 내려다보듯이. 그래서 그들의 투자법을 "하향식 투자Top down trading"라고도 한다.

이 투자법에는 ETF가 유용하다. 어떤 거시경제지표에 따라 한두 종목을 고르기보다는 그런 부류의 주식을 여러 개 포함하는 ETF가 훨씬 위험이 낮기 때문이다.

3. 가치추종 투자법

가치추종자에게 필요한 덕목은 말할 것도 없이 기본적 분석, 즉 재무제표를 읽는 능력이다. 단순히 읽는 능력이 아니라 행간의 의미를 찾아내는 것이다. 이런 일을 전문적으로 하는 사람을 증권분석가, 애널리스트analyst라고 한다.

추종파들은 항상 그들이 추종하는 것이 틀릴 가능성이 있기 때문에 틀렸을 때 수정할 방법을 가지고 있어야 한다. 추세추종자들이 그 도구로 손절매를 사용하듯이, 가치추종자들은 그 도구로 "분산"이란 것을 사용한다. 저평가된 종목을 1~2개 정도만 가지고 있다가 그중 하나라도 잘못되면 큰 손실로 이어진다. 하지만 수십 개 종목이라면 몇 개쯤 잘못되어도 나머지 종목들에서 충분히 메꿔질 수 있다.

"계란을 한 바구니에 담지 마라"는 주식 속담은 가치추종자들에게 해당되는 말이다. 계란을 여러 바구니에 나누어 담아두어야 한두 바구니를 잃어버려도 큰 손실로 이어지지는 않기 때문이다. 물론 다른 투자법에서도 적당한 분산은 필요하지만, 특히 가치추종법에서는 필수적이다.

예전에 사용되던 "가치투자"란 용어는 문자적으로는 가치추종만을 말한다. 하지만, 실제로는 가치추종과 가치예측을 혼합한 방식을 의미하는 경우가 많으므로 잘 구분해야 한다. 최근에 자기 스스로를 가치투자자라고 하는 사람들 중에는 순수 가치추종자는 많지 않다. 대부분의 가치투자자는 가치추종과 가치예측을 함께 따르는 경우가 많다.

4. 가치예측 투자법

"잘 될 나무는 떡잎부터 알아본다."라는 한국 속담이 있는데, 떡잎을 보고 잘 될 나무를 가려내는 것이 바로 가치예측 투자법이다. 크게 성장할 나무를 어려서부터 찾아내는 것, 그래서 예전에는 "성장주 투자"라고 하였다.

가치예측 투자법의 덕목은 지독한 관심이다. 필립 피셔가 텍사스 인스트루먼트와 모토로라에 수십 년을 투자한 것이 바로 그 예다. 지독한 사랑, 스토킹에 가까운 관심이 필수적이다.

가치예측자들의 도구는 다면평가다. 어린나무들을 모아놓고 나중에 아주 크게 될 나무를 고르는 일과 비슷하다. 단지 지금 키가 다른 나무보다 크다는 한 가지 이유만으로 선택해서는 안된다. 잎이 싱싱한지, 줄기가 굵은지, 나무가 서 있는 토양이 좋은지 등등 여러 가지 사항을 고루 따져서 결정해야 한다.

가치주의를 따르는 2가지 투자법, 가치추종과 가치예측은 보유하는 종목 수에서 전혀 다르다. 가치추종은 분산이 미덕이지만, 가치예측은 집중이 미덕이다. 3~5종목으로 집중해야 한다. 다면평가는 한 번으로 끝나는 것이 아니라 지속적으로 주기적으로 이루어져야 하는데, 종목 수가 너무 많으면 이것이 불가능하기 때문이다. 가치추종이 여러 개를 던져 놓고 그중에 잘되는 것만 추려내는 것이라면, 가치예측은 소수를 던져 놓고 그것만 뚫어져라 바라보는 것이다.

5. 퀀트

퀀트는 이삭줍기라고 할 수 있다. 씨뿌리기부터 수확까지 농사의 과정이 모두 끝나고 논이나 밭에 남아 있는 이삭을 줍는 일이 바로 퀀트가 하는 일이다. 페어 트레이딩을 위주로 한 통계적 차익거래, 프로그램 트레이딩 등 퀀트가 하는 중요한 거래들이 바로 주요거래자들이 거래하고 남아 있는 것을 줍는 일이기 때문이다. 그렇다고 퀀트의 역할을 무시할 수는 없다. 주식시장이 주식의 적정가를 찾아주는 데 분명 도움을 주고 있기 때문이다. 마치 공매도의 역할이 그런 것처럼.

수학, 통계, 확률, 컴퓨터, 코딩, 알고리즘, 이런 것들과 친한 사람들이라면 한번 해볼 만한 방법이다.

이상과 같이 주식투자 5가지 방법들을 비교 분석해 보았다. 이것을 알기 쉽게 표로 정리하면 다음과 같다.

투자법	다른 명칭	마스터	분석법	특징	기타
①추세추종		제시 리버모어	기술적 분석 (차트)	손절매	선물
②추세예측	하향식투자	앙드레 코스톨라니	거시지표 분석 (금리)		ETF
③가치추종	가치투자	벤저민 그레이엄	기본적 분석 (재무제표)	분산	
④가치예측	성장주투자	필립 피셔	다면평가 분석	집중	
⑤퀀트		에드워드 소프	통계적 분석	알고리즘	옵션

주식투자에서 성공하려면 위의 5가지 방법 중에서 자신의 적성에 맞는 투자법 사용하는 것이 좋다.

추세추종자에게는 빠른 판단과 순발력이 필요하며, 추세예측자에게는 처음 예측과 다른 방향으로 진행될 때 참아낼 수 있는 인내력이 필수적이다. 가치추종자에게는 가치를 분석할 수 있는 수학적 능력이 기본이고, 가치예측자에게는 먼 미래를 내다보는 안목이 있어야 한다. 퀀트는 말할 것도 없이 수학적이고 논리적인 사고방식이 필요하다.

하지만 어떤 투자법을 사용하더라도 나머지 다른 4가지 방법에 대해서 대략적으로라도 알아두어야 한다. 가치주의자라도 추세의 방향에 대해서는 어느 정도 알아야 하며, 추세주의자라도 가치분석에 대해서는 약간의 지식은 갖추고 있어야 한다.

제6장 주식 분석법

주식 투자법이 여러 가지이듯이 주식 분석법도 여러 가지다. 투자법에 따라 분석법도 각각 다르기 때문이다. 투자법과 분석법을 서로 짝지어 보면 다음과 같다.

① 추세추종 - 기술적 분석, 주로 차트분석
② 추세예측   거시경제지표 분석, 주로 통화량
③ 가치추종 - 기본적 분식, 주로 재무제표
④ 가치예측 - 다면평가
⑤ 계량분석, 퀀트 - 통계적 분석

①기술적 분석
Technical analysis

기술적 분석이란 거래의 기술trading technic이란 관점에서 현재의 장세 또는 주가를 분석analysis하는 섯이다. 기술석 분석으로 파악하고자 하는 것은 다음 2가지다.

1) 지금의 추세는 무엇인가?
상승 중인가? 하락하고 있는가? 박스권에서 횡보 중인가?
즉 추세는 상승/하락/횡보 3가지인데, 지금의 장세 또는 주가는 어떤 추세에 있는가를 먼저 결정해야 한다.

2) 지금 추세는 지속될 것인가? 아니면 반전될 것인가?
지금의 추세가 결정되었다면 그다음 과제는 그 추세가 같은 방향으로 지속될 건지, 아니면 되돌아서 반전될 건지를 "예측"해야 한다.
기술적 분석은 추세"추종"의 분석 방법인데 왜 예측을 해야 하는가. 우선 현재의 추세와 그 지속 또는 반전을 예측해서 투자하고, 맞으면 계속 가고 틀리면 빨리 중단하는 것이 추세추종이기 때문이다. 즉 초기에 진입 여부를 결정하기 위해서 현재의 추세와 그 반전 또는 지속을 예측해보는 것이다.

기술적 분석에도 여러 가지가 있다. 최초로 정리되어 발표된 기술적 분석은 다우이론이라고 할 수 있다. 다우이론은 찰스 다우 자신이 창안한 평균주가를 이용해 장세를 분석하는 방법이다. 현재 가장 많이 이용되는 기술적 분석은 차트분석이다. 차트의 형태를 보고 장세 또는 주가 상태를 분석하는 방법이다.

주가변동의 가장 큰 특징은 "흔들리며 움직인다"라는 것이다. 결코 반듯하게 직선으로 움직이지 않는다. 한 발 앞으로 간다면, 먼저 두 발 앞으로 갔다가 다시 한 발 뒤로 물러서거나, 뒤로 한발 물러섰다가 앞으로 두 발 나간다. 반대로 한 발 뒤로 간다면, 먼저 두 발 뒤로 갔다가 다시 한 발 앞으로 나서거나, 한 발 앞으로 갔다가 뒤로 두 발 물러선다. 이런 현상을 가장 비슷하게 비유할 수 있는 것이 물결wave 또는 파도tide다. 파도는 밀물 때라도 앞으로 밀려오지만은 않는다. 밀려왔다 밀려갔다 하는데 시간이 지나서 보면 앞으로 다가와 있다.

왜 그럴까? 주가의 움직임은 왜 반듯하고 직선적이지 않을까? 주동파agonistic wave가 있다면 반드시 반동파antagonistic wave를 동반하는 걸까? 그 이유는 주식시장에 참여하는 사람들의 군중심리가 그렇게 되어있기 때문이다. 주가가 오를 때에는 오르다가 떨어질 것이 걱정되어 매도하는 사람이 꼭 있기 마련이고, 주가가 내릴 때에는 내리다가 다시 올라갈 것으로 판단하여 매수하는 사람이 꼭 있기 마련이다. 군중심리 때문에 주가는 결코 단순하게 움직이지 않는다.

이런 특성을 감안해 앞으로의 주가가 어떻게 변할 것인지를 파악하는 것이 기술적 분석 즉 차트 분석이다. 그래서 차트를 분석할 때는 차트만 보지 말고, 차트 뒤에서 불안하게 서성이고 있는 군중들의 심리를 읽어야 한다.

여기서는 차트의 기본개념만 설명한다. 자세한 내용과 차트의 실제 형태는 차트관련 전문서적을 참고하기 바란다.

1) 차트 분석

차트에는 기본적으로 x축에 시간의 흐름이 기록되고, y축에는 주가의 변화가 기록된다. 추가로 x축의 아래에 거래량을 표시한다.

(1) 차트의 종류

차트에는 여러 종류가 있지만, 막대차트와 봉차트가 가장 많이 사용되고 있다.

막대차트bar chart는 미국과 유럽에서 사용하는 차트다. 수직으로 막대 모양의 선을 먼저 그려놓는다. 막대의 아래쪽 끝단이 저가이며, 위쪽 끝단은 고가를 나타낸다. 그 후에 시가는 왼쪽에, 종가는 오른쪽에 표시한다.

봉차트 또는 캔들차트candle chart는 일본에서 개발되어 일본과 한국에서 주로 사용하는 차트다. 양초 모양의 굵은 선을 먼저 그리는데 시가와 종가가 양초의 위와 아래의 끝단이 된다. 시가보다 종가가 높으면 양초를 붉은색으로 칠하고, 시가보다 종가가 낮으면 양초를 파란색으로 칠한다. 이 색은 미국이나 유럽에서는 반대로 칠한다. 동양에서 붉은색은 좋다는 뜻이지만, 유럽에서는 위험하다는 뜻으로 사용하기 때문이다. 고가는 위에 양초의 심지처럼 그려 넣고, 저가는 반대로 아래에 그려 넣는다.

(2) 지지와 저항

기술적 분석의 가장 기본이 되는 개념이 지지와 저항이다.

지지support ; 내려가던 주가가 더이상 낮아지지 않고 반등을 시작하는 것을 지지
라고 한다.
저항resistance ; 올라가던 주가가 더이상 높아지지 않고 내려가기 시작하는 것을
저항이라고 한다.
지지선support line ; 지지받는 점들을 서로 연결한 선을 지지선이라고 한다.
저항선resistance line ; 저항받는 점들을 서로 연결한 선을 저항선이라고 한다.
박스권box pattern ; 지지선과 저항선이 수평선과 평행할 때를 말한다. 주가가 좁
은 범위 내에서만 오르내리고 있을 때이다.
돌파penetration ; 지지선을 뚫고 하향할 때, 저항선을 뚫고 상승할 때를 말한다.
박스권의 범위를 벗어나 상승하거나 하향할 때도 돌파라고 한다.

(3) 추세선trend line
추세trend에는 상승추세, 하락추세, 횡보추세가 있다. 앞에서 설명한 것처럼, 상승
추세라도 곧장 위로만 가지 않으며 반드시 중간에 조정을 받는다. 마찬가지로 하
락추세라도 곧바로 추락하지 않으며 반드시 중간에 반등이 있다. 상승추세일 때는
단기 고점과 단기 저점이 오르며, 반대로 하락추세일 때는 저점과 고점이 내린다.
그래서 저점은 저점끼리 연결하는 선을 긋고, 고점은 고점끼리 연결하는 선을 그
으면 추세를 파악하기 쉬워진다. 이 선을 추세선trend line이라고 한다. 상승 추세
선은 저점들에서 지지를 받으며 상승하고, 반대로 하락 추세선은 고점에서 저항을
받으며 하락한다.
상승추세나 하락추세에서 저점들을 연결하는 선과 고점들을 연결하는 선을 모두
표시하면 채널channel처럼 보이므로 이것을 추세채널trend channel이라고 한다.

(4) 차트 패턴chart pattern
차트의 형태를 보고 앞으로의 추세를 예측해보는 방법이다. 지속형 패턴과 반전형
패턴이 있다.

A. 지속형 패턴continuation pattern
; 현재의 추세가 계속 지속되리라고 예상되는 패턴을 말하며, 다음과 같은 것들이
있다.
* 삼각형tringle pattern
* 깃발형flag pattern
* 페넌트형pennant pattern
* 쐐기형wedge pattern

B. 반전형 패턴reversal pattern
; 현재의 추세가 곧 반전되리라고 예상되는 패턴을 말하며, 바닥 반전형 패턴과
천장 반전형 패턴이 있다.
① 바닥 반전형 패턴bottom reversal pattern
; 내려가던 주가가 바닥에 부딪혀 상승을 시작하는 형태로 지지support의 패턴이
다. 다음과 같은 것들이 있다.
* V형
* 역머리어깨형reversed head and shoulder
* 이중/삼중/원형 바닥형
② 천장 반전형 패턴top reversal pattern
; 올라가던 주가가 천장에 부딪혀 하락하기 시작하는 형태로, 저항resistance의 패
턴이다. 다음과 같은 것들이 있다.
* 역V형
* 머리어깨형head and shoulder
* 이중/삼중/원형 천장형 double/triple/rounding top

C. 갭gap
; 주가가 급등 혹은 급락하여 차트상에 빈공간이 나타난 것
* 소멸갭 ; 메꿔지는 갭
* 돌파갭 ; 메꿔지지 않고 추세가 강력하게 지속되는 갭

D. 섬모양 반전 패턴island reversal pattern
; 섬모양이란 하나의 갭이 만들어지자마자 반대 방향 갭이 만들어져 추가가 마치
섬처럼 보이는 것을 말한다. 섬모양이 만들어지면 추세가 반전될 것임을 강하게
시사한다.
* 섬모양 천장island top
* 섬모양 바닥island bottom

2) 거래량 지표

차트의 x축 아래에 거래량 막대를 그려서 차트 패턴과 동시에 보고 추세를 파악
하는 방법이다. 거래량이 갑자기 급증하면 추세전환의 신호라고 할 수 있다.

3) 이동평균선moving average line

일정 기간 이전부터 오늘까지의 주가를 평균 내서 점으로 표시한 다음에, 매일매일 변화하는 그 점들을 서로 연결한 선을 이동평균선이라고 한다. 예를 들어 5일 이동평균선은 오늘까지 5일 동안의 주가를 평균 내서 연결한 선이다.
주로 사용하는 이동평균선은 다음과 같다.
* 5일 이동평균선 (5MA line)
* 20일 이동평균선 (20MA line)
* 60일 이동평균선 (60MA line)
* 120일 이동평균선 (120MA line)

5일 이동평균선은 1주일 (5거래일)의 변화를 보는 것이며,
20일 이동평균선은 1달 (대략 20거래일)의 변화를 보는 것이고,
60일 이동평균선은 1분기 (3개월, 대략 60거래일)의 변화를 보는 것이다.

일정 기간이 분minute, 주week, 월month로 바뀌면, 5분 이동평균선, 5주 이동평균선, 5월 이동평균선 식으로 변한다.

4) 기타 기술적 분석의 도구들

볼린저 밴드Bollinger Bands
재무분석가 존 볼린저John A. Bollinger가 1980년대에 개발하였다. 20일 이동평균선을 기준으로 해서, 이 기준에서 주가가 어느 정도 떨어진 위치에 있는지를 나타내준다.

스토캐스틱stochastic
정식 명칭은 스토캐스틱 오실레이터stochastic oscillator다. 1950년대에 William Dunnigun이 개발하고, George Lane이 널리 보급하였다.

일목균형표一目均衡票
일본의 호소다 고이치細田悟 (일명 일목산인一目山人, 1898~1982)가 신문사에 재직하면서 증권시황을 설명하기 위해 개발하였다.

이외에도 여러 가지 기술적 분석의 도구들이 있다.

②거시경제지표 분석

거시경제지표macroeconomic indicators
국민경제 전체의 움직임을 보여주는 경제지표를 거시경제지표라고 한다. 여기에는 국민소득, 물가, 국제수지, 실업률, 환율, 통화증가율, 이자율 등이 속한다. 반면 미시경제지표는 각 개별경제수체의 움직임을 보여수는 지표다.

통화량money supply
거시경제지표 중에서 추세예측 투자자에게 가장 중요한 지표는 통화량이다. 시중에 돈을 얼마나 유통시켜야 할지 즉 통화공급량의 조절은 두 기관 즉 정부와 중앙은행에서 담당한다.
정부는 세입과 세출, 즉 세금으로 거둬들이는 돈과 정부지출로 내보내는 돈을 조절해서 시중의 통화량에 영향을 미친다.
중앙은행은 금리조절을 포함한 몇 가지 방법을 동원해 통화량을 조절한다. 통화량은 통화공급량이라고도 하며, 일정 시점에 한 국가 내에서 유통되고 있는 통화의 양을 의미한다. 이때 통화의 개념은 단순히 중앙은행에서 찍어낸 화폐만을 말하는 것이 아니며, 다음과 같은 통화지표들로 구분된다.

① 본원통화 (reserve money)
중앙은행이 공급하는 현금
시중에 유통되는 지폐와 동전의 액수를 합한 것이다.

② 협의통화 (M1)
본원통화(현금) + 요구불예금(수표) + 수시입출식예금(보통예금, 당좌예금)
곧바로 현금화할 수 있는 것들이기 때문에 유동성이 현금과 거의 동일하다. M1은 유동성이 가장 높은 통화이며 그 범위가 매우 좁다.

③ 광의통화 (M2)
M1 + 만기 2년 미만 금융상품
정기예금이나 적금 등은 현금화하고자 할 때 약간의 손실을 감수하여야 하므로 M1에 비해서는 유동성이 약간 줄어든다.

④ 협의유동성 또는 금융기관유동성 (Lf or M3)

Liquidity aggregates of Financial institution

M2 + 보험회사 등 기타예금 취급기관의 만기 2년 이상의 정기예금과 적금, 금융채, 예수금 등

예전에는 "총유동성 (M3)"이란 용어를 사용했는데, 아래의 광의유동성 (L)을 개발하면서 Lf로 새로 정의하였다.

L과 Lf는 현금화하기 어려운 통화 즉 유동성이 낮은 통화를 포함하고 있다.

⑤ 광의유동성 (L)

Liquidity aggregates

Lf + 비금융기관인 정부와 기업 등이 발행한 국공채 및 회사채

한 국가에서 유통되고 있는 모든 통화량을 포괄하므로 가장 광범위하고 금액이 많다.

중앙은행이 돈(현금, 본원통화)을 발행해 시중에 유통시키면 그 돈만큼만 통화량이 되는 것이 아니다. 유통된 돈이 저축되고 이 돈이 다시 대출되면서 본원통화보다 훨씬 더 많은 금액의 통화량이 되는 것이다.

예를 들자면, 중앙은행이 1000만원의 화폐를 발행하여 시중의 은행으로 내보내면, 시중은행은 지불준비금인 100만원을 제외하고 900만원을 대출해주고, 경제 주체들은 다시 900만원을 저축하고, 은행은 다시 810만원을 대출해주고,,, 이렇게 대출과 저축의 과정을 반복하면 시중에는 1000 + 900 + 810 + + + = 1억원의 통화량이 발생한다. 결국 중앙은행이 발행한 화폐 1000만원이 1억원의 통화량이 되는 것이다.

이것을 방정식으로 나타내면

M = mH

　(M ; 통화량, m ; 신용승수, H ; 본원통화)

즉, 본원통화에 신용승수를 곱하면 전체 통화량이 된다.

MV = PT　; 피셔방정식

　(M ; 통화량, V ; 통화의 유통속도, P ; 물가수준, T ; 거래량)

V와 T는 안정적이므로, 통화량(M)과 물가(P) 사이에는 비례관계가 성립한다.

즉 통화량을 조절함으로써 물가수준을 결정할 수 있고, 물가수준에 따라 경제의 움직임이 변화되므로 결국 통화량을 조절하는 것은 경제의 움직임을 조절하는 것이다. 이것을 화폐수량설quantity theory of money이라고 한다.

통화정책monetary policy

통화량이 많을수록 돈의 희소성이 낮아지므로 금리가 하락하고, 금리가 낮을수록 돈을 빌리기 쉬우므로 투자 증가, 생산량 증가, 경제가 활성화된다. 통화량이 적을수록 돈의 희소성이 높아지므로 금리가 상승하고, 금리가 높을수록 돈을 빌리기 어려우므로 투자 감소, 생산량 감소, 경제가 활력을 잃게 된다. 즉 통화량을 조절하여 금리를 조절하고, 금리조절로 경제를 움직이는 것이다. 이처럼 통화량과 금리를 조절하는 정책을 통화정책이라 한다.

통화정책은 확장적 통화정책과 긴축적 통화정책으로 구분되는데, 경제가 침체상태에 있을 때는 확장적 통화정책을, 경기가 과열상태에 있을 때는 긴축적 통화정책을 시행한다.

중앙은행과 정부가 확장적 통화정책을 펼쳐 통화공급량을 늘리면 주식시장이 활성화되어 주가가 상승하며, 긴축적 통화정책은 그 반대다.

금리interest

금리 즉 이자는 돈을 빌릴 때 지불해야 하는 것이므로 "돈의 가격price of money"이라고 할 수 있다. 금리가 낮아지면 주가가 오르고, 금리가 높아지면 주가가 내린다. 추세예측 투자자의 관심interest은 바로 이것 금리interest에 쏠려있다.

중앙은행central bank

돈은 필수품이다. 거래하는 존재인 인간, 호모 메르카토리우스Homo mercatorius 에게는 마치 물이나 식량만큼 중요한 필수품이다. 시장경제가 활성화된 곳에는 특히 그렇다.

그런데 필수품은 모두 저장이 중요하다. 너무 적게 저장해두면 필요할 때 부족해서 곤란해지고, 너무 많이 저장해두면 부패하거나 저장비용이 너무 많이 들게 된다. 그래서 항상 저장량을 적정하게 유지해야만 한다.

필수품인 돈도 마찬가지다. 경제시스템이 필요한 만큼 적당량을 유지해야 하는데 경제 자체가 호황과 불황을 오가므로 적정량의 돈을 유지하는 것은 쉽지 않은 일이다. 시중에 돈이 부족하면 물가가 떨어지고deflation 경기가 침체하며, 돈이 필요량보다 너무 많이 풀리면 물가가 급격히 올라서inflation 역시 경제에 부담이 된다. 시장경제가 활성화된 후에 이런 경험들이 많이 쌓이게 되었고, 그래서 국가마다 이런 문제를 다룰 기관이 필요해졌다. 중앙은행은 바로 그런 일, 시중에 돈을 적당히 푸는 일, 적정 통화량을 유지하는 일을 하기 위해 설립된 은행이다.

세계 최초의 중앙은행은 네덜란드의 암스테르담 은행Amsterdamse Wisselbank으로 1609년에 설립되었다.

영국의 잉글랜드은행Bank of England (英蘭銀行영란은행이라고도 한다.)은 1694년에 세워졌지만, 처음에는 중앙은행이 아닌 민간은행이었다. 당시에는 모든 민간은행들이 독자적으로 은행권 즉 화폐를 발행했다. 1844년이 되어서야 잉글랜드은행은 영국의 유일한 발권은행 즉 중앙은행이 되었다.

미국의 중앙은행

미합중국 제1은행First Bank of the United States은 1791년 알렉산더 해밀턴이 주축이 되어 설립된 국립은행이었는데, 미국 의회의 승인 기간이 20년으로 재승인을 받지 못하고 역사 속으로 사라졌다.
미합중국 제2은행Second Bank of the United States은 1817년부터 20년 동안 승인을 받은 상업은행이었는데, 역시 재인가를 받지 못하고 일반 상업은행으로 5년 더 영업하다가 1841년 파산하였다.
이후 미국은 중앙은행이 없이 지내다가, 1907년에 대공황을 겪은 이후 중앙은행의 필요성을 절감하고 1913년에 연방준비법Federal Reserve Act을 통과시켜 중앙은행의 기능을 하는 연방준비제도를 출범시켰다.

세계 경제를 움직이는 미국의 중앙은행은 이름부터가 독특하다. 미국은행 또는 미합중국은행이라 하는 것이 보통인데, 이런 이름을 두 번 사용하다가 없애버리고 세 번째로 사용한 이름이 "연방준비제도"라는 특이한 이름이다.

연방준비제도Federal Reserve System
* Federal Reserve System
* Federal Reserve Board of Governors
* Federal Reserve Banks

이 세 가지는 정확히 말하면 각각 다른 기관이지만 서로 큰 차이 없이 같은 기관인 것처럼 혼동되게 사용한다. 약칭도 FRS, FRB, Fed 등으로 부르다가 2008년부터 "Fed"로 불러달라고 요청하였는데, 약칭 작명법치고는 두문자어initalism를 사용하지 않는 좀 특이한 방식이다. 경제 뉴스 등 언론에서는 현재 대부분 Fed로 약칭한다. 우리나라에서는 "연준"이라고 약칭해서 부른다. 이 기관들을 정확히 구분을 해보면 다음과 같다.

연방준비제도Federal Reserve System는 전체 시스템을 의미하며 미국의 중앙은행제도를 대표하는 이름이다.

연방준비제도이사회Federal Reserve Board of Governors는 연방준비제도의 의사결정기구다. 본부는 워싱턴D.C.에 있으며, 12개 연방준비은행을 관리하는 총괄기관이다. 의장을 포함하여 총 7명의 이사들로 구성되는데, 대통령이 임명하고 상원의 승인 절차를 거친다. 대통령은 이장과 부외장을 임명한다. 이사의 임기는 14년이며, 의장과 부의장의 임기는 4년이다. 의장은 대통령이 임명하고 상원의 승인을 받아야 하지만, 금리 결정 등 통화정책에 관한 권한은 철저히 독립적이다. 정확히 말하면 국립기관이 아니라 민간은행의 연합체라고 할 수 있다.

의장은 세계 경제대통령이라고 할 정도로 금융정책에 관해서는 전 세계적인 강력한 영향력을 갖고 있다. 스포츠를 좋아하는 사람은 스포츠선수의 멋진 몸동작에 관심을 갖고, 영화나 드라마를 좋아하는 사람은 배우의 외모나 연기에 관심을 기울이지만, 경제와 투자에 관심이 많은 사람들은 중앙은행 총재의 발언에 큰 관심을 갖는다. 특히 미국 Fed 의장의 발언은 실시간으로 전 세계에 보도되고, 그 발언의 의미에 따라 전 세계 주식시장이 요동친다. 2023년 현재 Fed 의장은 제롬 파월Jerome Powell (1953~)이다.

연방준비은행Federal Reserve Banks은 미국 전체를 12개의 지역으로 구분하고, 그 지역의 가장 중요한 도시에 둔 은행들을 말한다. 12개 도시는 보스턴, 뉴욕, 필라델피아, 클리블랜드, 리치몬드, 애틀란타, 시카고, 세인트루이스, 미니애폴리스, 캔자스시티, 댈러스, 샌프란시스코다.

각 지역의 연방준비은행은 해당 지역 내의 은행을 감시 감독할 책임을 지고 있다. 12중에서 가장 중요한 곳은 뉴욕 연방준비은행이다. 주식시장과 세계적인 은행, 투자은행, 기타 주요 금융기관들의 본사가 뉴욕 연방준비은행의 관리 감독 아래에 있기 때문이다. 그러므로 뉴욕 연방준비은행 총재는 FOMC의 당연직 부의장이며, 연방준비제도의 의사결정에 강력한 영향력을 끼칠 수 있다.

연준 창설 초창기에 설정되었기에 동부 지역은 밀집되어있지만 서부 지역은 샌프란시스코에만 있다. 지금은 서부 지역에도 경제기 활성화되있기에 이 지역에 추가로 연방준비은행을 세워서 15개 정도로 늘리려는 논의가 있다.

연방공개시장위원회Federal Open Market Committee ; FOMC
연방준비제도이사회의 소속기관으로, 공개시장조작 정책의 수립과 집행을 담당한다. 대한민국에서는 한국은행의 통화정책 결정기구인 금융통화위원회가 이와 유사한 업무를 담당하고 있다.

연방준비제도이사회 이사 7명과 지역 연방은행 총재 5명으로 구성되어 총 12명의 위원으로 구성된다. 5명의 지역 연방은행 총재 중 뉴욕 연방준비은행 총재는 당연직이고, 나머지 4명은 11개 지역 연방은행을 4개 권역으로 나누어 각 1명씩 선출하고 각 권역 내에서는 1년씩 교대로 참여한다. 의장은 연방준비제도이사회 의장이, 부의장은 뉴욕 연방준비은행 총재가 맡는다.

매년 8차례의 정기회의를 개최하며, 각 회의 때마다 다음 회의 때까지 수행해야할 공개시장조작 지침을 작성하여 발표한다.

중앙은행의 기능
중앙은행은 다음과 같은 방식을 통해 유동성을 조절한다.

① 기준금리Base Rate 조절
중앙은행의 가장 강력한 통화량 조절 방법이다.
중앙은행은 "은행들의 은행"으로 일반은행들에 돈을 빌려주는데 그때 적용하는 금리가 기준금리다. 중앙은행이 기준금리를 인상하면 일반은행들이 중앙은행으로부터 자금을 조달하는 비용이 증가하게 되고 시중금리 또한 인상되어 유동성이 축소된다. 반대로 기준금리를 인하하면 일반은행들이 자금을 조달하는 비용이 감소하게 되고 시중금리 또한 인하되어 유동성이 증가한다.

② 지급준비율Reserve Requirement Ratio 조절
기준금리를 조절하기 전에 먼저 사용하는 방법으로, 중국인민은행이 주로 사용하는 수단이다.
지급준비율을 인상하면 일반은행들이 중앙은행에 예치해야 하는 자본금이 증가하고, 반대로 인하하면 일반은행들이 중앙은행에 예치해야 하는 자본금이 감소한다.
예를 들면, 중앙은행이 지급준비율을 8%에서 → 10%로 올리면, 자산이 1000원인 어떤 은행이 중앙은행에 예치해야 하는 지급준비금은 80원에서 → 100원으로 늘어나게 된다. 지급준비금이 인상되면 일반은행의 대출이 줄어들어 유동성이 감소하게 된다.

③ 공개시장운영Open Market Operation
원래는 공개시장조작이라고 하였는데 조작이라는 단어의 뉘앙스가 좋지 않아 공개시장운영으로 이름을 바꾸었다.
중앙은행이 국공채를 매입하면 그 대금이 시중으로 흘러가고 금리가 낮아져 유동성이 증가한다. 반대로 국공채를 매도하면 시중의 돈이 중앙은행으로 들어가고 금리가 높아져서 유동성이 감소한다.

오퍼레이션 트위스트Operation Twist는 공개시장운영의 변형으로, 중앙은행이 장기채권은 매입하고 단기채권은 매도하여 유동성을 증가시키는 방법이다.

④ 양적완화Quantitative Easing
기준금리 수준이 이미 너무 낮아서 금리인하나 공개시장운영으로 효과를 기대할 수 없는 비상 상황에서 중앙은행이 시중의 다양한 자산을 직접 사들여 시중에 유동성을 늘리는 것이다.
공개시장운영과의 차이점은 금리인하를 유도해 유동성을 증가시키는 간접 방식이 아니라, 중간과정 없이 직접 유동성을 증가시키는 방식이라는 점이다.

⑤ 인플레이션 타겟팅Inflation Targeting
현대 중앙은행들의 가장 중요한 목표는 "적정 수준의 인플레이션"을 유지하는 것이다. 이를 위해 중앙은행이 인플레이션 목표치를 설정 공개해서, 이에 부합하도록 금리를 포함한 여러 통화정책을 사용하는 방식이다.

※ 적정 수준의 인플레이션
물가가 상승하는 것을 인플레이션inflation이라고 하고, 물가가 하락하는 것을 deflation이라고 한다. 물가가 변하지 않고 그대로 오랫동안 있다면 좋겠지만 실제 경제에서 그런 상태는 유지되지 않는다. 물가는 오르거나 내린다.
물가가 급격히 올라 심한 인플레이션 상태가 되면 돈의 가치가 떨어지면서 경제가 혼란스러워진다. 물가가 내려 디플레이션 상태가 되면 경제가 활력을 잃고 침체에 빠진다. 경제에 가장 좋은 상태는 "적정 수준의 인플레이션" 즉 물가가 조금씩 완만히 오르는 상태다. 중앙은행은 바로 이런 상태를 유지하고자 노력한다.

중앙은행의 독립성
정부는 국민들의 인기를 얻기 위해 경제가 활성화되기를 바라므로 금리 인하 등 확장적 경제정책을 선호한다. 하지만 과도한 확장정책은 인플레이션을 초래하여

경제를 망가트릴 위험이 높다. 그래서 중앙은행은 정부의 입김에서 벗어날 수 있
도록 독립적이어야 한다.

③기본적 분석
fundamental analysis

기본적 분석은 주식의 기본fundamental 즉 주식회사의 가치value를 분석analysis 하는 방법이다. 주로 재무제표를 통해 분석한다.

가치추종 투자법은 과거부터 현재까지의 기업의 가치를 주로 "재무제표"를 보고 판단한다. 재부제표를 통해 파악한 가치보다 주가가 낮으면 "저평가"되었다고 하고 그 주식을 매수한다. 반대로 가치가 주가보다 높으면 "고평가"되었다고 하고 매수하지 않거나 공매도를 한다.

하지만 이 판단은 잘못될 수도 있으므로 그에 대한 대비책이 필요하다. 분산투자 즉 여러 주식을 섞어서 매수하여 잘못 될 경우에 대비한다.

재무제표financial statements財務諸表

재무제표는 회사의 재무 상태에 대한 여러 가지 표를 말한다. 다음 세 가지가 가장 중요한 재무제표다.
1. 대차대조표
2. 손익계산서
3. 현금흐름표

1. 대차대조표balance sheet

대차대조표의 문자적 의미는 "대변과 차변을 대조하는 표"란 뜻이다. 회사의 자금 조달과 그 운용 상태를 하나의 표로 기록한 일종의 계산서로, 일정 시점의 회사의 재무 상태, 즉 자산, 부채, 자본을 기록한 표다.

자산은 대차대조표의 왼쪽인 차변debit借邊에 기록하여 조달된 자금의 운용상태를 나타내고, 자본과 부채는 대차대조표의 오른쪽인 대변credit貸邊에 기록하여 자금의 조달원천을 나타낸다. 차변에 기록된 자산의 합계액과 대변에 기록된 부채와 자본의 합계액은 반드시 일치하여야 한다.

차변 = 대변
자산 = 자본 + 부채

오른쪽의 대변은 주주가 투자한 돈(자본capital)과 금융기관 등으로부터 빌린 돈(부채debt)을 나누어 표기하여 돈을 어떻게 구했는지, 자기자본인지 빌려온 타인 자본인지를 표시한다.
왼쪽의 차변은 그 돈으로 어떤 물건(자산asset)을 준비했는지를 표시한다. 자산은 공장설비나 기계와 같은 유형자산과, 현금이나 기타 예금 등 유동자산으로 구분된다.
오른쪽 대변에 돈으로 표시한 금액과 왼쪽 차변에 물건값으로 표시한 금액은 서로 같아야 한다.

이렇게 차변과 대변으로 나누어 기록하는 것을 분개journalizing分介라고 한다. 회계에서 모든 거래는 반드시 차변과 대변으로 짝을 이루고, 양쪽의 금액은 서로 일치해야만 하는 데 이를 대차평균의 원리라고 하며 복식부기의 기본원칙이다.
대차대조표의 기본형식은 다음과 같다.

차변	대변
자산	자본 부채

※ 대차대조표의 "자본capital"은 자본총액, 총자본금, 장부가bookvalue, 자기자본,

순자산 등 여러 가지로 부르므로 주의가 필요하다.

대차대조표로 영업상태를 파악하는 중요한 지표들

① 순유동자산net current asset
 ; 유동자산에서 부채를 뺀 것이다. 회사의 청산가치와 같아서 사업을 멈추고 부
채를 모두 갚고도 남는 돈을 의미한다 즉,
순유동자산 = 유동자산 - 부채

가치투자의 거장 벤저민 그레이엄이 가장 중시하는 지표다. 그는 주가가 순유동자
산 (= 청산가치)보다 훨씬 낮을 때 주식을 매수하고, 주가가 이것보다 높아지면
매도하라고 한다.
순유동자산 > 시가총액 x 1.5   -> 주식 매수
순유동자산 < 시가총액   -> 주식 매도 또는 공매도

② BPS ; Bookvalue Per Share 주당 장부가
 ; 주식 1주당 "장부가"가 얼마인지 나타내는 지표. 여기서 장부가는 대차대조표
에서 대변의 "자본"을 말한다. "순자산"이라고도 한다.
회사의 자본을 주주들에게 나눠준다고 가정할 때 주식 1주당 얼마씩 나눠줘야 하
는지를 나타낸다.

BPS = 자본 ÷ 주식의 수

③ PBR ; Price Bookvalue Ratio 주가장부가비율
 ; 주가가 그 회사 1주당 장부가의 몇 배가 되는가를 나타내는 지표. 주가를 1주
당 장부가로 나눈 값이다.

PBR = 주가 ÷ BPS
      = (주가 x 주식의 수) ÷ (BPS x 주식의 수)
      = 시가총액 ÷ 자본

PBR < 1 ; 주가가 주당 장부가보다 낮다는 의미.
주가가 싸다고 할 수도 있지만, 그만큼 투자자들이 회사의 미래를 좋게 보지 않고
있다는 뜻이기도 하다.

PBR > 1 ; 주가가 주당 장부가보다 높다는 의미.
주가가 비싸다고 할 수도 있지만, 그만큼 투자자들이 회사의 미래를 좋게 보고 있다는 뜻이기도 하다.

2. 손익계산서income statement, profit and loss account

손익계산서損益計算書란 일정기간동안 얼마만큼의 이익 또는 손실을 보았는지 경영의 성과를 보여주는 보고서다. 즉, 일정기간동안 기업이 생산한 제품이나 매입한 상품을 얼마나 판매하였으며, 거기에 들어간 원가는 얼마이고, 판매활동이나 관리활동을 위해 지출한 비용은 얼마인가를 보여주는 것이다.

고대 중국에서 수익은 검은 글씨 즉 흑자黑字로 적고, 손실은 붉은 글씨 즉 적자赤字로 적었던 관습이 전해져서 지금도 수익이 나면 "흑자를 보았다"라고 하고, 손실이 나면 "적자를 보았다"라고 한다.

매출액 - 매출원가 = 매출총이익
매출총이익 - 판매비와 관리비 = 영업이익
영업이익 + 영업외수익 - 영업외비용 = 법인세차감전 순이익
법인세차감전 순이익 - 법인세비용 = 당기순이익

손익계산서의 기본형식은 다음과 같다.

```
   매출액
 - 매출원가
 ----------------
 매출총이익
 - 판매비와 관리비
 ----------------
 영업이익
 + 영업외수익
 - 영업외비용
 ----------------
```

```
법인세차감전 순이익
- 법인세비용
-----------------
당기순이익
```

손익계산서로 영업상태를 파악하는 중요한 지표들

① ROE ; Return On Equity 자기자본수익률
자기자본의 운영이 얼마나 효율적으로 이루어졌는지를 보여주는 지표다. 회사가
자기자본을 활용해 1년간 얼마를 벌어들였는가를 나타내며, 대표적인 수익성 지표
로 경영의 효율성을 의미한다.

ROE = (당기순이익 ÷ 자기자본) × 100

예를 들어 10억 원의 자본을 투자했을 때 1억 원의 당기순이익을 냈다면 ROE가
10%이며, 10억 원의 자본을 투자했을 때 2억 원의 당기순이익을 냈다면 ROE는
20%이다.
ROE가 높다는 것은 자기자본에 비해 그만큼 당기순이익을 많이 냈고 효율적인
영업활동을 했다는 의미다. ROE가 높은 주식일수록 좋은 주식이라고 볼 수 있다.

② ROA ; Return On Assets 총자산수익률
ROE가 자기자본만의 효율성을 나타내준다면, ROA는 부채를 포함한 총자산의 효
율성을 보여준다. ROE와 마찬가지로 ROA가 높은 주식일수록 좋은 주식이라고
볼 수 있다.

ROA = (당기순이익 ÷ 총자산) × 100

③ EPS ; Earning Per Share 주당순이익
; 회사가 벌어들인 당기순이익을 주식의 수로 나눈 값. 1주당 당기순이익을 얼마
나 창출하였느냐를 나타내는 지표다.

EPS = 당기순이익 ÷ 주식의 수

④ PER ; Price Earning Ratio 주가수익비율

주가가 그 회사 1주당 순이익의 몇 배가 되는가를 나타내는 지표. 주가를 1주당 순이익으로 나눈 값이다.

PER = 주가 ÷ EPS

예를 들어, 어떤 회사의 주가가 1,000원이라고 하고 1주당 순이익이 100원이라면, PER은 10이 된다.

PER가 낮으면 주가가 싸다고도 할 수 있지만, 투자자들이 회사의 미래를 밝게 보고 있지 않다는 뜻이기도 하다.
PER가 높으면 주가가 비싸다고도 할 수 있지만, 투자자들이 회사의 미래를 밝게 보고 있다는 뜻이기도 하다.

3. 현금흐름표statement of cash flows

현금과 현금성 자산의 변동사항을 영업활동, 투자활동, 재무활동 등 세 가지 분야로 나누어서 기록해놓은 재무제표이다.
대차대조표나 손익계산서는 회사의 현금가용 능력을 제대로 표시하지 못한다는 한계를 지니고 있어서, 회계장부상으로는 분명 이익이 나는데도 불구하고 부도(흑자도산)가 나는 경우가 발생할 수도 있다. 이와 같은 문제점을 보완하기 위해 현금기준으로만 작성되는 재무제표가 필요해지는데 이것이 현금흐름표다.
1. 영업활동 현금흐름
2. 투자활동 현금흐름
3. 재무활동 현금흐름

1. 영업활동 현금흐름cash flows from operating activities
상품이나 서비스를 판매해서 돈을 벌어들인다면 (+)로 표시되며, (−)라면 판매로 인해 오히려 손실이 난다는 것을 의미한다. 현금흐름에서 가장 중요한 항목이다.

2. 투자활동 현금흐름cash flows from investing activities
생산장비나 시설부지 등의 자산을 내다 팔아서 자금을 충당한다면 (+)로 표시되

며, (-)라면 생산시설을 늘리고 유지보수하는 데에 자금을 쓰고 있다는 것을 의미한다.

3. 재무활동 현금흐름cash flows from financing activities

은행에서 대출을 받았다면 (+)로 표시되며, (-)라면 은행 대출을 갚거나 주주에게 배당투자를 했다는 것을 의미한다.

현금흐름표에 의해서 우량기업과 부실기업을 가장 간단하게 판단하는 방법은 다음과 같다. 하지만 항상 이렇게 나타나는 것은 아니므로 주의해서 보아야 한다.

	우량기업	부실기업
영업활동 현금흐름	+	-
투자활동 현금흐름	-	+
재무활동 현금흐름	-	+

④다면평가

가치예측 투자법 참조

⑤통계적 분석

계량분석 투자법 ; 퀀트 참조

제7장 파생상품 ; 선물, 옵션

파생상품derivative이란 실제상품(기초자산이라고 한다)의 거래에서 파생된 상품으로, 실제상품의 거래 유동성을 높이고, 위험회피 수단으로도 사용되며, 투기 목적의 거래 수단으로도 사용되는 투자상품을 말한다. 선물과 옵션이 대표적인 파생상품이다.

1. 선물futures

원자재commodity선물과 주가지수index선물이 가장 중요한 선물거래 상품들인데, 이들은 주식의 재무제표처럼 가치를 쉽게 추정하기가 곤란하며, 또한 수요와 공급에 수많은 요인이 영향을 미치므로 수급 분석으로 투자하기도 힘들다는 특징이 있다. 그래서 선물거래자들이 주로 사용하는 투자법이 추세추종이다.

선도거래forward contract

미래의 어느 시점에 당사자 간에 미리 합의된 가격으로 자산을 매매하는 거래를 선도거래라고 한다.

현재 시점이 아닌 얼마간의 시간이 흐른 미래에 물건을 매매해야 하는 사람들은 그 물건의 가격이 변동해버릴 위험을 방지하고자 하는 욕구가 있고, 그래서 미래의 매매 가격을 현재에 미리 정해 놓고 싶어한다. 즉 얼마쯤 뒤에 물건을 사고자 하는 사람은 가격이 올라버릴까 걱정을 하고, 반대로 팔고자 하는 사람은 내려버릴까 걱정을 한다. 선도거래의 가장 큰 목적은 상품의 가격이 변동할 위험을 사전에 방지하는 것이다.

계약이 이루어지는 시점에서는 계약금만 오고 가고 전체 금액에 대한 정산이 이루어지지 않으며, 합의된 미래의 특정 날짜에 미리 계약된 가격으로 정산이 이루어진다. 정해진 거래소 혹은 특정한 형식이 없이 이렇게 자연스럽게 이루어지는 모든 거래를 선도거래라고 한다.

쉬운 예를 들어보자. 선물과 옵션 등 파생상품은 1600년대 초반 네덜란드 암스테르담에서 상인들이 사용하기 시작했고, 특히 1636~1637년의 튤립투기 버블 때 가장 활성화되었으므로 튤립의 거래를 예로 들어보자.

튤립은 꽃을 사고파는 것이 아니라 둥근 양파 모양의 뿌리 즉 구근bulb球根을 사고판다. 구근을 가을에 수확해서 심으면 이듬해 봄에 이슬람 교인들이 쓰는 터번 모양의 예쁜 꽃이 핀다. 이 꽃이 예쁘고 희귀할수록 가격이 비싸진다.

4월에 튤립 농장에서 예쁜 튤립을 본 꽃가게 상인이 농장 주인에게 "우리 앞으로 여섯 달 뒤인 10월에 저 튤립을 구근 1개당 100길드 씩에 거래합시다."라고 제안을 해서 서로 계약을 맺고 여섯 달 뒤에 실제로 거래를 실행하는 것이 선도거래다.

여섯 달 뒤에 생산될 튤립 구근을 밭에서 사서 시장에 내다 팔고자 하는 꽃가게 상인은 구근값이 오를까 걱정이고, 튤립을 재배하는 농부는 구근값이 내릴까 걱정이다. 그래서 두 사람은 현재의 가격대로 여섯 달 뒤에 사고팔기로 하고 계약금만 전체 금액의 10%인 구근 1개당 10길드 씩을 주고 계약을 맺는다. 이것이 선도거래다.

선물거래futures contract

선물거래는 선도거래에서 한 걸음 더 나아간다. 선도거래와 선물거래의 가장 큰 차이점은 선도거래는 그 거래를 당사자 외의 다른 사람에게 넘기지 않지만, 선물거래는 그 계약을 다른 사람에게 넘길 수 있다는 점이다. 쉽게 이야기하면, "선도거래를 사고파는 것이 선물거래"다.

꽃가게 상인이 갑자기 일이 생겨 구근을 살 수 없는 상황이 되었다고 치자. 이 계약을 다른 꽃가게 상인에게 돈(계약금)을 받고 판다고 하면 이것이 바로 선물거래다. 마찬가지로 농부가 일이 생겨 튤립 농사를 짓지 못하게 되자 다른 농부에게 이 선도계약을 돈(계약금)을 주고 판다. 이것이 선물거래의 시작이다.

바로 여기에서 재미있는 일이 생긴다. 다른 꽃가게 상인이나 다른 농부에게 그 계약을 넘길 때 그 금액(계약금)이 변한다는 사실이다. 그해 가뭄이 들어 튤립 구근 수확량이 적어지고 구근의 가격이 높아질 것으로 예상이 되면 그 금액은 올라간다. 그 계약을 인도받은 꽃가게 상인은 수익이 나고, 그 계약을 인도받은 농부는 손해가 나기 때문이다. 그 계약을 다시 팔 때는 금액을 올려서 판다. 그 반대도 마찬가지다. 너무 많은 농부들이 같은 꽃을 피우는 튤립 구근을 재배한다면 구근값이 떨어질 것으로 예상이 되어 그 계약의 금액은 내려간다. 이제 선물거래가 자리를 잡기 시작한다.

바로 이런 특성 때문에 꽃가게를 할 마음도 없고 튤립 구근 농사를 지을 생각도 없는 제삼자 즉 투기적 거래자가 끼어든다. 이 투기적 거래자는 구근값이 오를 것으로 예상되면 꽃가게 상인의 계약을 사서 값이 오르기를 기다렸다가 다른 사람에게 팔아서 수익을 낸다. 반대로 구근값이 내릴 것으로 예상되면 농부의 계약을 사서 값이 내리기를 기다려 다른 사람에게 자신이 지불한 돈보다 더 적은 돈을 주고 계약을 판다. 이것이 선물거래다.

특정한 장소에 거래소가 생기고, 이 거래를 중개하는 전문 중개업자가 생기는 등 시스템이 갖춰지면 진정한 선물거래가 이루어지게 된다. 상업이 발달하게 되면 선물거래는 필수적으로 같이 발달하게 된다. 이것을 투기라고만 보면 안되는 이유다. 다시 말하지만, 투기라는 용어를 나쁜 의미로 쓰는 자는 바보거나 나쁜 놈이다.

선물거래의 역할

① 위험회피hedge
선물거래의 가장 기본적이고 중요한 기능이다. 앞에서 예를 든 것처럼, 꽃가게 상인은 구근값이 오를 위험을 회피할 수 있고, 농부는 구근값이 떨어질 위험을 회피할 수 있다.
② 상품거래의 유동성liquidity 확대
실제 상품을 사고팔 사람이 아닌 투기적 거래자들도 참여할 수 있게 되어 유동성이 커진다. 실제 거래자인 꽃가게 상인과 농부는 자신의 계약을 넘겨받을 사람이 많아지므로 계약을 더 쉽게 넘길 수 있게 된다.
③ 투기spequlation 거래를 가능하게 해준다. 투기라고 하니까 또 실눈을 뜨고 째려보는 사람들이 있다. 투기적 거래자는 유동성을 증가시켜 거래를 활성화시키고, 실수요자들이 쉽게 상품을 사고팔 수 있게 해준다. 그래서 상거래가 활성화된 곳에는 반드시 투기적 거래도 활성화된다. 투기적 거래는 상거래의 윤활유 역할을 한다.
④ 새로운 투자수단 제공
선물거래는 적은 비용으로 큰 금액의 거래를 할 수 있다. 이 때문에 선물거래는 레버리지가 높은 새로운 투자수단을 제공한다. 그리고 선물과 현물간 또는 선물간의 가격차이를 이용한 차익arbitrage거래나 스프레드spread거래와 같은 새로운

투자기회를 제공한다.

선물계약의 용어들

기초자산underlying asset ; 선물계약을 하고자 하는 상품을 말한다. 위의 예에서는 튤립의 구근이 기초자산이다. 대표적인 기초자산으로는 원자재commodity, 주가지수index이 있다. 물론 개별 주식도 기초자산이 되어 선물거래를 한다.

결제일 또는 만기일delivery date ; 상품을 실제 인도 인수하기로 계약한 날. 위의 예에서는 여섯 달 뒤의 특정한 날이 결제일이다. 인도일이라고도 한다.

결제가delivery price ; 결제일에 사고팔기로 미리 계약한 가격. 위의 예에서는 100길더가 결제가다. 인도가라고도 한다.

롱 포지션long position ; 결제일에 상품을 사기로 한 쪽. 위의 예에서는 꽃가게 상인이 롱 포지션이다. 만약 선물계약을 만기일까지 가지고 있다면 상품을 인수해가야 한다.

숏 포지션short position ; 결제일에 상품을 팔기로 한 쪽. 위의 예에서는 튤립 농장의 주인이 숏 포지션이다. 만약 선물계약을 만기일까지 가지고 있다면 상품을 인도해줘야 한다.

현물spots ; 지금 당장 돈을 치르고 인도 인수하는 상품

콘탱고contango ; 현물보다 선물이 더 비싼 상황. 가격이 올라갈 것으로 예상될 때 주로 나타난다. 이때 롱 포지션인 사람은 탱고춤을 출 만큼 기분이 좋을 것이다.

백워데이션backwardation ; 현물보다 선물이 싼 상황. 가격이 내려갈 것으로 예상될 때 주로 나타난다. 이때는 숏 포지션인 사람이 즐거울 것이다.

증거금margin ; 선물계약은 선도거래를 사고파는 것이다. 그러므로 상품의 전체 가격을 주고받을 필요가 없다. 계약금만 주고받으면 된다. 그래서 상품의 전체 가

격의 약 10~15% 정도만 내면 계약을 사고팔 수가 있다. 이것을 증거금이라고 한다.

레버리지leverage ; 원래는 "지렛대"를 의미하는 단어다. 선물을 거래할 때 1억 원어치 상품을 1천만 원 정도의 증거금만 내고 거래할 수 있기 때문에, 마치 지렛대처럼 적은 힘으로 무거운 물건을 들 수 있는 것과 같다는 의미로 레버리지라고 한다.

초기증거금initial margin ; 계약을 처음 체결할 때 내야 하는 증거금

일일정산daily settlement ; 매일 매일 선물거래가 끝나고 난 후 수익이 났는지 손실이 났는지 정산하는 것을 말한다.

유지증거금maintenance margin ; 일일정산 후에 계약을 지속할 수 있을 만큼의 증거금을 유지하고 있어야 한다. 특히 손실이 났을 때 중요하다.

마진콜margin call ; 유지증거금이 부족해지면 증권사에서 증거금을 추가로 납부하라고 연락을 한다. 이때는 추가로 돈을 계좌에 더 넣어 유지증거금을 확보하던지, 차라리 계약을 해지하여 청산하면 된다. 롱 포지션 즉 매수거래자는 계약을 매도하면 청산이 되고, 반대로 숏 포지션 즉 매도거래자는 계약을 매수하면 청산이 된다. 만일 만기일 즉 최종거래일까지 청산하지 않은 계약은 실물을 인수 인도하거나 현금으로 결제해야 한다.

선물거래의 구분
선물을 거래하는 사람의 목적에 따라 다음과 같이 구분된다.

① 헤지거래hedge
헤지hedge는 원래 "울타리"라는 뜻이다. 울타리를 쳐서 위험을 막아낸다는 뜻으로 "위험회피"라는 의미의 경제용어로 사용한다. 위의 예에서 꽃가게 상인이나 농장 주인처럼 미래에 가격이 급변할 위험을 막기 위해 선물을 거래하는 것을 헤지거래라고 한다.

② 투기거래speculation
실제 상품을 사고팔 의사가 없이 단순히 가격변동을 미리 예측해서 수익을 내고

자 하는 거래를 말한다. 투기 거래자들이 유동성을 공급하여 시장을 활성화시킨다. 앞에서 설명한 야누스처럼 투기는 투자의 또 다른 얼굴이다.

③ 차익거래arbitrage
한 가지 상품이 두 가지 가격으로 거래되고 있을 때, 더 싼 상품을 매수하고 동시에 더 비싼 상품을 매도하여 시간이 지나 두 가격이 하나로 수렴할 때 계약을 청산해서 수익을 내는 거래를 차익거래라고 한다.

공간적 차익거래 ; 같은 상품이 뉴욕에서 11달러에 거래되는데 서울에서는 9달러에 거래되고 있다고 치자. 뉴욕에서는 이 상품을 공매도하고 서울에서는 매수해서 시간이 지나 양쪽 모두에서 10달러가 되었을 때 계약을 청산하는 것이 공간적 차익거래다. 하지만 이것은 결국 유통업이 되고 만다. 배나 비행기로 운반하는 비용이 가격 차이보다 적다면 이 유통업에 뛰어들 사람이 줄을 설 것이다.

시간적 차익거래 ; 현물보다 선물이 비쌀 때 즉 콘탱고contango상태일 때, 현물을 매수하고 선물을 매도해서 시간이 지나 두 가격이 하나로 수렴할 때 청산하면 무위험 수익이 난다. 이것을 매수차익거래cash & carry arbitrage라고 한다.
반대로 현물보다 선물이 쌀 때 즉 백워데이션backwardation상태일 때에는 현물을 매도하고 선물을 매수해서 두 가격이 같아질 때 청산하면 수익이 난다. 이것은 매도차익거래reverse cash & carry arbitrage라고 한다.

이런 차익거래는 가격 차이가 매우 작으므로 소량을 거래해서는 수익이 많지 않다. 하지만 대량으로 거래하면 수익이 거대해진다. 그래서 개인들보다는 기관들이 사용하는 방법이다. 기관들은 프로그램 매매를 통해 차익거래를 한다.

프로그램 매매program trading ; 미리 프로그램 해놓은 대로 컴퓨터가 사고파는 매매를 말한다. 시스템 트레이딩이나 알고리즘 트레이딩과 문자적으로는 거의 비슷하지만 실제로는 차익거래에서만 사용한다. 콘탱고일 때는 프로그램매수차익거래, 백워데이션일 때는 프로그램매도차익거래가 이루어진다.

선물을 처음 접하는 사람이라면 여기까지 읽고나서도 뭐가 뭔지 도통 이해가 되지 않을 것이다. 하지만 실제로 선물거래를 시작해보면 아주 단순하다는 것을 금방 알게 된다. 어렸을 때 많이 했던 홀짝게임과 다를 게 없다. 한 사람이 공기돌을 쥐고 다른 사람이 홀수인지 짝수인지 맞추면 이기는 아주 단순한 게임이다. 즉 어떤 기초자산이 미래에 가격이 오를 것 같으면 계약을 매수하고, 반대로 내릴 것 같으면 계약을 매도하면 된다. 확률이 정확히 50%인 게임이다. 조금만 운이 좋으면 돈을 엄청나게 벌 것만 같다.

그런데 왜 선물을 거래해서 돈을 벌었다는 사람이 별로 많지 않을까? 앞에서 설명한 켈리공식에 적용해보면 확률이 50%인 게임에서는 수익을 낼 수 없다는 결과가 나온다. 더군다나 선물거래는 전체 금액을 주고 거래하는 것이 아니고 증거금만 10·15% 내고 거래를 한다. 이 레버리지가 수익이 날 때는 엄청나게 부풀려 주지만 반대로 손실이 날 때는 순식간에 깡통계좌를 만들어 버린다.

그럼에노 선물거래에서 지속적으로 수익을 내는 사람들이 있다. 이들이 사용하는 투자법이 바로 추세추종이다.

2. 옵션option

"선택"을 의미하는 영어 단어에는 "choice"와 "option"이 있다. "choice"는 A 또는 B 둘 중에서 하나를 (또는 더 여러 개 중에서 몇 개를) 고르는 것을 의미하며, "option"은 A를 취할지 말지 결정할 권한, 마찬가지로 B를 취할지 말지 결정할 권한, 즉 선택권을 의미한다.

옵션은 선물과 마찬가지로 중요한 파생상품dcrivative의 하나다.
선물은 미래의 일정 시점에 일정한 품질과 수량의 상품을 미리 정한 가격에 사고 팔기로 하는 "계약"이고, 옵션은 미래의 일정 시점 또는 일정 기간 내에 특정 상품을 미리 정한 가격에 사거나 팔 수 있는 "권리"다.

선물/옵션 ; 두 가지 계약의 차이점
선물계약은 매입측과 매도측 쌍방이 모두 계약이행의 의무를 지지만, 옵션계약은 계약 당사자 중 한쪽이 자기에게 유리하면 계약을 이행하고 그렇지 않으면 계약을 이행하지 않을 수 있는 권리를 갖는다. 다른 쪽의 상대방은 이러한 권리행사에 대해 계약이행의 의무만을 지게 된다. 따라서 옵션 계약의 경우 계약이행의 선택권을 갖는 계약자가 의무만을 지는 상대방에게 유리한 조건에 상응하는 대가 즉 옵션 프리미엄을 지불하고 계약을 체결한다.

옵션거래의 역할
옵션도 앞에서 설명한 선물의 역할과 큰 차이가 없다.
① 위험 회피hedge
② 상품거래의 유동성liquidity 확대
③ 투기spequlation 거래를 가능하게 해준다.
④ 새로운 투자수단 제공 ; 특히 퀀트들은 보통주와 그에 대한 옵션의 현재가와 적정가의 차이를 계산해서 통계적 차익거래statistical arbitrage를 실행한다.

옵션거래의 용어들

옵션매수자 또는 옵션보유자option holder
; 옵션계약에서 선택권을 갖는 쪽을 말한다.
옵션매수자는 일정한 대가premium를 지불하고 선택권option을 매입하여, 자기에게 유리하면 선택권을 행사하여 계약을 이행하고 불리하면 선택권의 행사를 포기하고 계약을 이행하지 않아도 된다.

옵션매도자 또는 옵션발행자option writer
; 옵션계약에서 옵션보유자의 상대방을 말한다.
옵션매도자는 일정한 대가premium를 받고 옵션매수자에게 미래의 특정 시점에 기초자산을 정한 가격(행사가)에 매수 또는 매도할 수 있는 권리option를 팔고, 옵션매수자가 계약의 이행을 원하는 경우 계약의 상대방이 되어 계약을 이행해줘야 할 의무를 진다.

옵션프리미엄option premium
; 옵션매수자가 선택권을 갖는 대가로 옵션매도자에게 지급하는 돈을 말한다. 옵션시장에서 사고파는 옵션의 가격은 바로 이 옵션의 프리미엄을 말한다.
옵션계약은 선물계약과 달리 계약 자체가 불평등계약이다. 그러므로 유리한 조건의 계약을 맺는 옵션매수자가 불리한 계약을 체결하는 옵션매도자에게 일정한 대가를 지불해야 하며 이를 옵션프리미엄이라 한다.

행사가exercise price
; 선물계약의 인도가격에 해당하는 것으로 옵션보유자가 선택권을 행사할 수 있는 가격을 말한다.
여기서 주의해야 할 점은 선물시장에서 형성되는 가격은 선물계약의 인도가격를 가리키지만, 옵션계약에서 행사가는 사전에 이미 결정되어 있고 시장에서 형성되는 가격은 옵션의 프리미엄이라는 점이다.

만기일expiration date
; 선물계약의 인도일에 해당하는 개념으로 옵션보유자가 선택권을 행사할 수 있도록 정해진 날 또는 정해진 기간을 말한다. 다시 말하면 옵션보유자의 권리가 만기가 되는 날을 의미한다.

현대적 의미의 옵션거래는 선물거래와 마찬가지로 네덜란드에서 튤립 투기 열풍이 일었던 1600년대에 시작되었다. 튤립의 작황에 따라 가격변동의 폭이 커지자 재배사와 중개입자는 각지 안정저인 가격으로 튤립을 거래할 수 있는 방법을 찾기 시작했다. 이때 이용된 방법이 선물거래와 옵션거래다. 튤립을 매입하는 중개업자들은 선물을 매수하거나 콜옵션을 매수해서 수확기에 정해진 가격으로 튤립을 사들일 수 있게 되고, 튤립 재배자는 선물을 매도하거나 풋옵션을 매수해서 일정한 가격에 튤립을 팔 수 있게 되었다.

옵션계약의 종류

기초자산을 살지/팔지에 따라
* 콜옵션call option ; 기초자산을 매입하기로 한 측이 옵션보유자가 되는 경우를 말한다. 즉 콜옵션의 매입자는 장래의 일정시점 또는 일정기간 내에 특정 기초자산을 정해진 가격으로 매입할 수 있는 선택권을 가진다.
* 풋옵션put option ; 기초자산을 매도하기로 한 측이 옵션보유자가 되는 경우를 지칭한다. 즉 풋옵션의 매입자는 장래의 일정시점 또는 일정기간 내에 특정기초자산을 정해진 가격으로 매도할 수 있는 권리를 가진다.

기초자산이 무엇인지에 따라
* 주식옵션stock option ; 일반주식 즉 보통주를 기초자산으로 하는 옵션이다.
* 주가지수옵션index option ; 주가지수선물과 마찬가지로 주가지수 자체를 기초자산으로 하는 옵션을 말한다. 옵션의 대상이 되는 지수로는 시장 전체의 움직임을 대표하는 지수도 있고, 특정 부문만을 대상으로 하는 지수도 있다.
* 통화옵션currency option ; 외국통화를 기초자산으로 하는 옵션으로서 우리나라에는 미국달러옵션이 상장되어 거래되고 있다.

여기까지의 설명으로 초보자가 옵션이 무엇인지 이해하기는 어렵다. 그래서 옵션거래를 아주 쉽게 비유를 해보면 다음과 같이 설명할 수 있다.

① 옵션은 "보험"이다.
튤립 구근을 가을에 아주 많이 사둔 사람이 있다. 그런데 그는 봄이 되어 구근의 가격이 폭락할까 봐 걱정이 태산이다. 이때 이 사람이 선택할 수 있는 방법은 튤립 선물을 매도해두거나 풋옵션을 매수해두는 것이다. 구근의 가격이 폭락해서 손실이 나도, 선물매도에서 수익이 나거나 풋옵션매수에서 수익이 난다. 선물보다는 옵션이 돈이 적게 든다. 보험료를 지불하는 것과 마찬가지다.

② 옵션은 "로또"다.
튤립 구근의 현물가가 100길더다. 튤립 구근의 가격이 내년에 110길더로 오를 것으로 예상하는 사람이 있다고 해보자.

그 사람이 튤립 구근 하나를 현물 사려면 100길더가 있어야 한다. 그 사람의 예상이 맞는다면 100길더로 10길더의 수익을 낸다. 10%의 수익률이다.

튤립 구근 하나를 선물로 사려면 100길더의 10% 즉 10길더가 증거금으로 필요하다. 예상이 맞는다면 10길더로 10길더의 수익을 낸다. 100%의 수익률이다.

튤립 구근 하나의 행사가가 100길더인 옵션의 프리미엄이 2길더라고 하자. 예상이 맞는다면 2길더로 8길더의 수익을 낸다. 400%의 수익률이다. 로또나 다름없다.

요약하자면, 투기 목적의 옵션매수자는 로또를 사는 사람이다. 아주 잠깐 행복해하지만, 거의 대부분 꽝으로 끝난다. 반면, 옵션매도자는 로또를 파는 사람이다. 거의 대부분 쌉쌀한 수익을 내며 살지만, 항상 파산의 위험 속에 있다.

③ 옵션을 이용해 "무위험 수익"을 추구할 수 있다.

옵션은 퀀트들이 많이 이용한다. 블랙-숄즈 모델을 이용해서 옵션의 적정가격을 결정한 다음 보통주와 결합해 통계적 차익거래statitical arbitrage로 수익을 낸다.

제8장 주식 심리학

앞에서 주식에 투자하는 방법 5가지에 대해 설명하였다. 하지만 주식투자에 있어서 투자 방법보다 훨씬 더 중요한 것이 투자자의 마음이다. 투자자가 마음의 평정심을 유지할 수만 있다면 5가지 방법 중 어떤 것을 사용해도 투자에 성공할 수 있다. 기술보다는 운이 더 중요하다는 뜻으로 "운칠기삼"이란 말이 있는데, 주식투자에서는 "심칠기삼"이라고 해야 할 것이다. 투자자의 심리상태가 성공의 7할을 차지하고, 나머지 3할이 기술 즉 투자 방법이 치지한다.

사람의 마음이란 것은 컴퓨터의 소프트웨어에 비유해보면 이해하기가 쉽다. 간단한 소프트웨어는 단순한 일을 하고 그래서 오작동도 많이 발생하지 않는다. 하지만 소프트웨어가 복잡해지고 용량이 커지면 오작동 즉 버그가 많아지기 시작한다. 그래서 소프트웨어 제작사들은 이 버그를 잡아내 수정하기 위해 정식 버전을 내놓기 전에 알파 버전과 베타 버전을 무료로 공개해서 수정하기도 한다.

마음을 담당하는 기관은 뇌인데, 지구에 살았던 동물의 뇌 중에서 가장 성능이 좋고 복잡한 것은 현생인류 호모 사피엔스의 뇌이다. 이 뇌의 성능을 그 직전 버전, 다시 말해 그 이전의 호모속 휴머노이드의 뇌에 비교해 보면 가장 큰 차이점은 추상성과 창조성일 것이다.
추상성 - 보이지 않는 것을 보는 능력을 말한다. 사랑이 보이는 물건인가? 사람은 사랑을 본다. 그 사랑을 보려고 매일 매일 극장 스크린 앞에, 텔레비전 앞에 몰려든다. 마음이 눈에 보이는가? 사람은 보이지 않는 마음이란 것에 대해 이야기한다. 돈은 어떤가? 아~ 돈은 눈에 보인다. 그런데 종이 쪼가리에 불과한 돈을 주면 귀한 물건이나 힘든 서비스를 제공해준다. 이런 행동을 할 수 있는 것은 현생인류뿐이다. 현생인류만이 돈이라는 추상성을 이해할 수 있다.
창조성 - 세상에 없던 것을 만들어내는 능력이다. 자동차, 텔레비전, 스마트폰 등등 셀 수없이 많은 것들을 인류는 창조해냈다. 사람의 주변에는 세상에 원래 있었던 것보다 없었던 것이 더 많을 정도로 인류가 만들어 낸 것들로 가득 차 있다.
추상성과 창조성, 인간을 인간이게 만든 것이 바로 이것들이다.

그런데 컴퓨터에서 보듯이 기능이 복잡해지고 용량이 커지면 버그도 많아지는 법, 인간의 뇌도 비슷하다. 귀신, 유령, 도깨비, 흡혈귀 드라큘라. 사람들은 없는 것을 만들어 내놓고 그것을 두려워한다. 문명이 발달해도 마찬가지다. 최근에는 좀비와 외계인이 인기다.

이렇게 성능 좋은 인간의 뇌가 가장 많이 오작동을 일으키는 것이 바로 금융분야다. 주식투자에서 인간의 뇌는 가장 많이 오작동한다. 왜 그럴까? 이 챕터에서는 주식투자와 관련된 사람의 마음에 대해 알아본다.

1. 탐욕desire - 공포fear

주식투자에 관한 책을 보면 한결같이 탐욕과 공포에 대해 이야기하고 있다. 공공의 적이라고. 주식투자 최대의 적이라고.

탐욕과 공포는 진화의 산물이다. 인류가 지구상에서 살아오면서 가장 최초에 생겨나고, 가장 오랫동안 진화해 온 것이 탐욕과 공포다. 인간을 포함한 동물은 먹어야 산다. 살기 위해 먹어야겠다는 마음에서 탐욕이 생겨났다. 또한 동시에 동물은 다른 동물에게 먹히지 않아야 살아남는다. 살아남기 위해 먹히지 말자는 마음에서 공포가 생겨났다. 탐욕과 공포는 생명을 유지하기 위한 가장 원초적이면서도 가장 중요한 마음이다. 이것이 없으면 사람이든 동물이든 살 수가 없다.

인류의 탐욕과 공포는 정글에서, 초원에서, 사막에서, 툰드라에서, 지구의 대자연에서 생겨나고 진화해왔다. 수억 년 동안. 그런데 금융시장은 생긴 지 겨우 수백 년 되었다. 인류의 뇌에게는 아주 낯설고 두려운 세계다. 그래서 자꾸 오작동하는 것이다.

2. 감정emotion - 이성reason

어린이들이 많이 보는 만화영화를 보면, 한 사람이 어떤 상황에서 이럴까 저럴까 고민하는 경우가 많이 나온다. 이런 경우에 그 사람의 머리 속에서 악마와 천사가 서로 다투는 것으로 묘사한다. 악마는 이렇게 하자고 하고, 천사는 저렇게 하자고 하고.

이 갈등은 이기적으로 행동하는 것이 나에게 더 유익할지, 아니면 이타적으로 행동하는 것이 더 유익할지 잘 판단이 되지 않을 때 생겨난다. 악마는 이기주의를 상징하고, 천사는 이타주의를 상징한다. 어린이용 만화영화든 성인용 액션영화든, 처음에는 악마 즉 이기주의가 힘이 세고 이길 것 같은데, 끝날 즈음에 항상 천사 즉 이타주의가 이기면서 끝난다. 자기 자신만을 위해서 사는 것보다 남들 즉 집단 전체의 이익을 위해 행동하는 것이 좋다는 이데올로기를 이런 식으로 심어주는 것이다.

악마는 본능, 감정, 감성을 상징한다. 천사는 이성을 상징한다. 하지만 만화영화에서처럼 감정과 이성은 서로 적이 아니다. 만화영화는 다만 무절제한 이기주의보다는 이타주의가 더 현명하다는 것을 보여주기 위한 것일 뿐이다.

인간의 뇌신경과 경제적 행동 사이의 관계를 연구하는 신경경제학자 폴 글림처 Paul W. Glimcher는 인간의 뇌를 "이성과 감정이 이끄는 쌍두마차"에 비유하였다. 감정은 힘이 매우 세서 추진력이 있지만 어디로 가야 할지 방향을 모른다. 반면 이성은 현명해서 어디로 가야 할지를 알지만 힘은 좀 약하다. 어느 한쪽이 다른 쪽보다 우세하면 목적지에 다다르지 못한다. 감정의 힘과 이성의 지혜가 합쳐질 때 마차는 결국 행복이라는 목적지에 다다를 수 있다.
탐욕과 공포는 감정이다. 생존에 필요하기에 매우 강력한 힘을 가졌다. 그러나 이성에 의해 조절되지 않으면 길을 잃고 낭떠러지로 향하고 만다.

3. 군중심리crowd psychology

감정이 집단적으로 표출되면 군중심리가 된다.
이성이 집단적으로 연결되면 집단지성collective intelligence이 된다.

감정 -> 군중심리
이성 -> 집단지성

집단지성은 설명하지 않아도 잘 알려져 있다. 인류가 누리는 현대문명은 과거부터 현재까지, 그리고 북극과 남극의 극지부터 적도에 이르기까지 모든 인간들의 이성이 서로 연결되고 누적되어 만들어진 것이다.
사람이 이성으로만 사는 존재가 아니라 감정에 더 많이 지배당하며 살 듯이, 인류 전체도 집단지성으로만 살아온 것이 아니다. 군중심리에 훨씬 더 많은 지배를 받으며 살아왔다. 귀스타브 르 봉Gustave Le Von은 1895년에 출간한 그의 저서 "군중심리"에서 이런 군중심리의 특징을 잘 설명하였다.
이런 군중심리가 가장 잘 나타나는 곳 중에 하나가 바로 주식시장이다. 주기적이라고 할 정도로, 몇 년에 한 번씩 엄청난 주식투기 붐과 뒤따르는 패닉이 일어나기 때문이다.

이런 현상을 레밍lemming이란 쥐의 생태에 비교하기도 한다. 주로 핀란드와 그 주변 국가에 살고 있는데, 이 쥐의 특징은 몇 년 만에 한 번씩 집단자살을 한다는 것이다. 집단의 수가 늘어나면 "나그네쥐"란 별명처럼 대이동을 하는데 강물에 빠지거나 절벽에서 떨어져 많은 수의 레밍이 죽는다고 한다. 예전에는 그 이유를 집단의 개체 수를 스스로 조절하기 위해서 하는 의도적 행동이라고 설명했으나, 최근의 연구에 의하면 집단의 개체 수가 늘어나 먹이가 줄어들면 먹을 것을 찾아 이동을 하는데 그 선두에 선 쥐가 길을 잘못 들어 물에 빠지거나 절벽에서 떨어져도 뒤따르는 쥐가 이를 알지 못하고 계속 전진을 해서 일어나는 대참사라고 한다. 즉 집단자살이 아니라 집단 실족사라는 것이다.

주식시장에서는 대략 10년을 주기로 붐과 패닉이 발생한다. 그런데 대부분의 거래자들은 붐의 꼭지 근처에서 사고 패닉의 바닥 근처에서 판다. 이것이 군중심리다. 군중 속에 들어있어야 마음이 편하고, 군중과 같이 행동해야 안심이 된다.

이때 대다수의 군중과 다르게 생각하고 행동하는 것을 역발상contray thinking이라고 하고, 그런 투자자를 역행투자자contrarian이라고 한다. 이 역행투자자에 관한 전설적인 이야기 두 가지가 있다.

첫 번째 이야기
; 1929년 여름, 미국 월스트리트 거리

한 남자가 구두닦이 소년을 불러 구두를 닦아달라고 요청한다. 구두를 닦기 시작하던 소년이 남자에게 말한다.

"선생님도 주식투자 하세요? 요새 주식에 투자하지 않는 사람은 바보 중에 바보예요. 자고 나면 주가가 오르는데 빚을 내서라도 주식을 사야죠. 특히 제가 가지고 있는 주식은 정말 대박이에요. 선생님도 이 주식 없으면 오늘 당장 꼭 사두세요. 후회하지 않을거예요. 후회는커녕 저에게 엄청 고마워하게 되실걸요."

유심히 구두닦이 소년을 바라보며 이야기를 듣던 남자가 말했다.

"됐다. 구두 그만 닦아라. 급히 해야 할 일이 생각났다."

"아니 선생님, 구두를 절반도 닦지 않았는데요?"

"그래도 괜찮다. 옜나. 여기 돈."

남자는 그 길로 증권거래소로 가서 자신이 보유한 주식을 모두 시장가로 매도해버렸다. 얼마 지나지 않아 주식 역사상 가장 심각했던 1929년 대공황이 시작되었다.

남들이 모두 주식을 사는 폭등장세에서 주식을 모두 팔아치운 이 남자는 조셉 케네디Joseph P. Kennedy였다. 이 사람의 아들이 나중에 미국의 제35대 대통령이 되었다. 존 F. 케네디다.

이 일화가 세상에 널리 알려져 "구두닦이 소년 신호showshine boy signal"라고 불리게 되었다. 생판 주식을 모르던 사람들이 갑자기 주식 전문가처럼 이야기하는 것을 보면 즉시 주식을 팔아라.

두 번째 이야기
; 1939년 9월, 월스트리트에 있는 투자자문사 "Fenner & Beane"

히틀러가 폴란드를 침공했다는 뉴스가 라디오에서 흘러나오고 있었다. 당시 미국은 경제공황에서 벗어나지 못한 상태로 매우 힘든 시기였다. 당장 주식시장은 패닉에 빠졌다. 전쟁으로 인해 주식시장이 붕괴될 거라는 소문에, 가지고 있는 주식을 모두 팔아달라고 아우성이었다.

이때 한 남자가 자신의 직장 상사인 딕 플랫에게 1만 달러를 빌려서, 뉴욕증권거래소와 아메리칸 증권거래소에 상장된 주식 중에서 1달러 미만에 거래되고 있는 주식 104종목을 각각 100달러씩 매수한다. 104개 중에서 37개는 이미 부도가 난 상태였다. 그는 다른 사람들과 다르게 생각했다.

* 다른 사람들의 생각 ; 전쟁으로 세상이 곧 망할 것이다. 모든 회사가 부도나고 주식은 휴지 쪼가리가 되고 말 것이다.

* 이 남자의 생각 ; 전시에는 여러 가지 물자들의 수요가 엄청나게 증가해서 이류, 삼류기업도 이익을 낼 수 있을 것이다.

104개 주식들 중에서 진짜로 파산한 것은 겨우 4개뿐이고, 대부분의 회사 주식은 기사회생하여 어마어마하게 주가가 올랐다. 예를 들어, 미주리 퍼시픽 레일로드의 우선주 주가는 다음과 같이 변했다.

　　100달러 -> 12센트 -> 5달러 -> 105달러

이처럼 폭락장세에서 주식을 과감히 매수한 사람은 존 템플턴 경이다.

존 템플턴 경

존 템플턴 경Sir John Templeton은 미국 테네시주의 작은 마을 윈체스터

Winchester에서 태어났다. 예일 대학교를 수석으로 졸업하고, 로즈 장학금을 받아 영국 옥스퍼드 대학교에서 경제학을 전공했다.

1937년 25세 때 월스트리트로 가서 일을 시작했고, 1954년에는 투자 회사 템플턴 그로스를 설립했다.

프린스턴 신학교의 이사와 학장을 역임했고, 1972년에는 템플턴 상을 제정했다. 종교계에서 공헌한 사람에게 수여되며 종교계의 노벨상이라 불리기도 한다. 존 템플턴 재단을 설립해 사회공헌 활동에도 힘을 썼다.

1987년에 영국 여왕으로부터 기사 작위Knight Bachelor를 받았으므로 이름 앞에 "Sir"를 붙인다.

그는 스스로를 가치투자자라고 하지만, 그의 저서에 가치분석에 관한 글은 거의 없고, 마음 영혼 등을 중요하게 거론한다. 그러므로 그에게는 역행투자자 contrarian란 호칭이 더 적절할 것 같다.

역행투자자들의 아버지 존 템플턴은 말한다.

* 잘못된 질문 ; 전망이 좋은 곳은 어디인가?
* 올바른 질문 ; 전망이 최악인 곳은 어디인가?

거의 모든 사람들이 비관적인 시각을 가질 때 더 이상의 증시 붕괴는 없다. 주식을 사야 할 때는 비관론이 극도에 달했을 때이다. 대부분의 문제들은 결국 치유되기 마련이다.

당신은 조셉 케네디나 존 템플턴 경처럼 군중심리를 거스를 수 있겠는가? 아마 쉽지 않을 것이다.

4. 바이어스bias (편향)

행동경제학

행동경제학은 대니얼 카너먼Daniel Kahneman과 아모스 트버스키Amos Tversky가 1979년에 발표한 논문 "프로스펙트 이론 : 리스크 하에서의 결정"으로부터 시작되었다. 그들은 이 공로로 2002년에 노벨경제학상을 받았다.

행동경제학 = 경제학 + 인지심리학
즉, 행동경제학은 경제심리학이다. 경제적인 문제에 대해 사람들은 어떻게 행동하는가, 또는 어떻게 생각하는가를 연구하는 경제학과 심리학의 하이브리드 학문이다.

사람의 생각은 2가지 방식으로 작동한다.

```
System 1 ; fast, heuristic
System 2 ; slow, logic
```

시스템 1은 매우 빠르다. 직관적이다. 딱 봐서 안다. 그리고 즉시 행동하게 한다. 시스템 2는 상대적으로 느리다. 논리적이다. 단계적으로 생각해서 결론을 낸다. 행동하기까지 다소 시간이 걸린다.

시스템 1을 "heuristic (어림짐작, 눈대중, 간편셈법)"이라고 한다. 사람은 이성적이고 합리적인 존재이기에 시스템 2처럼 생각할 것 같은데, 실제 생활에서는 시스템 1으로 생각하고 행동하는 경우가 훨씬 더 많다. 왜 그럴까?
인류는 수백만 년 동안 정글과 초원과 사막과 툰드라 즉 대자연에서 진화해 왔다. 저 앞에서 나를 향해 달려오는 것이 개인지 늑대인지 알아채고 행동할 때까지 시간이 걸린다면 곤란하지 않겠는가?

시스템 1과 시스템 2는 인간에게 모두 필요한 사고방식이다. 시스템 1은 빠른 판단과 행동이 필요할 때, 시스템 2는 심사숙고해서 신중하게 결정해야 할 때 필요하다.
시스템 1은 꼭 필요하지만, 필연적으로 실제와는 오차가 있을 수밖에 없다. 이것을 bias바이어스, 편향이라고 한다. 편향의 예를 몇 가지 들어보자. 그중에서도 특히 주식투자에 많은 영향을 미치는 편향들에 대해 알아보자.

닻내리기 편향anchoring bias
신발이 한 켤레에 대략 얼마인지도 모르는 어떤 사람이 신발을 사려고 시장에 갔다. 맨 처음 가게에서 눈에 띄는 신발이 있어 가격을 주인에게 물어보니 10만 원이라고 했다. 비싼지 아닌지 별로 느낌이 없었다. 그래서 다음 가게로 가봤다. 두 번째 가게에서 비슷한 신발이 있어 물어보니 12만 원이라고 했다. "이 가게는 엄청나게 비싸군!"하고 나와 버렸다. 세 번째 가게로 갔더니 8만 원이라고 했다. 그 사람은 즉시 그 신발을 샀다. 그리고 시장을 떠났다. 그 사람이 가보지 않은 네 번째 가게에서는 그와 비슷한 신발을 5만원에 팔고 있었다.

사람은 처음에 접한 정보를 기준으로 삼는 경향 즉 "닻을 내리는" 경향이 있다. 오랜 기간 10만원 근처에서 맴돌던 주식이 갑자기 12만 원이 되었다. "곧 다시 10만 원으로 돌아가겠군."하고 사지 않는다. 기술적 분석에서 설명하는 지지와 저항 중에서 저항이 존재하는 이유이다. 마찬가지로 갑자기 8만 원으로 떨어져도 "곧 다시 10만 원으로 돌아가겠군." 하면서 팔지 않는다. 지지가 존재하는 이유다.

손실회피 편향loss aversion bias

어떤 사람이 주식을 5만 원에 샀다. 그런데 주가가 떨어지더니 4만 원이 되었다. "이게 어떤 논닌네, 곧 다시 5만 원을 회복할거야" 하지만 주가는 3만 원, 2만 원이 되었다. 그는 그때까지도 그 주식을 팔지 못했다. 언젠가는 5만 원으로 돌아올 거라고 굳게 믿으며.

사람은 얻은 것보다 잃어버린 것의 가치를 더 크게 평가하는 경향이 있다. 1만 원을 얻었을 때 느끼는 행복감보다 1만 원을 잃었을 때 느끼는 고통을 더 크게 느낀다.

처분 효과disposition effect

그 사람이 나중에 다른 주식을 또 5만 원에 샀다. 얼마 안 가 6만 원이 되어 수익이 났다. 그는 7만 원, 8만 원이 될 것을 기대하고 팔지 않았을까? 아니다. 얼른 팔아서 맛있는 것을 사 먹어버렸다.

가격이 올라가고 있는 주식을 너무 빨리 팔아버리는 경향을 처분 효과라고 한다.

최신 편향recency bias

어떤 사람이 펀드에 가입하려고 펀드들의 성과에 대해 알아보았다. A라는 펀드는 10여 년간 꾸준히 좋은 성과를 내었는데 최근 1년 동안의 성과가 평균에 미치지 못했다. B라는 펀드는 10여 년 동안 겨우 손실을 면하고 있는 그저 그런 성과를 내고 있었는데 최근 1년 동안의 성과가 다른 펀드들보다 2~3배 수준이었다. 그 펀드가 보유 중인 주식 중 하나가 최근에 대박을 쳤기 때문이라고 한다. 그 사람은 어떤 펀드에 가입할까?

대부분의 사람은 B펀드를 선택한다. 사람들은 오랫동안 누적된 통계보다 최근에 일어난 사건에 더 영향을 받는 경향이 있다. 최신 편향이라고 한다.

확증 편향confirmation bias

대통령 선거가 코앞으로 다가왔다. 자신이 지지하지 않는 후보에게 나쁜 스캔들이 터졌다. "그럼 그렇지. 저놈은 원래 그런 놈이야"

며칠 뒤에 자신이 지지하는 후보에게 거의 비슷한 스캔들이 터졌다.

"어~ 아닌데. 저 사람이 그럴 사람이 아닌데. 이거 이거 가짜 뉴스 아냐?"

사람들은 자기가 원래 가지고 있던 생각을 확인시켜주는 정보만 골라서 듣는 경향이 있다.

가용 휴리스틱availability heuristic

우리 할아버지는 담배를 하루에 두 갑씩 피웠는데도 백 살까지 살았어. 우리 아버지도 담배를 그렇게 피웠는데 아직도 건강하시지. 담배가 폐암을 일으킨다는 건 다 헛소리야.

사람들은 이미 알고 있는 정보의 중요성을 과대평가하는 경향이 있다.

편승 효과bandwagon effect

어떤 사람이 건널목 신호등 앞에서 신호가 바뀌기를 기다리고 있다. 한 사람이 신호를 무시하고 건널목을 건너갔다. "에이, 저 사람. 신호를 지키지 않네. 나쁜 사람."

두 사람이 신호를 무시하고 건너갔다. "어라. 나쁜 사람들."

세 사람이 신호를 무시하고 건너갔다. "어~? 여기 신호등은 무시하고 그냥 건너도 되는 곳인가 보네." 하면서 그 사람도 다른 사람들을 따라서 건너갔다.

사람들이 어떤 신념을 받아들일 가능성은, 그 신념을 따르는 사람들의 수가 증가할수록 높아진다. 군중심리를 가장 잘 설명하고 있는 편향이다. 주가가 폭등할 때 주식의 "주"자도 모르던 사람이 주식을 사고, 주가가 폭락할 때 수년간 보유해온 주식을 팔아버리는 것은 편승 효과 때문이다.

지금까지 중요한 편향 몇 가지를 살펴보았는데, 주식시장에서 사람들이 성공하지 못하고 실패하는 경우가 훨씬 더 많은 것은 바로 이 편향 때문이다. 대자연에서 살 때는 시스템 1이 중요하지만, 금융시장에서는 반드시 시스템 2로 생각하고 결정해야 하는데, 그렇지 못하는 것이다. 주식투자에 성공하려면 반드시 시스템 2로 생각해야 한다.

5. 재귀성reflexivity

조지 소로스는 영국 파운드화 폭락에 투자해 큰돈을 벌어서 투기꾼이라고 손가락질을 받는다. 하지만 그는 "재귀성 이론"을 주창하여, 주식심리학 분야에서 빼놓을 수 없는 사람이다.

조지 소로스

조지 소로스George Soros (1930~)의 본명은 "György Schwartz"이며, 헝가리 부다페스트에서 태어난 유태인이다. 변호사였던 아버지 덕에 어린 시절을 부유하게 지냈지만, 나치가 유럽을 장악하자 죽음의 위험 속에 살아야 했다.

1947년 동유럽이 공산화되면서 영국 런던으로 이주하였다. 런던 정경대에서 경세학을 전공하고, 복수전공으로 "열린 사회와 그 적들"로 유명한 칼 포퍼Karl R. Popper 교수 밑에서 철학을 공부하였다. 소로스는 평생 자신을 칼 포퍼의 제자로 생각했다.

집안 형편이 어려워 대학을 다니면서도 여러 가지 아르바이트를 해야 했다. 펀드매니저가 된 것도 철학을 공부하는 데 경제적 제한을 받지 않기 위해서였다고 한다. 졸업 후 런던에 있는 한 투자은행에 견습사원으로 취직하면서 금융업에 뛰어들었다.

1956년에 미국으로 이민을 갔고, 월스트리트에서 트레이더 생활을 시작하였다. 1969년에는 작은 헤지펀드를 운용하는 펀드매니저가 되었고, 1973년 마침내 소로스는 짐 로저스Jim Rogers와 함께 퀀텀 펀드Quantum Fund를 설립하였다. 초창기에는 많은 어려움을 겪었으나, 1992년대 초 영국 파운드화를 공매도하여 천문학적인 수익을 올렸다.

1989년에 민주주의와 인권 운동을 목표로 하는 "오픈 소사이어티 재단"을 만들고 매년 꾸준히 많은 돈을 기부하였다. 2011년 7월 25일 81세의 나이로 펀드 매니저에서 은퇴했다.

주식시장에 거의 주기적으로 일어나는 붐과 패닉에 대한 설명은 여러 가지가 있다. 몇 가지 예를 들어보면
① 태양의 흑점 활동 때문이다.
② 군중심리 때문이다.
③ 통화량이 너무 많아져서 발생한다.
모두 붐과 패닉의 원인일 수는 있다. 그러나 붐과 패닉이 일어나는 메카니즘mechanism에 대해 정확히 설명하는 것은 조지 소로스의 재귀성 이론뿐이다.

행동경제학도 사람이 금융시장에서 잘못을 저지르는 이유를 인지적 측면에서만 설명하지, 이렇게 잘못 인지된 사람들의 생각이 실제 경제에 다시 영향을 미치는 또

다른 측면에 대해서는 설명하지 않는다.

조지 소로스는 이렇게 말한다. "행동경제학은 재귀 과정의 절반만 분석한다. 사람들이 금융자산의 가격을 잘못 산정하는 과정에만 집중할 뿐, 잘못된 가격산정이 다시 펀더멘털에 미치는 영향은 다루지 않는다."

조지 소로스의 재귀성 이론 theory of reflexivity

사람의 생각은 두 가지 기능을 가지고 있다.
① 인지기능cognitive function - 세상을 이해하는 기능
② 조작기능manufulative funtion - 자신에게 이롭게 세상을 바꾸는 기능

어떤 상황에 처한 사람이 있다고 하자. 그 사람이 세상을 바라볼 때 그의 관점은 왜곡될 수밖에 없다. (오류성fallibility)
쉽게 말해 경제 상황 또는 금융 상황을 바라보는 사람의 인지기능은 오류를 일으킬 수밖에 없다. 그 이유는 행동경제학에서 설명하는 편향bias 때문이다.

```
                   오류성
    실제 상황 -----------> 관점
```

그런데 그 오류성에 의해 왜곡된 관점이, 다시 돌아가 그가 처한 상황에 영향을 미친다. (재귀성 reflexivity)

```
    실제 상황 <----------- 관점
                 재귀성
```

피드백feedback ; 실제 상황과 사람들의 관점 사이에서 양방향으로 피드백이 일어난다.

```
┌─────────────────────────────────────────┐
│               오류성                       │
│   실제 상황 <------------> 관점            │
│               재귀성                       │
└─────────────────────────────────────────┘
```

피드백은 2가지 방식으로 작동한다.

① 네가티브 피드백negative feedback ; 둘 사이의 간격을 줄여서 균형을 이루려는 경향, 자기수정 과정
쉽게 설명하면, 주가가 급등하면 네가티브 피드백이 작용해 조정이 일어난다. 주가급락도 마찬가지로 반등이 일어난다.
② 포지티브 피드백positive feedback ; 둘 사이의 간격이 급격하게 증가하려는 경향, 매우 역동적인 불균형 상태를 만들어낸다. 자기강화 과정,
주가가 급등하는데 조정이 아주 짧게 지나가고 다시 엄청나게 급등한다. 시장가격과 펀더멘털 모두에 큰 변동을 일으킬 수 있다. 처음에는 한쪽으로 자기강화가 진행되지만, 절정에 도달한 다음에는 다시 반대쪽으로 자기강화가 일어난다. 즉 엄청난 붐 이후에 패닉이 발생한다.

이런 메커니즘에 의해 주식시장에 붐이 발생하고 소멸하면서 패닉에 빠지는 과정을 조지 소로스는 "거품이론"으로 정리하였다.

거품이론
모든 거품에는 두 가지 요소가 작용한다. 현실 세계의 "추세"와 그 추세에 대한 "착각"이 그것이다. 추세와 착각이 서로 상호작용하면서 함께 강해질 때 거품이 형성되기 시작한다. 도중에 네가티브 피드백에 의해 검증을 받지만, 검증을 통과하면 훨씬 더 강력한 포지티브 피드백에 의해 극단으로 치닫는다. 거품이 정점에 도달한 뒤에는 반대 방향으로 자기강화가 다시 진행된다.

제9장 주식혁명

주식회사는 유럽에서 대항해시대 이후에 해상무역을 위해 탄생했다. 이후 상업과 공업을 혁명적으로 발전시켰고, 수많은 문명의 이기들을 만들어냈다. 하지만 이게 다가 아니었다. 주식회사 시스템은 인류사회를 구조적으로 변화시켰다.

인류 역사의 시대를 구분하는 기준에는 몇 가지가 있다.
1. 고고학자들은 사용했던 도구를 기준으로 시대를 구분한다.
   구석기시대, 신석기시대, 청동기시대, 철기시대
2. 역사학자들은 시간의 흐름에 따라 시대를 구분한다.
   원시시대, 고대, 중세, 근대, 현대
3. 경제활동의 방식을 기준으로 시대를 구분하기도 한다.
   수렵채집시대, 농업시대, 산업시대
그런데 인류는 집단을 이루고 사는 사회적 동물이다. 인류 집단의 구조는 시간이 흐르면서 변화해 왔다.
4. 인류사회의 구조를 형성하는 프레임frame에 따라 시대를 구분해보면,
   부족시대, 국가시대, 주식회사시대

인류는 지구상에 처음 탄생하고 나서부터 20만 년 동안이나 원시적이고 자연적인 형태의 조직인 "부족"을 이루며 살아오다가, 지금부터 대략 7000년쯤 전부터 훨씬 더 강력한 조직인 "국가"를 이루어 살아왔다. 이후 400여 년 전부터는 "주식회사"라는 전혀 새로운 조직을 만들어 지금까지 지내오고 있다.
주식회사가 인류에게 무엇인지에 대해 더 깊이 알아보기 위해 이 두 가지 프레임 즉 국가와 주식회사가 탄생한 이유와 과정에 대해 알아보고, 이어서 주식회사가 걸어온 역사에 대해서도 알아본다.

---

1. 7000년 전
기후변화 (온난화) -> 전쟁 -> 국가혁명 (국가 시대)

2. 400년 전
기후변화 (소빙하기) -> 해상무역 -> 주식혁명 (주식회사 시대)

---

1. 인류사회구조의 3가지 프레임

무리 지어 사는 동물들은 집단의 구성원 수가 많아지면 무리를 둘로 나눈다. 예를 들어 벌은 수가 많아지면 새로운 여왕벌과 함께 무리 중의 일부가 떨어져 나간다. 분봉分蜂이라고 한다. 침팬지도 수가 많아지면 무리 중의 일부가 떨어져 나가서 새로운 무리를 이룬다. 늑대도 사자도 마찬가지로 집단생활을 하는 동물이라면 예외 없이 구성원의 수가 많아지면 무리를 둘로 나눈다.

그러나 사람만은 무리 지어 사는 동물이면서도 특이하게 동일 집단의 규모를 거의 무한대에 가깝게 키울 수 있다. 2022년에 중국이라는 인류 집단의 구성원 수는 약 14억 명이다. 동물의 세계에서 이 정도 숫자는 무한대라고 할 수 있다.

그런데 인류의 집단은 규모가 커짐에 따라 내부 구조의 프레임frame에 변화가 발생했다. 현생인류는 지구 위에 최초로 탄생했을 때부터 현대에 이르기까지, 그 집단의 구조에 두 번의 큰 변화가 있었다. 그래서 인류 집단의 구조를 시대의 변화에 따라 3개의 프레임으로 구분해볼 수 있다.

1. 원시시대라고도 하는 오래전 "부족시대"에 인류는 "hunter-gatherer"였다. 남자들은 멀리 사냥을 나갔고, 여자들은 집 근처에서 식물의 열매나 뿌리 등을 채집해서 먹고살았다. 남녀의 일은 구분되어 있었지만, 집단 내부의 구성원들끼리는 비교적 평등하였다. 집단의 외부 즉 다른 부족과는 가끔 교역도 하기는 했지만, 대부분은 긴장 관계를 유지하였다. 도식적으로 표현하면 내부-외부 구조 즉 둥근 원형의 프레임을 가진 사회구조였다.

가족은 "무리band"를 이루어 떠돌며, 부족tribe이라는 비교적 평등한 집단 안에서 살았다.

2. 대략 1만 년 전부터 변화가 시작되어 인류는 "국가 시대"로 접어들었다. 다른 부족과 싸우는 자들, 그리고 부족원들을 위해 식량을 생산하는 자들로 집단이 나뉘었다. "warrior-farmer"로 나뉜 인류 집단, 즉 국가nation는 위와 아래로 구성된 불평등한 사회구조를 지니게 되었다. 도식적으로 표현하면 상층-하층 구조 즉 피라미드 형태의 프레임을 가진 사회구조였다.

가족은 혈족들이 모두 모여 사는 대가족 형태로, 대단히 불평등한 집단의 한 계급으로 살았다.

3. 또다시 대략 400년 전부터 변화가 시작되어 인류는 "주식회사 시대"로 접어들

었다. 주식회사stock company에 돈을 투자하는 자들과 거기에 고용되어 일하는 자들로 집단이 나뉘었다. 인류는 "investor-worker"로 나뉘어져 서로 협력하고 동시에 갈등도 하면서 새로운 세상을 만들어냈다. 도식적으로 표현하면 오른쪽-왼쪽 구조 즉 날개 형태의 프레임을 가진 사회구조였다.

국가는 여전히 존재했지만 왕의 권한을 신이 내려준다고 믿는 고대 세습왕조국가에서, 구성원들의 협의에 의해서 대표자를 뽑아 운영하는 현대의 민주주의 국가로 변화하였다. 국가라는 기존의 조직이 주식회사라는 신생 조직을 닮아서 비슷한 구조로 변하게 된 것이다.

가족은 이제 부모와 자식들만 모여 사는 핵가족 형태로 살고 있다.

1. 제1의 프레임 ; 자연적 시스템The Natural System

20만 년 전 어느 날, 현생인류의 첫 번째 아이가 태어났다. 그 아이는 이마 부위의 전전두엽pre-frontal lobe이 발달하여 어떤 일을 계획하고 실행하는 능력이 뛰어났다. 말을 유달리 잘해서 다른 사람과 소통하는 능력이 뛰어났으며, 보이지 않는 것을 볼 수 있는 능력, 추상성abstractness을 그 아이는 가지고 있었다. 예를 들어 숲속의 "정령spirit" 같은 것을 그 아이는 느끼고 이해할 수 있었다. 또한 그 아이는 세상에 없던 새로운 것을 만들 줄 아는 능력, 창조성creativity을 가지고 있었다. 나뭇조각 몇 개와 풀줄기 몇 개로 사람 모양의 인형을 만들어서 마치 엄마가 아이를 돌보듯 그 인형을 돌보며 놀았다. 그 아이를 닮은 사람들이 늘어나 부족을 이루어 따뜻한 간빙기interglacial stage의 지구 위에서 다른 종의 휴머노이드들과 함께 살아갔다.

11만 년쯤 전에 빙기glacial stage가 시작되어 지구가 추워지기 시작했다. 먹거리가 부족해져 다른 종의 휴머노이드들이 소멸해갈 때도 그들은 어떻게든 생존을 이어 나갈 수 있었다. 그들의 무리는 빙기가 지속되는 차가운 기후의 지구 위에서 어렵게 어렵게 생존을 이어나갔다. 특히 7만 년 전쯤에 어느 날 갑자기 세상이 많이 추워졌다. 인도네시아의 초대형 화산이 폭발했고 그 화산 먼지가 지구를 뒤덮어 햇빛을 막았으므로 지구의 기온이 더 내려간 때문이었다. 인류가 유인원에서 갈라져 나온 지난 200만 년 동안의 화산폭발 중에서 가장 규모가 큰 전 지구적 대재앙이었다.

현생인류 호모 사피엔스는 유전적 다양성이 놀라울 정도로 적다. 흑인종, 황인종, 백인종 정도의 차이는 다른 종들의 차이와는 비교가 되지 않는다. 이처럼 현생인류의 유전적 다양성이 적은 이유를 인류학자들은 7만 년 전의 대재앙, 초대형 화산의 폭발로 인한 병목bottleneck으로 설명한다. 그 엄혹한 시기에 현생인류는 그나마 조금 더 따뜻한 아프리카에서 수천 명 또는 수백 명 정도만 겨우 살아남았다. 오늘날 지구상의 인류는 모두 이 작은 개체군에서 나왔으므로 유전적으로 매우 유사하다고 한다.

어려운 시기가 지나고 다시 날씨가 조금 따뜻해지자 (하지만 아직은 여전히 추운 빙기) 인류는 아프리카를 떠나 지구 전체로 흩어져갔다. 혈연중심의 "무리band"와 "부족tribe"사회를 이루면서.

이 무리-부족사회 시대의 특징을 따져보자. 이 시대의 경제활동은 사냥과 채집이었다. 사냥은 주로 남자가 담당하고 채집은 주로 여자가 담당하는, 성별에 따른 역할 분담이 이뤄졌다. 사냥하던 남자들이 채집을 하지 않은 것은 아니고 마찬가지로 채집하던 여자들이 사냥을 하지 않은 것은 아니지만, 그래도 대체적으로 남자들은 큰 동물을 잡으러 마을 밖으로 멀리 사냥을 나갔고 여자들은 마을 주변에서 열매나 풀잎들을 따러 다녔다.

그런데 이것은 다른 동물들과 비교해볼 때 매우 특이한 점이다. 암컷과 수컷의 먹이활동이 서로 다른 종은 인류뿐이다. 인류를 제외한 모든 종의 동물들은 암컷과 수컷이 같은 방식으로 먹이를 찾는다. 남녀 집단은 불평등한 것은 아니지만 어쨌든 서로 구분되어 있었다.

이 시대의 가장 큰 특징은 비교적 평등사회였다는 점이다. 그 증거로 고고학자들은 이 시대의 마을 터를 발굴해보면 집터의 크기가 모두 비슷하다는 점을 들었다. 평등하지 않았다면 집터의 크기가 달랐을 것이다. 다만 다른 집들과 다르게 유달리 큰 집이 마을마다 한 채씩 있었는데 이것은 남자들이 모이는 집이었다. 남자들은 각자 자신의 아내와 자식이 있는 개인 소유의 집이 있었지만, 주로 생활은 남자들의 집에 모여서 남자들끼리 생활했다. 이로 미루어 보면 남자와 여자는 서로 차이가 있었지만, 남자와 남자 그리고 여자와 여자는 서로 차이가 없는 평등사회였던 것이다.

또 하나의 증거로, 인류학자들이 무리-부족사회를 최근까지 유지해온 부족들을 연구한 결과를 보면 그들이 의도적일 정도로 평등을 추구한다는 것을 알았다.

인류가 초기 부족사회 시대에 비교적 평등했다는 것, 어떻게 보면 당연한 일 아니냐고 반문할 수도 있지만, 이것은 결코 당연한 일이 아니다. 무리 사회를 이루고 사는 동물들과 비교해보면 금방 알 수 있다. 늑대, 사자, 침팬지, 고릴라 등 무리지어 사는 동물들의 권력관계는 뚜렷하다. 승자독식. 힘이 제일 쎈 놈이 모든 것을 갖는다. 암컷도 먹을 것도 다 대장이 우선 차지한다. 물론 종마다 차이는 조금씩 있다. 그런데 왜 인류는 비교적 평등해야 했을까? 그 정확한 원인은 알 수 없다.

그렇다고 이 시대가 평화로운 유토피아는 결코 아니었다. 이웃 부족과는 전쟁을 피할 수가 없었다. 당시의 유적에서 집단타살을 당한 유골들이 발견되고, 비교적 최근에 발견된 파푸아 뉴기니의 원시 부족들은 날이 새면 이웃 부족과 싸우고 해가 지면 이웃 부족을 죽일 연구를 하고 있었다고 한다. 내집단끼리는 비교적 평등하고, 외집단끼리는 서로 경계하며 가끔 전쟁을 하는 것이 인류의 원래 자연적인 모습이었다.

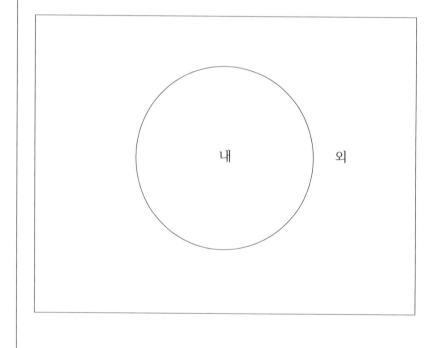

1. 첫 번째 프레임
부족 시대 ; 수렵채집 시대
내-외 구조 = 원형 프레임
=> 자연적 시스템The Natural System

[그림9-1] 첫 번째 프레임 ; 내-외 구조, 원형 프레임

내   외

20만 년 전부터 1만 년 전까지 부족시대의 인류사회 구조의 첫 번째 프레임은 집단의 안과 밖으로 구분되는, 즉 내부-외부 구조in-out structure를 가진 원형 프레임circle frame이었다. 내부의 구성원끼리는 비교적 평등하지만, 외부의 적과는 철저히 구분되는 구조였다.

이 시대에는 내부 구성원끼리의 평등이 중요하였다. 그렇지 못할 때는 조직이 와해될 수 있었다. 그들의 사회는 평등사회였고, 1차원적이었으며, 사냥터라는 영역domain에서 살았다. 무리 지어 사는 다른 동물들과 마찬가지로 구성원의 수가 너무 많아지면 집단을 둘로 나누었다.

인류학자들은 인류 집단을 구성하는 숫자로 25와 500을 제시했다. 25는 최소 숫자로 무리band의 구성원 수, 500은 최대 숫자로 부족tribe의 구성원 수이다. 최소 25, 최대 500. 이것보다 적으면 구성원의 재생산이 불가능해져 소멸되고, 이것을 넘어서면 인류는 무리나 부족을 둘로 나누었다고 한다. 인류는 아주 긴 세월 동안 자연 속에서 이렇게 살아왔다.

2. 제2의 프레임 ; 국가 시스템The National System

대략 1만 년쯤 전, 지구에 길고 긴 빙기가 물러가고 간빙기가 시작하면서 날씨가 따뜻해졌다. 변화는 항상 날씨에서부터 시작되었다. 어떤 큰 변화의 원인을 잘 모르겠다면 우선 날씨 탓을 해보면 거의 맞다. 날씨가 따뜻해지자 "전쟁"이 시작되었다.

따뜻한 날씨는 식물의 크기와 양을 증가시켰고, 그것을 먹고사는 동물들의 수를 증가시켰다. 인류 또한 식량으로 삼은 식물과 동물의 증가로 그 수가 증가하였다. 그 이전의 간빙기, 즉 11만 년 이전의 간빙기 때에는 다른 종의 휴머노이드들과 지구를 나누어 가졌지만, 빙기의 어려운 시기를 지나면서 다른 종들은 거의 멸종했거나 멸종 직전으로 그 수가 급감해버렸다. 현생인류를 제외하고 가장 마지막까지 살아남은 종은 네안데르탈인으로 약 3만 년쯤 전에 멸종되었다. 이제 지구상에는 현생인류만이 남아 있게 되었다. 현생인류는 따뜻한 날씨 속에서 엄청난 속도로 번성하기 시작했다.

무리와 부족의 구성원 수의 증가했기 때문에 무리와 부족은 여러 개로 분할되었다. 원래 한 무리 한 부족이었던 사람들이 둘, 다섯, 열, 여러 무리로 나뉘어지자 그들은 서로가 한뿌리에서 나온 사람들임을 잊지 않기 위해 가끔씩 모여야 할 필요를 느꼈다.

정착 생활을 하지 않고 이동하면서 수렵채집을 하는 사람들인지라 해마다 같은 장소에서 같은 날짜에 모이기 위해 특정한 장소에 큰 돌들을 쌓아 건축물을 지었다. 같은 종교를 믿는 사람들이기에 그 장소는 종교적이어야 했고, 같은 날짜에 모여야 했기에 천문학적 지식이 동원되어야 했다.

어떤 장소에 건축물을 세울 것인지, 어떤 날짜에 모여서 회합과 종교의식을 치를 것인지, 이런 것들을 정할 권한이 있는 사람이 생겨났다. 이미 이때부터 불평등이 시작되고 있었다.

수렵채집 시대의 거석 유적
* 터키의 괴베클리 테페
* 몰타의 즈간티야
* 영국의 스톤헨지 등

이런 장소들을 보면 일반인들은 물론 학자들마저 난감해진다. 정착 생활을 하기 훨씬 이전에, 떠돌아다니면서 수렵채집이나 하던 원시 부족들이 왜 이런 거석 구조물을 남겼을까. 거석들의 천문학적인 배치를 보고는 깜짝 놀라면서 외계인들이 만들었을지도 모른다는 상상에 빠지기도 한다.

하지만 옛날 사람들이 이런 거석 구조물을 만든 이유는 매우 단순하다. 원래 같은 무리였다가 서로 나뉘어져 떠돌던 사람들이 한 뿌리에서 나온 사람들임을 잊지 않기 위해 매년 같은 장소에서 같은 날짜에 만나 종교의식도 치르고 얼굴도 익히기 위해 큰 돌로 만든 곳, 그곳이 바로 수렵채집 시대의 거석 구조물들이다. 즉, "부족회합 + 종교의식 + 달력의 역할"을 위한 특별한 장소였다. 이 거석 구조물은 종교의식을 위한 장소의 성격이 가장 중요하므로 "신전temple"이라고 부르는 것이 가장 적당할 것이다. 이 거석 신전들은 시간적 공간적으로 서로 차이는 있지만, 같은 상황에서 같은 목적으로 만들어진 것들이다. 도시가 탄생하기 직전의 단계로, 수메르의 지구라트나 이집트나 멕시코의 피라미드와는 전혀 다르다. 이 지구라트나 피라미드들은 이미 완성된 도시 그리고 국가에 의해 만들어진 것이므로 한참 후대의 것이다.

무리의 수가 점차 증가하면서 평등했던 사회는 조금씩 불평등해지기 시작했다. 인류학자들에 의하면 이미 수렵채집 시대 말기에 불평등이 시작되었다고 한다. 불평등의 근본적인 원인은 아이러니하게도 먹을 것이 많아져서 인구의 수가 늘어났기 때문이다.

"사람의 수가 많아지면 불평등이 시작된다."

1700년대의 장 자크 루소는 인간 불평등의 원인이 "사유재산제도"라고 답했지만, 고고학과 인류학의 연구들에 의하면 인류는 사유재산제도가 생기기 훨씬 이전 무리-부족사회를 이루어 수렵-채집으로 살아가던 원시공동체사회에서 이미 불평등이 시작되었다고 한다.

또한 무리의 수가 증가하면서 각각의 무리가 차지하는 영역의 규모가 축소될 수밖에 없었다. 집단 간의 충돌이 잦아졌고 그것은 필연적으로 전쟁을 불러왔다. 온난화의 역습이었다. 온난화로 먹을 것이 많아져 인구수가 증가했는데, 인구수의 증가는 수렵채집의 영역을 축소시키고 되려 먹을 것을 감소시켜버리는 아이러니한 현상, 이것을 인구압population pressure이라고 한다. 이제는 심지어 같은 부족에 속한 무리들끼리도 싸우는 경우가 생겼다.

전쟁!

인류 역사를 되돌아볼 때 전쟁은 항상 처참한 죽음들과 동시에 상상을 뛰어넘는 혁신을 가져왔다. 이들 떠돌이 수렵 채집인들의 전쟁은 어떤 혁신을 가져왔을까? 전쟁은 점점 더 잦아지고 규모가 커졌다. 전쟁에서 승리하는 요인들은 많이 있다. 예를 들어 무기. 이전에는 돌을 깨트려 무기로 사용했지만, 이제는 날카로운 돌을 찾아서 더 날카롭게 갈아서 사용했다. 나아가 구리와 주석을 섞어서 금속제 무기를 사용하기 시작했다. 하지만 전쟁에서 이기기 위해 가장 중요한 것은 뭐니 뭐니 해도 역시 병력, 즉 사람의 수다. 인구가 많은 집단이 전쟁에 승리할 확률이 높다. 그런데 구성원의 수가 적은 무리는 쉽게 이동할 수 있지만, 구성원의 수가 많아질수록 이동이 점점 어려워진다. 전쟁에 이기기 위해 인구수는 늘려야겠고, 인구수가 늘어나면 이동 생활은 힘들어지고, 어쩐다?

여기서 인류의 첫 번째 혁명적 변화가 일어났다.

정착 생활!

수십만 년 동안이나 떠돌아다니며 수렵채집을 하던 인류가 한곳에 정착하게 된 것이다. 정착지는 주로 신전 주변이었다. 신전을 중심으로 "도시"가 생겨난 것이다. 도시는 곧 "국가"가 되었다. 도시 즉 국가의 탄생은 전쟁이 빚어낸 혁명적 변화였다.

2. 두 번째 프레임
국가 시대 ; 전사-농부 시대
상-하 구조 = 피라미드 프레임
=> 국가 시스템The National System

[그림9-2] 두 번째 프레임 ; 상-하 구조, 피라미드 프레임

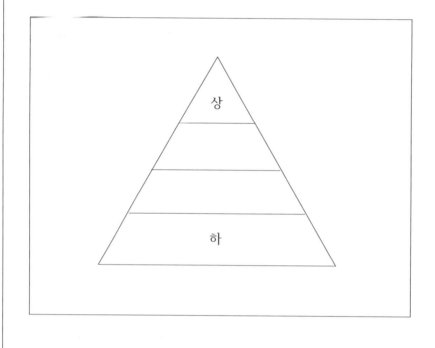

7천 년 전 수메르에서 역사에 기록된 최초의 왕이 나타나서부터 1689년에 영국에서 명예혁명으로 왕이 신에서 인간으로 복귀할 때까지 (아직도 복귀하지 못한 게으른 왕들이 좀 남아있지만), 국가시대의 인류사회 구조 프레임은 집단의 내부가 상층과 하층으로 나뉜, 상-하 구조high-low structure를 가진 피라미드 프레임 pyramid frame이었다.
그들의 사회는 상층의 정점에는 신으로 대접받는 왕이 있고, 그 아래에 사제, 귀족, 평민이 있고, 맨 하층의 바닥에는 짐승과 같은 대접을 받는 천민이 존재하는 철저히 불평등한 사회였다.

146

그들의 사회는 2차원적 (내-외 / 상-하)이었으며, 국가라고 하는 영토territory에서 살았다. 국가의 영토는 부족의 영역보다 단위 면적당 훨씬 더 많은 인구를 먹여 살릴 수 있었다. 농업 때문이었다. 농업은 선택이 아니라, 필수였다.

이때에는 상과 하의 균형이 중요하였다. 하의 규모에 비해 상의 규모가 너무 크거나 착취가 심해지면 이 조직은 붕괴될 위험이 있었다.

3. 제3의 프레임 ; 주식회사 시스템The Stock Company System

약 500년 전 유럽이 추워지기 시작했다. 변화는 또다시 날씨에서부터 시작되었다. 1500년~1850년까지 유럽에 소빙하기little ice age가 찾아왔다. 지구의 평균기온이 지금보다 1.5℃ 낮았다. 이 시기는 우리가 "근대"라 부르는 시기와 대략 비슷한 시기다. 이 시기에 유럽에 갑자기 생겨난 급격한 변화들은 대부분 날씨 탓으로 돌리면 이해가 된다. 종교개혁, 대항해시대, 산업혁명 등

반면 이 시기의 중국, 청나라는 상대적으로 온난하였으며 비가 많이 내려 농업생산이 풍요로웠다. 기후학자들은 유럽의 소빙하기에 해당하는 시기에 중국엔 강우량이 증가하였으나, 1850년경부터는 중국에 강우량이 감소하여 대기근이 들거나 가끔 대홍수가 발생했다고 한다. 날씨와 역사는 이렇게 불가분의 관계가 있다.

추위가 찾아오자 천 년 동안이나 이어져 온 중세의 봉건적 체제에 변화가 나타났다. 장원 안에서의 농업으로는 사람이 먹고살 수 없게 되었고 굶어 죽는 사람이 수없이 생겨났다. 장원 체제는 무너지고 도시로 다른 나라로 사람들이 흩어졌다. 청동기시대의 말기에 기후변화(아마도 극심한 가뭄)로 먹고살기 힘들어진 사람들이 배를 타고 다른 나라를 노략질하던 "바다민족sea people"의 재림이었다. 사람들은 농업보다는 상업에 종사하기 시작했다.

여기다가 중세 천년의 시대를 끝장낸 결정적인 사건이 발생했다. 1453년에 동로마제국 콘스탄티노플이 함락된 것이다. 로마는 이탈리아반도의 서쪽 해안의 중부 지대에서 늑대를 토템으로 삼은 작은 부족이 BC 753년에 로물루스란 사람을 왕으로 추대하면서 시작되었다. 왕정에서 공화정으로, 공화정에서 황제정으로, 그리고 서로마와 동로마로 분할되었고, 서로마는 476년에 멸망하였지만, 동로마는 콘스딘디노플에서 무려 2,200년에 이르는 로마의 명맥을 유지하고 유럽인들을 이슬람 세력으로부터 막아내고 있었다. 로마의 교황청과 함께 유럽인들의 정신적 지주였던 동로마 콘스탄티노플이 오스만 투르크의 메흐메드 2세에게 함락당하자 유럽

인들은 멘붕에 빠졌다. 세상이 무너진 느낌이었을 것이다.

날씨가 추워져 식량부족으로 굶어 죽을 상황에 설상가상으로 콘스탄티노플이 함락되어 이제 곧 이슬람 세력이 유럽으로 쳐들어올 것만 같았다. 이들을 견제하기 위해 오래전부터 내려오던 전설 - 동양 어딘가에는 기독교인들의 왕국이 있고 그 왕국을 이끌고 있다는 프레스터 존Prester John 즉 사제 요한을 찾아야만 했다.

대항해시대

콜롬버스 - 바르톨로뮤 디아스 - 바스코 다 가마 - 마젤란

이런 항해가들로 이어지는 1400년대 말부터 1500년대 초까지의 시대를 유럽인들은 "Age of Discovery발견의 시대" 또는 "Age of Exploration탐험의 시대"라고 불렀다. 이 시대를 일본사람들은 "大航海時代"라고 불렀고, 중국사람들은 이 사건을 "地理大发现지리대발견"이라고 했다. 그들의 항해는 분명 대단한 것이었다.

초원 민족 vs 해양 민족

대항해시대를 기준으로 그 이전과 이후에 세계사의 중심축이 바뀌었다. 유라시아대륙의 북쪽 초원지대에서 말을 타고 누비던 초원의 민족grassland people이 지배하던 시대에서, 망망대해를 돛단배에 몸을 싣고 항해하는 해양 민족sea people의 시대로 바뀐 것이다. 훈족, 투르크족, 몽골족, 여진족 등 초원의 민족들은 기후가 좋으면 유라시아대륙의 북쪽 지방에서 유목을 하며 지내다가 기후가 나빠져 상황이 좋지 않아지면 남쪽으로 내려와 농업국가들을 괴롭히고 지배해 왔다.

우리가 근대라고 부르는 시기에도, 인도는 몽골족의 후예인 무굴제국이 지배하고 있었고, 중국은 여진족이라고 부르던 만주족의 청나라가 들어서 있었다. 거기다가 동로마제국의 콘스탄티노플을 오스만 즉 투르크족이 차지한 것이다. 즉 이때는 초원 민족의 시대였던 것이다. 대항해시대 이후에 새로 발견된 항로를 통한 전 세계적인 무역과 상공업이 발전하자 해양 민족의 시대가 도래하였다.

유럽인들의 대항해시대는 어떤 원대한 목적을 가지고 시작한 것이 아니다. 죽지 못해 어쩔 수 없이 시작한 것이다. 살아남기 위해 유럽인들은 새로운 땅을 찾아야 했고, 해상무역에 나서야 했다. 특히 값비싼 향신료를 찾아서 목숨을 걸고 바다로 나아갔다. 100명이 항해를 떠나면 40~50명만이 살아 돌아오는 처절한 몸부림이었다. 중국 정화의 함대처럼 황제의 권능을 뽐내기 위해 멋지게 항해를 떠난 것이 아니었다.

맨 먼저 시작한 것은 포르투갈이었다. 항해 왕자 엔히크 시절부터 대서양과 아프

리카 서해안을 항해해오던 포르투갈이 맨 먼저 아프리카 대륙의 남단을 넘었다. 결국 포르투갈은 동쪽으로 가서 동인도를 만났다. "동인도East India"는 "인도의 동부"를 말하는 것이 아니다. 유럽인들이 배를 타고 동쪽으로 가서 만나는 땅, 즉 인도, 인도네시아, 중국 등 아시아의 나라들을 말하는 것이다. 그들에게는 조선도 일본도 동인도였다.

희망봉은 1488년 바르톨로뮤 디아스가 발견하여 "폭풍의 곶Cabo Tormentoso"으로 불렀으며, 나중에 포르투갈의 국왕 주앙 2세가 "희망봉Cabo da Boa Esperança"이라고 명명하였다. 이후 1498년에 바스코 다 가마가 희망봉을 지나서 인도양을 건너 인도의 서쪽 해안의 도시 캘리컷Calicut (현재 이름은 코지코드 Kozhikode)에 도착하였다. 배를 타고 인도에 도착한 것이다.

스페인은 서쪽으로 가서 "서인도West India"를 만났다. 서인도는 인도의 서부가 아니다. 유럽인들이 배를 타고 서쪽으로 가서 만난 땅을 말한다. 스페인의 이사벨라 여왕의 후원을 받아 항해를 떠났던 크리스토퍼 콜롬버스Christopher Columbus는 죽을 때까지 자기가 발견한 곳이 인도인 줄 알았다고 한다. 신대륙의 본토를 발견하고 새로 발견한 땅에 열심히 자기 이름을 적어넣었던 아메리코 베스풋치Amerigo Vespucci의 이름을 따서 신대륙의 이름은 아메리카가 되었다.

이것이 시작이었다. 예전에는 아시아와 유럽은 중간에 있는 여러 지역과 여러 시장을 거쳐야만 연결되었지만, 이제는 항해 한 번으로 직접 연결된 것이다. 유럽과 아시아, 아프리카, 아메리카까지 세계가 모두 하나로 연결되는 "세계화 globalization"가 이제 막 시작되었다.

스페인과 포르투갈은 "국가nation"가 주체였다. 강력한 스페인의 군주 펠리페 2세 Felipe II는 이미 낡은 종교가 되어버린 구교 카톨릭을 앞세워 남아메리카를 자신의 영역으로 확장했다. 토르데시야스 조약에 따라 포르투갈의 땅이 된 브라질과, 나머지 스페인의 영역이 된 남미의 여러 나라들은 지금 한결같이 가난하다. 이젠 낡은 시스템이 되어버린 "국가주의"를 따르는 나라는 한결같이 가난하다.

반면에 네덜란드와 영국은 "개인"들과 "회사company"가 주체가 되었다. 필리페 2세에게 쫓겨난 신교도들, 상공업자들, 유태인들은 북부유럽에서 새로운 체제를 건설하기 시작했다. 국가보다는 개인, 영토보다는 시장이 중심인 새로운 체제 "시장주의"는 돈을 벌기 위해 모여든 사람들의 단체인 "주식회사"가 주체가 되었다.

컴퍼니의 목적은 해상무역이었고, 그 원시적 형태는 앞에서 설명했던 것처럼 베네치아의 코멘다commenda에서 찾아볼 수 있다. 다시 한번 설명해보자면, 베네치아는 이민족의 침입을 피해 피난 온 사람들이 갯벌 위에 만든 해상도시다. 100여 개의 섬과 400개의 다리로 연결된 베네치아는 공화국이었고, 농업이 불가능했기에 상업 특히 해상무역으로 먹고살아야 했다. 해상무역은 매우 위험했지만, 이익이 많이 남았다. 그래서 특수한 형태의 사업계약 코멘다를 발전시켰다.

투자상인 (socius stans, commendator, investing partner)은 돈을 냈고, 여행상인 (socius procertans, tractator, traveling partner)은 해외무역을 떠났다. 돈 많고 상대적으로 나이가 많은 투자상인은 돈을 잃을 위험을 감수했고 수익이 나면 3/4을 가져갔다. 돈 없고 젊은 여행상인은 목숨을 잃을 위험을 감수했고 수익의 1/4을 사서샀다. 각각의 계약은 모두 조금씩 달랐고, 여행상인이 돈을 조금 댈 경우에는 수익 분배 비율이 달라졌다. 한 번의 모험 여행이 끝나고 수익 분배가 이루어지면 이 계약은 종결되었다. 10~12세기에 지속된 이 경제 제도는 혁명적인 것이었다. 부유해진 기득권층이 이 제도를 없애버린 탓에 베네치아는 몰락의 길로 들어섰지만, 대항해시대 이후에 네덜란드와 영국에서 이 제도는 부활했고 더 확장되었다.

국가와 국왕의 힘이 강력했던 스페인과 포르투갈은 국왕이 돈을 대고 수익이 나면 독차지했지만, 공화국인 네덜란드 사람들과 상대적으로 국가와 국왕의 힘이 약했던 영국 사람들은 개인들이 투자한 돈으로 해상무역을 진행했다.

초기에는 한 번의 해상무역이 끝나고 수익 분배가 이루어지면 회사는 해산되었다. 네덜란드에 이런 회사들이 난립하고 과당경쟁이 심해지자, 6개 도시의 회사들을 통합해 하나의 회사를 세웠고 그것이 1602년에 설립된 네덜란드 연합동인도회사 Vereenigde Oost-Indische Compagnie, VOC다.

VOC는 네덜란드 공화국 의회에서 정관을 만들었고, 무역독점권을 주었다. 그래서 엄밀히 말하자면 VOC는 민간회사라기보다는 국가-회사복합체nation-company complex의 성격으로 시작되었다고 볼 수도 있다. 하지만 시간이 지날수록 컴퍼니는 국가에서 분리되었다.

영국인들은 이상한 사람들이었다. "문서carta, charter"라는 것은 대개 지배자가 피지배자를 속박하기 위해 사용하는 것이다. 예를 들어, 종이 위에 사람 이름을 써놓고 "자, 봐라. 너는 내 노예라고 쓰여있다."

그런데 특이하게도 영국인들은 지배자인 왕의 권한을 제한한다는 글을 써놓고 왕에게 서명하라고 압박했다. 1215년 마그나 카르타Magna Carta로부터 시작해, 명예혁명 이후 1689년 권리장전Bill of Rights에 이르기까지. 이런 식으로 영국의 국왕은 신에서 사람으로 복귀했다. "왕은 군림하되 지배하지 않는다. The king reigns, but he doesn't govern."라는 궁색하지만 그래도 꽤 멋진 말도 만들어냈다. 민주주의의 싹이 트기 시작했다.

양당제도는 고대 수메르에도 있었다고 한다. 우르크의 왕 길가메시가 중요한 국사를 늙은이들의 모임(원로원, 상원)에도 물어보고 젊은이들의 모임(청년원, 하원)에도 물어보고 난 후에 결정했다고 쐐기문자에 기록되어 있다.

하지만 진짜 민주주의, 현대의 양당제도는 영국에서 시작되었다.

Tory ; 토리당, 가축 도둑이라는 아일랜드 단어, 카톨릭 -> 보수당
Whig ; 휘그당, 말 도둑이라는 스코틀랜드 단어, 신교도 -> 자유당 -> 노동당

1830년경 영국에는 토리당과 휘그당의 양당이 있었다. 토리당은 보수적인 카톨릭 지지세력이었고, 휘그당은 진보적인 신교 프로테스탄트 지지세력이었다. 자유주의 사상이 보급되면서 내부에 분열이 일어나 보수당과 자유당으로 재편성되었다. 토리당의 후신으로 보수당이 지주계급과 귀족의 이해를 대표하는 정당으로 결성되었고, 휘그당의 후신인 자유당은 토리당 내의 자유주의파를 받아들여 신흥 상공업계급의 이해를 대표하는 정당으로서 재결성하게 되었다. 그 후 보수당과 자유당은 더불어 전형적인 양당정치를 구현하였다. 그러나 1886년 아일랜드 문제를 계기로 자유당이 분열되고 노동당이 출범하면서, 자유당 내의 진보파는 노동당으로, 보수파는 보수당에 흡수되었다. 그래서 보수당과 노동당이 영국정치의 양대 기둥이 되었다.

미국인들도 이상한 사람들이었다. 영국으로부터의 독립전쟁 (1775~1783년)에 성공한 이후 특이하게도 미국을 다스릴 새로운 왕을 세운 것이 아니라, 회의를 주재하는 의장president을 선출했다. 그래서 조지 워싱턴은 왕이 아니라 대통령이 되었다. 그러므로 미국 독립전쟁은 "미국 독립혁명" 또는 "미국혁명"이라고 해야 정확하다. 프랑스혁명보다 6년 전의 일이었다.

조지 워싱턴도 이상한 사람이었다. 의장직의 임기인 4년을 두 번만 하고 자리에서 내려왔다. 더 할 수도 있었다고 한다. 그 이후의 대통령들은 이를 존중해 두 번만 하는 것이 관례가 되었다. 다만 32대 대통령 루즈벨트 (재임 기간 1933 ~1945) 만은 예외로 세 번까지 했는데, 대공황이 엄혹하던 시기에 그의 지도력이 탁월했기 때문이있다. 민주주의의 줄기가 자라기 시작했다

프랑스인들은 과격한 사람들이었다. 영국의 청교도혁명과 명예혁명, 미국의 독립혁

명을 지켜보고 "아, 참 멋지다."라고 생각하고 있는데 자신들의 왕은 세상 변한 줄 모르고 "짐이 곧 국가다"라며 우쭐대고 있었다. 프랑스인들은 왕, 왕비, 귀족들을 모두 단두대에서 목을 잘라 죽여버리고 평민들만의 세상을 열었다. 프랑스혁명(1789~1799년)이다. 민주주의의 꽃이 피기 시작했다.

프랑스혁명 직후인 1789년에 소집된 국민의회에서는, 의장석에서 볼 때 왼쪽에 급진적인 공화파가 앉았고 오른쪽에 온건한 왕당파가 앉았다. 왕당파를 밀어내고 공화파가 장악한 1792년의 국민공회에서도 왼쪽에 급진적인 자코뱅당 의원들이 앉고 오른쪽에 보수적인 지롱드당 의원들이 앉았다. 이후 상대적으로 급진적이고 과격한 세력은 좌익, 좌파, 신보파로 부르고, 소극적이고 온건한 세력은 우익, 우파, 보수파로 부르게 되었다.

자유와 평등

원래 자유와 평등은 일란성 쌍둥이였다. 자유는 왕과 귀족의 속박으로부터 평민과 천민이 자유로워지는 것을 의미하고, 평등은 왕과 귀족과 평민과 천민의 차별이 사라지는 것을 의미했다. 그러므로 자유와 평등은 원래 큰 차이가 없는 개념이었다.

하지만 일란성 쌍둥이도 자라는 환경에 따라 외모에 차이가 조금씩 생기듯이 평민들만의 세상에서 자유와 평등은 조금씩 다른 의미를 갖게 되었다.

능력이 좋아 남보다 앞선 우파들은 사람들이 모두 똑같기보다는 능력에 따라 대접받기를 원했고 그래서 자유를 선호했다. 자유주의는 능력 있는 자들이 원하는 것이다. 하지만 좌파들은 그런 차이마저 없애고 사람들이 모두 똑같이 대접 받아야 한다고 주장했고 그래서 평등을 선호했다. 평등주의는 능력에 따른 차이를 줄이고 싶어 하는 사람들이 원하는 것이다. 자유와 평등은 이제 서로 대립되는 개념이 되었다.

상류층과 하층민 다시 말해 위와 아래가 사라진 세상에, 좌익과 우익 즉 오른쪽 날개와 왼쪽 날개가 생겨났다.

우익 ; 온건파, 유산계급, 부르주아,　　자본주의, 시장주의, 자유주의
좌익 ; 급진파, 무산계급, 프롤레타리아, 사회주의, 국가주의, 평등주의

부르주아와 프롤레타리아는 우익과 좌익을 대립 착취하는 계급으로만 보던 19세기의 용어이다. 21세기인 지금은 현대적으로 인베스터와 워커로 표현해야 정확하다.

부르주아bourgeois   --->   인베스터Invertor
프롤레타리아Proletarier --->   워커Worker

인베스터와 워커는 가끔 서로 대립하기도 하지만, 평소에는 왼쪽 오른쪽 날개처럼 서로 협력하며 산다. 일방적인 착취는 고대 세습왕조국가나 지금은 사라져버린 자유방임주의 시대의 야경국가에나 있던 유습이다. 아이러니하게도 현대에는 공산주의를 표방하는 국가에 이런 나쁜 유습이 남아 있다.
현대 민주사회는 원시 부족사회보다는 불평등하고, 고대 왕조국가사회보다는 평등하다. 현대의 민주주의 국가는 왼쪽과 오른쪽, 두 개의 날개로 날아다닌다.

3. 세 번째 프레임
주식회사 시대 ; 투자자-노동자 시대
좌-우 구조 = 날개 프레임
=> 주식회사 시스템The Stock Company System

[그림9-3] 세 번째 프레임 ; 좌-우 구조, 날개 프레임

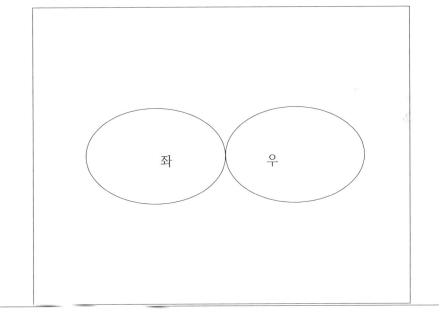

네덜란드 동인도회사가 설립된 1602년부터 현재까지, 주식회사 시대의 인류사회의 세 번째 구조 프레임은 좌익과 우익으로 나뉜 좌-우 구조left – right structure를 가진 날개 프레임wings frame이다.

신분의 차이는 사라졌지만, 그 자리를 부의 불균형이 대체했다. 3차원적 (내-외 / 상-하 / 좌-우)이며, 시장market이라는 공간에 살고 있다.

4. 각 프레임의 내부집단

인류사회는 시대의 흐름에 따라 3개의 프레임을 만들어 왔는데, 각 프레임마다 2개의 내부집단으로 구분되었다.

1. hunter – gatherer
2. warrior – farmer
3. investor – worker

여기서 각 프레임의 한쪽인 "hunter, warrior, investor"의 특징은 다음과 같다.
* 위험한 일을 맡는다. – 사냥, 전쟁, 투자는 채집, 농업, 노동에 비해 훨씬 더 위험하다.
* 평상시에는 휴식을 취하며 시간을 보낸다. – 이들은 일할 때는 강도 높게 위험을 감수하며 일하지만, 평상시에는 노는 사람처럼 보인다. 아니 논다.
* 다른 쪽을 지배한다. – 이들이 대부분 집단의 지배자들이다.

또한 각 프레임의 다른 쪽인 "gatherer, farmer, worker"의 특징은 다음과 같다.
* 비교적 더 안전한 일을 맡는다.
* 더 긴 시간 동안 일을 한다.
* 다른 쪽의 지배를 받는다.

이 두 집단은 서로 대립하는 것처럼 보인다. 원시 부족사회에서는 성인 남자들이 여자와 아이들을 지배했고, 국가 시대에서는 귀족이 평민과 천민을 지배했고, 현대의 주식회사 시대에서는 투자자와 경영자가 노동자를 지배하는 것처럼 보인다.

국가 시대에는 착취가 너무 심해지면 민란이 일어났다. 민중들은 민란의 주동자를 추앙했다. 로빈후드나 홍길동이 그런 사람들이다. 주식회사 시대에는 착취가 너무 심해지면 파업strike이 일어난다. 주식회사의 원시 형태는 선박을 이용한 해상무역이었고, 선원들이 극심한 노동에 지치거나 대우가 적절하지 못하면 선박이 항해를 하지 못하도록 돛대를 때려strike 부수었다. 영어로 파업을 "strike"라고 하는 이

154

유다.

주식회사를 중심으로 하는 자유시장경제가 견제받지 못하고 너무 심하게 투자자와 경영자 쪽으로 기울었을 때인 1800년대에 극심한 불평등을 지켜본 공산주의자들은 이전 시대의 민란처럼 노동자proletarier가 자본가bourgeoisie를 때려죽여야 불평등이 해결된다고 하였다. 그것을 "공산주의 혁명"이라고 했고, 그것을 이루기 위해 "만국의 노동자여 단결하라"라고 외쳤다. 일부 국가의 민중들은 공산주의자들을 추앙했다. 로빈후드나 홍길동인 줄 알았던 모양이다.

하지만 이 두 집단은 대립하면서도 서로 협력하는 관계다. 두 집단의 대립이 극에 달하면 민란과 파업이 일어나겠지만, 두 집단의 조화가 잘 이루어지면 그 국가는 부강해진다.

2. 국가혁명

현생인류는 대략 20만 년 전 처음 이 땅에 태어난 후 아주 긴 세월 동안 수렵채집으로 먹고살면서 부족 시대를 살았다. 부족원끼리는 서로 평등하였지만, 이웃 부족과는 필요에 따라 전쟁도 하면서. 그러다가 약 1만 년 전 빙기가 끝나고 간빙기가 시작되어 지구가 따뜻해지자 인류사회에 큰 변화가 시작되었다. 이 무렵에 발생한 중요한 사건들을 나열하면 다음과 같다.
* 신석기의 사용
* 농업의 시작
* 정주 생활
* 도시 탄생
* 계급 발생
* 국가 탄생

20만 년 동안이나 돌을 두드려서 떼어낸 석기 (뗀석기, 타제석기, 구석기)로만 살아오던 사람들이 단단한 돌을 아주 날카롭게 갈아서 만든 석기 (간석기, 마제석기, 신석기)를 사용하기 시작했다. 남자들은 먼 곳으로 동물을 잡으러 사냥을 나가고, 여자들은 집 (이라지만 실제로는 임시거처)에서 가까운 곳을 돌아다니며 열매나 과일, 풀 등을 따러 다녔다. 그런 사람들이 농업을 시작하였다. 동굴이나 움막 같은 임시거처에서 살다가 때가 되면 미련없이 다른 곳으로 떠났던 사람들이 이때부터는 한 지역에 정착해 평생을 살게 되었다. 도시가 생겨났고, 계급이 발생했고, 국가가 탄생했다.
지금부터 대략 1만 년 전에 발생한 이런 대변혁에 이름을 붙인다면 어떤 것이 좋을까?

고고학자들은 무덤을 파는 사람들이다. 이 시대 이전 사람들의 무덤에서는 구석기가 나와서 구석기시대라 하였고, 이 시대에는 정교하게 다듬은 신석기들이 나와서 신석기시대라 부른다. 그래서 현대 고고학의 아버지라고 하는 비어 고든 차일드 Vere Gordon Childe는 이 시대의 대변혁을 신석기혁명the neolithic revolution이라고 불렀다.
신석기혁명은 또한 농업혁명이라고도 한다. 수렵과 채집에서 농업으로 주요경제활동이 급격히 전환되었기 때문이다. 이 용어에는 공산주의자들의 생각ideology이 진하게 묻어있다. 칼 마르크스Karl Marx가 사용한 잉여생산물Mehrprodukt이란 용어를 농업에 적용해서, 경제활동이 농업으로 전환됨으로 인해 남는 식량 즉 잉여생산물이 생기고, 농부가 아니면서 잉여생산물을 먹고사는 사람들이 생겨나고, 그래서 계급이 생겨나고, 마침내 도시에서 정착 생활을 하며 국가를 탄생시켰다고 설명한다. 농업을 모든 것의 원인으로 보고 있다.

하지만 조금만 더 깊이 생각해보면 농업은 원인이 아니고 결과물이다. 농업을 위해 정착 생활을 한 것이 아니고, 정착 생활을 위해 농업이 필요해진 것이다. 농업을 위해 계급이 생겨난 것이 아니고, 계급이 생긴 후에 농업에 종사하는 사람들이 생겨난 것이다.

"까마귀 날자 배 떨어진다."라는 속담이 있다.

"까마귀가 난다."와 "배가 떨어진다." 사이에는 아무런 인과관계가 없는데 둘이 동시에 일어나는 기막힌 우연을 말할 때 주로 사용한다. 또한 이런 기막힌 우연 때문에 까마귀가 살짝 의심을 받는 상황이기도 하다. 까마귀가 날아오르자 가지에 달린 배가 떨어진 것이 아닐까? 하지만 둘은 전혀 인과관계가 없고, 두 사건의 진짜 원인은 따로 있었다. 과수원 주인이 배를 따러 왔기 때문에 까마귀도 날고 배도 떨어진 것이다. 그렇다면, 이 시대의 과수원 주인은 누구일까?

과수원 주인을 찾기 전에 우선 농업의 발생에 대한 학자들의 생각을 정리해보자. 1900년대 초반까지는 "농업의 기원"에 대해 논의하는 학자가 없었다. 고든 차일드가 맨 먼저 그에 대해 설명을 시도하였다.

1. 오아시스 가설 ; 비어 고든 차일드Vere Gordon Childe
따뜻하고 비가 충분히 내리던 중동지역이 건조해져서 땅이 사막으로 변하기 시작하자 오아시스와 강 근처로 동물, 식물, 그리고 사람들이 모여들었다. 여기에서 인류가 자신에게 유용한 동식물을 만나고 이들을 길들여 농업과 목축이 시작되었다.

2. 자연서식지 가설 ; 브레이드우드Robert J. Braidwood
핵심지구Nuclear zone 가설이라고도 한다. 자연서식지 또는 핵심지구란 인류에게 재배되거나 사육될 가능성이 높은 야생의 동식물이 원래부터 많이 살고 있던 곳을 말한다. 이런 조건을 갖춘 최적의 장소는 비옥한 반달지대fertile crescent의 산기슭과 계곡인데, 여기서 인류가 이들 동식물을 길들여 농업과 목축이 시작되었다.

3. 인구압population pressure 가설
경제학자 보서럽Ester Boserup, 고고학자 스미스Philip E. L. Smith 등이 주장한 가설이다. 빙기가 끝나고 간빙기가 시작되어 지구가 따뜻해지자 동식물이 증가하고 인구도 증가하였다. 증가한 인구에게 필요한 식량을 수렵채집만으로는 확보하기 힘들어지자 생산성이 더 높은 농업과 목축을 시작하게 되었다. 이는 또다시 인구증가로 이어졌고, 이런 인구압 증가가 다시 농업과 목축을 더욱 발전시키는 원동력이 되었다.

4. 주변지구 가설 ; 빈포드Lewis Binford

인구수가 증가할 때 집단의 일부가 분가하여 중심지구에서 인근의 주변지구로 이주한다. 이 주변지구에서는 인구압이 증가하여 다른 집단과의 접촉으로 갈등이 발생한다. 이 갈등을 줄이기 위해 주변지구에서 농업과 목축을 발전시키게 되었다.

여기까지가 농입의 기원에 대한 학자들의 생각이다. 이 밖에도 몇 가지가 더 있지만, 위에 설명한 가설들이 가장 널리 알려져 있다. 이 가설들에서 과수원 주인으로 지목된 것은 오아시스, 자연서식지, 인구압, 인구압으로 인한 주변지구에서의 갈등 등이다.

그런데 이것들이 과수원 주인이 맞을까? 까마귀가 날게 하고, 배가 떨어지게 한 원인이 맞을까? 1만 년 전에 발생한 대변혁의 근본적인 원인이 무엇일까? 신석기를 사용하고, 농업을 시작하고, 도시에서 정착생활을 시작하고, 계급이 생겨나고, 국가가 탄생하게 하는 근본적인 원인은 무엇일까? 그리고 여기에는 어떤 명칭이 더 적절할까?

이런 질문에 답하기 위해 이 변화의 과정을 다시 한번 되짚어보며 따져보자.

날씨의 온난화
-> 식량의 증가
-> 인구의 증가
-> 집단의 수 증가
-> 각 집단의 영역이 축소
-> 집단 사이의 갈등이 증가 (인구압 증가)
-> 전쟁의 증가
-> 인구수 증가가 필요
-> 정착 생활이 필요
-> 도시 탄생
-> 농업 발전
-> 계급 발생
-> 국가 탄생

날씨가 따뜻해져서 인구수가 증가하자, 집단 내부에서는 "불평등"이 시작되었고 집단 외부와는 "전쟁"이 시작되었다. 아니, 전쟁은 오래전부터 있었지만, 그 규모가 훨씬 더 커지고 더 격렬해졌다.

인류는 전쟁하는 동물이다. 지금 당장 테레비를 켜서 뉴스를 보면 지구 어딘가에서는 전쟁을 하고 있을 것이다. 고고학자들은 집단타살로 추정되는 무덤들을 심심찮게 발견해내고 있고, 인류학자들은 뉴기니의 원시부족들이 같은 부족(원톡one talk이라고 한다)이 아니면 서로 죽고 죽이는 것을 많이 목격하였다.

농업은 원인이 아니다. 전쟁이 원인이고, 농업은 그 결과였다. 전쟁이 바로 과수원 주인이다.

```
농업  -> 잉여생산물 -> 계급  (x)
전쟁  -> 계급        -> 농업  (o)
```

전쟁의 증가로 정착 생활이 필요했고, 정착 생활을 하다 보니 수렵채집보다는 농업이 필요해졌던 것이다. 인류학자들의 보고에 의하면 농업은 그 이전 시대 수렵채집인들도 거의 모두 알고 있었다. 별로 필요치 않았기에 아주 조금씩만 이용하고 있었던 것이다.

이때 생긴 도시는 기존의 촌락이 커져서 도시가 된 것이 아니다. 앞에서 설명한 것처럼, 넓은 지역으로 흩어져 살던 부족 구성원들이 "신전" 주위에 모여 살기 시작하면서 도시가 형성된 것이다.

```
촌락 ---> 도시  (x)
신전 ---> 도시  (o)
```

신전 중에서 도시로 발전하지 못한 것들은 세월이 지나 버려져서 괴베클리 테페, 즈간티야, 스톤헨지와 같은 거석 구조물로 남아 사람들의 호기심을 자극하는 유적이 되었다.

신전 중에서 도시로 발전한 인류 최초의 도시는 수메르의 우누그다. 바빌로니아어로 우르크라고도 한다.

정리해보면, 인류의 정주 생활 즉 도시의 발생은 다음 세 단계로 이루어졌다.
1. 부족들의 종교적 정치적 회합 장소로 "신전"을 건설
2. 신전 주변에 사람들이 집을 짓고 살기 시작하면서 "도시"가 탄생

3. 도시는 더 커지고 발전하면서 "국가"가 되었다.

신전 ---> 도시 ---> 국가

이렇게 생겨 난 도시와 이전부터 있어 온 촌락은 어떤 차이가 있을까? 도시는 인구수가 촌락보다 훨씬 많다. 그렇다면 촌락에 인구수가 급격히 늘어나면 도시가 될까? 아니다. 촌락이 커지고 인구수가 많아지면 나뉘어져 두 개의 촌락이 생겨날 뿐이다. 도시는 단순히 큰 촌락이 아니다. 가장 큰 차이는 계급의 유무다. 도시는 군대의 변형물이니까.

촌락에 사는 사람늘은 비교적 평등하다. 하지만 도시에 사는 사람들은 굉장히 불평등하다. 인류는 도시혁명을 지나면서 평등사회에서 불평등사회로 나아갔다. 그것은 선택이 아니었다. 따를 수밖에 없는 자연의 순리였다.

18세기의 장 자크 루소는 인간 불평등의 원인이 무엇이냐는 질문에 "사유재산제"라고 답했고 당시의 사람들은 모두 고개를 끄덕였지만, 21세기인 지금은 인간의 불평등은 "인구수의 증가"가 그 원인이라고 답하는 것이 옳다.

이 도시에서 주도권을 쥔 자들은 누구였을까? 도시의 주도권을 쥔 자들은 싸우는 자들이었다. 첫 번째 계급분화는 "싸우는 자"와 "일하는 자"로의 분화였다.

　　싸우는 자 vs 일하는 자
-> 전사집단　 vs 농경집단
-> 귀족　　　 vs 평민

싸우는 자들은 곧 귀족이 되었다.

전사집단이 귀족이 된 예가 실제로 역사에 있다. 9세기, 중세의 유럽, 프랑크왕국이 동, 중, 서 3개의 왕국으로 분열되어 힘을 잃었다. 국가권력의 공백 상태에서 이민족인 노르만, 마자르, 사라센인들이 침입해 들어왔고, 할 수 없이 사람들은 지역 단위로 자구책을 마련할 수밖에 없었다. "싸우는 자들" 즉 크고 작은 규모의 전사집단이 생겨났고 이들을 중심으로 뭉쳐서 외적에 맞섰다. 세월이 흐르면서 전사들은 전문화 세습화되었고, 자기들끼리만 결혼하면서 배타적 집단이 되어갔다. 이들은 점차 "기사"라는 계급집단이 되었고, 기사들은 결국 크고 작은 "귀족"이 되었다. 싸우는 자들이 귀족이 되어갈 때, "일하는 자들"은 농노가 되었다.

상류계급에는 또 한 부류가 있었다. 싸우는 자들이 사람의 몸을 지배하는 자 즉 귀족이라고 한다면 또 한 부류는 사람의 마음을 지배하는 자, 이데올로기의 생산자이며 그 수혜자, 사제priest라고 부르는 "기도라는 자"들이다. 그들은 사람들이 두려워하는 어떤 초월적인 존재가 있다고 믿는 것을 보고 얼른 그것을 자기들 것으로 만들었다. 자신들을 신의 전령이나 신의 대리인으로 자처하면서 상류층이 되었다. 그들은 심지어 귀족보다도 위에 있었다. 프랑스의 구체제 앙시엥 레짐Ancien Régime에서도 귀족보다 카톨릭 사제가 위에 있다. 인도의 카스트에서도 귀족인 크샤트리아보다 힌두교 사제인 브라만이 위에 있다.

인도의 카스트	프랑스의 구체제
브라만 (사제)	제1계급 (사제)
크샤트리아 (귀족)	제2계급 (귀족)
바이샤 (평민)	제3계급 (평민)
수드라 (천민)	

도시의 완성. 그것은 "왕"의 탄생이었다. 왕은 이전의 부족장과는 달랐다. 부족장은 인간이었지만, 왕은 신이었다. 또는 신의 아들이거나 최소한 신의 대리인이었다. 수메르에서는 그들의 왕을 신의 대리인이라 했다. 중국에서는 하늘의 아들天子이라고 했고, 이집트에서는 왕은 그냥 신이었다.

그렇다면 도시는 왜 왕을 필요로 하고, 왕은 왜 신이 되어야만 했는가? 그것에 대한 답도 또한 전쟁이다. 전쟁으로 해가 지고 날이 새던 부족에게는 군인집단이 최초로 생겨난 계급이었다. 그 계급은 세습되어 귀족이 되었고, 그들 중에서도 최고의 정점이 필요했다. 집단의 규모가 커질수록 전쟁의 규모도 커졌고 그 결과도 엄중했으므로 전쟁을 결정할 수 있는 자는 그 권능이 매우 커야만 했다. 사람들이 믿는 최고의 권능을 가진 존재, 신이 되어야만 가능했다.

왕은 실제로 어떻게 탄생했을까? 왕의 탄생을 기록한 문서는 있을까?
최초의 왕이 탄생한 기록은 당연히 없다. 하지만 한 민족이 이웃나라에 왕이 있는 것을 보고 자기들도 따라서 왕을 세우는 과정을 기록한 문서가 하나 있다. 바로 성경이다. 구약성경 사무엘서 상 8장을 보면 이스라엘 민족이 왕을 세우는 과정이 기록되어 있다.
그 이전까지는 선지자 사무엘 즉 종교지도자인 사제가 이스라엘 민족을 지도하였으나 사무엘이 늙어 임무를 수행하기 어려워 그 자식들인 요엘과 아비야가 대신 일을 맡아 하였다. 그러나 두 아들이 타락하여 부정하게 일을 하므로 사람들이 왕을 세워줄 것을 사무엘에게 요청하였다. 왕을 세우면 어떤어떤 나쁜 점이 있을지 구구절절이 말해주었음에도 불구하고 사람들은 수긍하지 않고 다음과 같이 말한다.

"그렇지 않습니다. 어쨌든 우리는 왕을 세워야 되겠습니다. 다른 이방 나라들이 모두 왕을 세우는 것처럼 우리도 똑같이 왕을 세워야 되겠습니다. 왕이 있어야 우리의 법적인 문제도 판결해주고, 전쟁이 나면 우리를 이끌고 나가서 싸우기도 합니다."

즉 이스라엘 민족이 볼 때 다른 민족들은 왕이 있어서 대내적으로는 법을 집행하여 실서를 잘 유지하게 하고, 대외적으로는 외적과의 전쟁에 맞서 싸우도록 사람들을 잘 결집시키는 역할을 하므로 국가가 부강해지는 것으로 보였던 것이다. 결국 사무엘은 제비를 뽑아 사울이란 사람을 왕으로 세워준다.

왕은 신이 된 인간이었다. 왕은 인류 집단이 필요에 따라 만들어낸 창조물이다. 왕의 탄생으로 도시는 완성되고 국가가 되었다. 이것을 정리해보면,
왕을 정점으로 하는 전사 집단 즉 군대 -> 도시의 주류 -> 국가의 탄생

왕의 탄생 과정을 도식적으로 설명해보면,
전사 계급의 발생
-> 귀족정 (전사 계급의 공동지배)
-> 참주정 (귀족 중에서 뛰어난 자의 독주)
-> 왕정 (사제의 도움으로 참주가 신으로 변모) - 기름부음을 받은 자, 대관식
-> 황제정 (왕이 이웃 나라들을 복속시키고 황제가 됨)

국가는 전쟁을 위해 인류가 고안해낸 조직이다. 인류사회의 두 번째 구조 프레임, 국가는 그렇게 생겨났다. 국가는 일종의 군대다. 국가는 군대의 변형 또는 확장형이었다. 그래서 이 시기에 발생한 혁명적 변화의 명칭으로는 "국가혁명"이 정확할 것이다. 신석기도 중요하고, 농업도 중요하다. 하지만 가장 중요한 변화는 전쟁으로 인해 "국가"가 탄생한 것이었으니까. 인류사회의 프레임으로 국가라는 시스템이 처음으로 등장했으니까.

제2의 시스템은 "국가 시스템"이다.
국가는 일단 탄생하고 나자 그 규모를 엄청나게 키우기 시작했다. 국가들은 때론 느슨한 체제 (연맹체, 봉건제, 지방분권제)로, 때론 단단한 체제 (중앙집권제)를 형

성하면서, 집단의 수는 점차 감소하고 집단 구성원의 수는 증가하는 쪽으로 진화했다. 도시국가는 곧 왕국이 되었고, 왕국들은 통합되어 제국이 되었다. 왕들은 언제나 황제가 되고 싶어 했다.

※ 국가를 의미하는 라틴어 단어들

civitas ; "도시" 형태의 국가
regnum ; "왕"이 다스리는 국가, 영어의 kingdom
politia ; 여러 사람이 "공동"으로 운영하는 국가. 그리스어.
　　로마로 전해지면서 res publica(공공의 일)로 번역이 되었고,
　　나중에 republic(공화국)으로 변형됨.
natio ; "종족, 민족"의 국가
imperium ; "황제" 즉 왕 중의 왕이 다스리는 나라

누군가 그랬다. 자연으로 돌아가라고. 만약 정말로 그렇게 되면 당신은 이웃 마을 부족에게 살해당할 위험에 직면할 것이다. 또 누군가는 그랬다. 고결한 야만인, 원시인들은 고결했다고. 파푸아 뉴기니의 참상을 보지 못했기 때문에 그런 말을 했을 것이다.

작은 집단끼리의 일상적인 전쟁의 위험성보다는, 신분 차이는 있을지라도 안정적인 국가 시스템이 유리했기에 인류 집단은 부족사회에서 국가 시스템을 새로 창조해낸 것이다. 국가의 단점이라면 지독한 불평등, 계급사회였다는 점일 것이다. 하지만 그것은 후대를 사는 우리들의 관점일 뿐이다.

3. 주식혁명

1. 근대 유럽의 대변혁

인류의 두 번째 대변혁은 지난 수백 년 사이에 발생했다. 이때의 대변혁은 보통 산업혁명inderstrial revolution이라고 부른다. 산업혁명이란 용어는 공산주의 경제학자 프리드리히 엥겔스가 처음 사용하였다. 대개 1760~1840년 사이에 영국에서 방적기계가 발명되고 대형 방적공장이 가동되면서 시작되었디고 한다.

인류의 첫 번째 대변혁을 신서기혁명 (또는 농업혁명)이라 하고, 두 번째 대변혁을 산업혁명이라고 부르는 생각의 바탕에는 칼 마르크스의 잉여생산물Mehrprodukt이라는 개념이 깔려있다. 잉여생산물은 단순히 잉여노동을 통해 산출된 생산물일 뿐만 아니라, 인간 사이에 계급을 발생시키는 것으로 공산주의 경제학의 근간이 되는 개념이다. 농업으로 발생한 잉여생산물로 인해 귀족과 평민 천민 등 계급이 생겨났고, 공업으로 발생한 잉여생산물로 인해 부르주아와 프롤레타리아라는 계급이 생겨났다는 것이다. 자유방임주의를 지향하는 야경국가가 극에 달했던 1800년대에는 그렇게 생각하는 것이 옳을 수도 있었다.

세월이 200여 년쯤 흐른 지금 다시 생각해보면, 세계적인 무역과 식민지 사업으로 발생한 자유방임주의가 테제these로 작용했고, 이에 대한 반동으로 공산주의 운동이 안티테제antithese로 작용한 것이다. 그렇다면 신테제synthese는 어떤 모습으로 나타났을까?

아이러니하게도 공산주의를 추구했던 국가들에서는 계급이 더 강화되어 버렸다. 공산당이라는 귀족과 비공산당원인 평민 (또는 심지어 천민)으로 계급분화가 더 심화되어버렸다. 하지만 자유시장주의를 채택했던 국가들에서는 자본가와 노동자의 대립이 조금은 누그러지고, 서로 갈등도 하지만 동시에 협력도 하는 동반자적인 관계로 변모하였다.

200여 년 전의 사고방식으로 인류의 두 번째 대변혁을 산업혁명이라고 계속 부르는 것이 타당할까? 다시 한번 생각해보아야 한다.

세계사에서 "근대recent times"란 시대는 언제인지 논란이 많지만, 콘스탄티노플이 함락되어 유럽인들이 이슬람 세력에게 압박을 당하기 시작한 1453년부터, 영국이 중국을 상대로 아편전쟁을 일으켜 승리한 뒤 난징조약을 맺은 1842년까지로 보는 것이 가장 타당하다.

근대 이전은 "중세"라 하고 이때에는 이슬람 세력과 중국이 세계역사를 주도하고 있었고 유럽인들은 역사의 변방에서 근근이 살아오고 있었다. 근대 이후의 "현대"라고 하는 세상에서는 유럽이 세계의 중심이 되었고 이슬람과 중국은 변방으로 멀리 밀려나 버렸다.

도대체 근대라는 시기에 무슨 일이 있었던 걸까? 무슨 일이 있었기에 이렇게 극단적인 변화가 발생한 걸까? 추운 북방의 유목민 후손으로 무너진 로마제국이 남긴 문화의 부스러기를 먹고 근근이 살아오던 유럽인들이 세계사의 주류가 될 때까지 걸린 약 400여 년 동안 도대체 유럽인들에게는 무슨 일이 있었던 것일까?

근대 유럽에서 일어난 중요한 사건들을 나열해보면 다음과 같다.
* 콘스탄티노플 함락, 1453
* 구텐베르크의 금속활자 성경 출판, 1455
* 대항해시대 개막 – 인도 캘리컷에 도착, 1498
* 종교개혁, 1517
* 청교도혁명, 1642
* 명예혁명, 1688
* 산업혁명 시작 – 아크라이트의 방적공장, 1771
* 아편전쟁, 난징조약 ; 1842

근대 이전의 세계와 근대 이후의 세계를 서로 비교해 그 변화를 살펴보면, 근대유럽에서 일어난 혁명적 변화의 핵심은

국가가 주도하는 약탈경제 ---> 주식회사 시스템이 주도하는 교환경제

로의 대전환이다.
국가는 "약탈"한다. 외부와는 전쟁이라는 방식으로, 내부에서는 세금이라는 방식으로. 세금이라는 것이 현대의 민주국가에 와서는 법에 의해 공정하게 거둬가므로 약탈이라고 생각하지 않게 되었지만, 예전의 세습왕조국가에서는 왕이나 귀족 또는 세금 걷는 관료 (성경에도 나오는 세리tax collector稅吏)들의 마음대로 즉 약탈이었다.
반면 주식회사는 "교환"한다. 외부와는 상품과 대금이라는 방식으로, 내부에서는 노동과 급여라는 방식으로.

이 변화로 인해 인류사회의 모든 것이 전체적으로 혁명적 변화를 겪었다. 인류사

회의 구조가 대전환하였다.

국가 시스템 ---> 주식회사 시스템

즉 주식회사혁명이다. 산업혁명이 아니라 "주식혁명"이 더 적확한 용어다.

```
            전쟁              교환
부족 -----------> 국가 ------------> 주식회사
남녀분업        약탈경제        교환경세
내외 (평등)     상하 (종적구조)   좌우 (횡적구조)
원             피라미드         날개
```

2. 싸울래? 바꿀래?

두 인간집단이 서로 부딪혔을 때 선택지는 3가지다.
① 그냥 못 본 척하고 지나친다.
이게 가장 현명한 방법일 수도 있다. 두 집단의 힘이 서로 비슷하다면 싸워서 빼앗는 것보다 싸우지 않고 지나치는 것이 손실을 줄일 수 있다. 하지만 이런 일은 잘 일어나지 않는다.
② 싸운다.
싸워서 빼앗는다. 약탈한다. 인간집단이 가장 오랫동안 선택해 온 방법이다.
③ 바꾼다.
서로 교환한다. 두 집단이 서로 싸우지 않고 각자 가진 것을 교환해 필요한 것을 얻는다. 이것도 일어나기 힘든 일이다.

싸울래? 바꿀래?

인간집단은 백이면 백 싸웠다. 그런데 싸우지 않고 바꾸기 시작한 일이 근대의 유럽에서 일어났다. 그래서 그것은 혁명적인 사건이었다.
제1의 프레임은 사람들이 넓은 땅에 적은 수로만 모여 살면 자연적으로 형성되는 구조다. 제2의 프레임도 인구수가 증가하고 인구압이 증가하면 자연발생적으로 지

구상 여기저기에서 형성되는 구조다. 하지만 제3의 프레임은 딱 한 번, 근대의 유럽에서 생겨났다. 그래서 혁명이다.

※ 근대 유럽의 대변혁 = 주식회사혁명

근본 원인 : 기후변화 (근대 유럽의 소빙하기),
　　　　　　지정학적 상황 (콘스탄티노플의 함락)
동기 : 유럽인들이 생존 투쟁 즉 살기 위한 몸부림
방법 : 해상무역
도구 : 주식회사 시스템
결과 : 세계화, 산업화, 민주화

유럽인들은 추워져서 농업이 힘들어진 중세 유럽의 장원을 떠나 따뜻하고 풍요로운 아시아로 무역항해를 떠났고, 선원의 절반 이상이 죽어나가는 험한 여정도 겪었지만 결국 신대륙 아메리카에 도착했다. 그리고 그들의 무역 항해는 세계적인 협업과 분업체계 즉 세계화를 이루었고 산업화를 이루었다. 또한 도중에 식민지 수탈과 노예무역 등 험난한 과정도 겪었지만 결국 민주주의라는 신대륙에 도착했다. 그러므로 그것은 분명 혁명이다.

그 중간과정인 식민지 수탈과 노예무역에 방점을 찍어 비난하는 사람들도 있지만, 그 도착지점인 민주주의에 방점을 찍는 사람들이 더 많다. 유럽인을 농노에서 시민으로 만들 것이 근대 유럽의 혁명이다. 동양인을 노비에서 시민으로 만든 것이 주식회사 혁명이다.

유럽 사람들은 이런 상황을 대분기great divergence라고 부르며 대략 1820년 무렵에 순식간에 일어났다고 한다. 하지만 그것은 콘스탄티노플 함락부터 난징조약까지 약 400여년 동안에 걸쳐 일어난 일이다. 그리고 그것은 대분기가 아니라 아시아와 이슬람에 대한 유럽인들의 역전극the reversal이었다.

대분기는 앞으로 점점 더 차이가 벌어져 서로 역전이 불가능한 상태를 말한다. 인간과 유인원은 과거 언젠가 대분기되어 멀어졌다. 하지만 유럽인과 비유럽인은 언제든지 역전될 수 있다. 역사에서 그런 역전극은 숱하게 일어났다. 가난하고 야만적이던 종족이 부유하고 문명화된 종족을 밀어내고 우월한 지위를 차지하게 된 사건은 역사적으로 흔한 일이었다. 역사에 기록된 가장 최초의 역전극은 수메르의 지배를 받던 셈족들이 그들의 지도자 사르곤 대왕을 중심으로 수메르를 밀어내고 아카드 제국을 세운 사건이었다. 그리고 가장 유명한 역전극은 신생 로마가 유구한 역사의 그리스와 부강한 카르타고를 밀어내고 세계역사의 중심에 섰던 사건이었다. 유럽인들의 역전극은 가장 최근에 발생했기 때문에 눈에 띄고 생생한 것일 뿐이다.

그럼에도 이 근대 유럽의 혁명이 이전의 역전극들과 다른 점은 완전히 새로운 프레임, 제3의 프레임을 만들어냈다는 점이다. 제2의 프레임에서는 군대의 변형물인 국가가 보는 것의 원형이 되었지만, 이제 제3의 프레임에서는 주식회사가 모든 것의 원형archetype原型이다. 이것을 "주식회사 시스템"이라고 불러보자.

이 제3의 프레임은 그 이전 시대의 "국가"도 자신의 원형에 맞춰 변화시켜 버렸다. 제2의 프레임에서 국가는 군대의 변형물이었다.

군대	세습왕조국가
사령관	왕
명령	칙령, 어명
장교	귀족
병사	평민

하지만 제3의 프레임에서는 국가도 주식회사의 변형물이 되었다.

주식회사	민주국가
대표이사	대통령 또는 총리
이사회	의회
주주총회	국민투표
주주	국민

국가는 왕이 모든 것을 차지한다. 그러므로 전쟁이 끝날 수가 없다. 국가 내부적으로는 왕위계승권 때문에 왕족들간의 다툼이 일상적이고, 외부적으로는 왕들의 욕심 때문에 영토확장 전쟁이 일어날 수밖에 없다.
국가는 전쟁을 잘하는 사람이 유능한 사람이다. 하지만 주식회사에서는 사업을 잘하는 사람이 유능한 사람이다. 사업이 잘 유지되려면 나에게만 이익이 되어서는 곤란하다. 상대에게 이익이 되어 나도 또한 이익이 되는 거래를 만들어 내는 능력, 원원win win하는 능력을 갖춘 사람이 주식회사를 이끈다.

상업은 민주주의를 가져온다.

농업은 농토가 필요하고 사람의 노동력이 중요하다. 그러므로 집단적 성격을 띤다. 집단 전체의 권력을 잡은 사람이 시키는대로 운영되어야 효율적이다. 하지만 상업은 농토가 아니라 시장이 필요하고 사람의 노동력이 아니라 구매력이 중요하다. 그래서 개인 개인이 주체적으로 행동해야 운영이 잘 된다.

농업이 경제의 기반인 나라에서는 전체주의나 국가주의가 발생하고, 상업이 기반인 국가에서는 개인주의와 민주주의가 발생하는 이유다.

싸울래? 바꿀래?

바꾸지 않으면 싸우게 된다. 원시 부족사회에서도 식량이나 사치품 또는 여자를 서로 교환하는 부족끼리는 싸우지 않았다. 그렇지 못할 때 싸워서 빼앗았다.

근대의 중상주의 즉 보호무역주의는 결국 제1차, 제2차 세계대전을 불러왔다. 21세기의 초강대국인 미국이 보호무역주의로 기울게 되면 제3차 세계대전은 코앞으로 다가온다. 인기에 영합하는 정치인들의 목소리는 크고, 보호무역주의의 악영향을 주장하는 학자들의 목소리는 작다.

3. 주식회사 시스템The Stock Company System

제2의 프레임인 국가는 전쟁을 위해 생겨났고 군대의 변형물이다. 그러므로 소속된 개인들의 헌신과 충성을 요구한다. 개인은 국가를 위해 살아야 한다. 개인은 국가를 위해 죽어야 한다. 이타주의가 이데올로기다.

그러나 새로운 제3의 프레임에서는 국가라는 집단이 아닌 그 구성원 개개인이 자신의 이익을 위해 산다. 개인주의를 중시한다. 이기주의를 인정한다. 그런 이기적인 개인들이 시장에서 만나 자신의 이익을 위해 분투한다. 자발적이기에 훨씬 더 강력하다.

그런데 재밌는 사실은 이기주의가 천국을 만들어낸다는 점이다. 자유시장에서 돈을 벌기 위해서는 남들이 사줄 만한 물건을 내놓아야 한다. 남들이 쉽게 지갑을 열 수 있는 서비스를 제공해야 한다. "내가 돈을 벌기 위해서는 남에게 좋은 일을 해야"만 하는 것이다.

이처럼 이기적인 인간들이 시장에서 분투하면서 천국을 만들어낸다고 믿는 것이 "시장주의marketism"이다. 예전에 공산주의자들이 자본주의capitalism라고 부르던 개념의 진짜 이름이다. 자본capital이란 단어에는 칼 마르크스가 쓴 "자본론Das

Kapital"에서 묻어온 더럽고 추악하다는 뉘앙스가 짙게 배어있다. 하지만 실제로는 자본capital은 끔찍한 것이 아니라 고마운 것이다. 계급투쟁을 가져온 것이 아니라 민주주의를 가져왔다.

시장주의에 의해 움직이는 세상이 바로 "주식회사 시스템The Stock Company System"이다. 제2의 시스템이 자유롭게 떠돌며 살던 인간 무리들을 도시화 또는 국가화시켰다면, 제3의 시스템은 인간들을 세계화globalization시켰다. 이 시스템은 돈을 벌려고 노력하는 지구 위의 모든 인간을 협업과 분업으로 연결하고 소통시킨다. 다른 사람들에게 더 좋은 물건, 더 좋은 서비스를 제공하게 만들려고 분투하게 만든다.

이 때문에 주식회사 시스템은 새로운 물건을 자꾸 세상에 내놓는다. 이 물건들은 모두 사람들의 삶을 편하고 윤택하게 만든다. 최초의 주식회사인 VOC가 설립된 1602년과 2020년을 비교해보라. 400여 년 동안 사람들의 삶이 어떻게 변했는가? 주식회사 시스템은 인간을 풍요롭게 만든다.

이해가 잘 되지않는다면 국가 시스템과 비교해보면 된다. 최초의 국가가 설립된 7000년 전과 주식회사 시스템이 시작되기 직전인 16세기를 비교해보라. 7000년 동안 별로 변한 것이 없다. 왕은 여전히 반역을 두려워하고 친형제를 죽이며, 귀족은 여전히 자신의 지위를 지키기 위해 밤잠을 못 이루고, 평민과 천민은 지독한 노동과 멸시와 억압 속에서 살아간다. 국가 시스템은 구성원 모두를 지독하게 힘들게 만든다.

"국가주의nationalism"는 시장주의의 반대편에 서 있다. 고대의 세습왕조국가에서는 신의 대리인이라는 이데올로기로 국가권력을 장악한 소수의 사람들이 운영하는 체제였다. 현대의 공산주의 국가에서는 공동생산 공동분배라는 이데올로기로 국가권력을 장악한 소수의 사람들이 운영하는 체제다. 프랑스혁명에서 앙시엥 레짐, 구체제 즉 옛날 체제라고 깨부숴버린 체제는 단순히 그 이전 중세의 봉건주의 체제가 아니라 바로 이 국가주의 체제다.

그렇다면 시장주의는 최선이고, 국가주의는 최악인가?
아니다. 국가주의의 극단에 공산주의라는 괴물이 기다리고 있는 것처럼, 시장주의의 극단에도 야경국가라는 괴물이 도사리고 있다. 좋은 세상은 양극단이 아니라 그 중간 어딘가에 있다. 오른쪽 날개 우익Right wing右翼과 왼쪽 날개 좌익Left wing左翼이 균형을 이룬 곳, 자유주의자와 평등주의자가 합의를 한 곳, 시장주의자와 국가주의자가 모두 평화롭게 사는 곳, 바로 그곳에 천국이 있다.

제2의 시스템, 국가 시스템에서는 상부와 하부가 균형을 이룬 국가가 이상적이었다. 그런 나라의 영토가 커지고 세상을 지배했다. 이제 제3의 시스템, 주식회사 시스템에서는 좌익과 우익이 균형을 이룬 국가가 이상적이다. 그런 나라가 강력한 국가가 된다.

제10장 주식사柱式史

역사history의 주인공은 대부분 국가의 왕이나 군대의 장군이다. 제2의 프레임, 국가시대에는 국가의 권력을 잡아 큰 사건을 일으킨 남자들에 대해 이야기한다. 그들은 대개 전쟁을 일으켜 사람들을 많이 죽였다. 그래서 최근에는 "his story"라며 비꼬는 사람들이 생겼다.

그런데 제3의 프레임의 시대, 현대의 주식회사 시스템에서는 중요하고 혁명적인 사건들은 국가가 아니라 주식회사에서 일어나는 경우가 많다. 주식회사는 사람들이 필요로 하는 좋은 물건과 서비스들을 만들어낸다.

국가의 지도자들은 사람을 더 많이 죽일수록 유명해지지만, 주식회사의 지도자들은 사람을 위해 물건이나 서비스를 더 좋게 만들수록 유명해진다. 그러므로 이제부터 역사는 "his story"가 아니라 "company story"다.

컴퍼니company란 단어는 라틴어에서 "빵을 같이 먹는 사람들, 식구"란 의미에서 "동업자"란 의미로 변화했으며, 이후 동업자들의 모임인 "회사"라는 의미로 개념이 확장되었다.

※ 컴퍼니company의 의미 변화
    1. 식구family
-> 2. 동업자partners
-> 3. 회사corporation

컴퍼니의 의미 중에서 3번째인 "회사"라는 의미도 시간이 지남에 따라 변화하였다.

※ 컴퍼니company의 진화
    1. partnership company동업회사
-> 2. charterd company칙허회사
-> 3. joint-stock company주식회사

1. 동업 회사partnership company

가장 초기 형태의 회사

사업을 같이하는 동업자들의 모임

이런 회사의 명칭은 보통 "Smith and company"라고 표기한다. 대표자 Smith와 그 동업자들이라는 뜻이다.

현재도 소규모 회사는 이런 형태로 운영되는 경우가 많다.

2. 칙허회사charterd company

영국에서 제일 먼저 시작된 회사의 형태로 국왕의 칙허charter를 받아 설립된 회사다. 회사의 기능에 국가의 기능이 혼재되어 있어 중간단계의 회사이며, 국가-회사 복합체nation-company complex라고 할 수 있다.

초기 칙허회사의 공식 명칭에는 동업 회사의 흔적이 아직 남아 있어서 "Governor and company"로 시작한다. 예를 들면 영국동인도회사EIC의 공식 명칭은 "Governor and Company of Merchants of London Trading into the East Indies"이다.

이후 시간이 지나면서 차츰 앞부분의 "Governor and"는 명칭에서 사라진다. 이런 명칭의 변화는 1600~1700년 사이에 발생했다. 즉 이 시기에 컴퍼니company의 의미가 동업자partner에서 회사corporation로 변화한 것이다.

3. 주식 회사joint-stock company

국왕에게 칙허를 받아야만 설립되는 것이 아니라 일정 요건을 맞춰서 국가에 신청하면 법인corporation으로 등록registration이 될 수 있고, 주주는 유한책임limited liability을 보장받는, 가장 완성된 형태의 회사이다. 1800년대 초중반에 법적으로 완성되었다.

주식혁명

인류의 첫 번째 대변혁은 신석기혁명이나 농업혁명이 아니라 "국가혁명The national revolution"이 옳은 표현이다. 인류의 두 번째 대변혁은 산업혁명이 아니라 "주식혁명The stock revolution"이 옳은 표현이다.

주식혁명은 대항해시대 이후에 네덜란드동인도회사로부터 시작되었다. 그 후에 발생한 산업혁명은 보통 1차, 2차, 3차, 4차 등 4단계로 분류한다. 그러나 1차 산업혁명 이전에 이미 무역혁명이 있었고, 또한 교통 분야에서도 혁명적 변화가 있었으므로 이 2가지를 추가해 6단계로 분류하는 것이 더 올바르다.

주식회사가 탄생하고부터 인류의 역사는 혁명의 역사였다. 부족시대에 20만 년 동안 이루어 낸 것, 그리고 국가시대에 7,000여 년간 이루어 낸 것보다, 주식회사시대 400년에 이루어 낸 것이 훨씬 더 많고 그리고 유의하다. 그 혁명의 과정과 각각의 과정에서 중요한 역할을 하거나 주목받았던 주식회사들을 정리해보면 다음과 같다.

※ 주식혁명The stock revolution

I. 무역혁명Trade revolution
 1. VOC (1602)
 2. EIC (1600)
 3. 윌리엄 핍스, 보물선 인양 (1687)
 4. Compagnie du Mississippi (Mississippi Company, 1684)
 5. South sea company (1711)
 * 거품법 제정 (1720)

II. 공장혁명Factory revolution, 일명 1차 산업혁명
- "Automatic" machine (자동기계)
 1. Need, Strutt and Arkwright company (1769)

III. 중화학공업혁명Heavy chemical revolution, 일명 2차 산업혁명
 1. DuPont (1802)
 2. Carnegie Steel Company (1892) - U.S. Steel (1901)
 3. General Electric Company (1892)
 4. J.P. Morgan & Co. (1861)

IV. 교통혁명Transportation revolution
 1. Erie Railroad (1832)
 2. Ford Motor Company (1903)
 3. Boeing Company (1916)

V. 정보통신혁명Information & communication revolution, 일명 3차 산업혁명
 1. AT&T (1875)
 2. IBM (1911)
 3. Apple Inc. (1976)

VI. 자율화혁명Autonomous revolution, 일명 4차 산업혁명
- "Autonomous" machine (자율기계)
 ; 자율운행기계 (자율주행차, 로봇), 인공지능(AI), 양자컴퓨터

1. 무역혁명Trade revolution

영국에서 시작된 공장혁명 이전에 훨씬 더 중요하고 근본적인 변화가 있었다. 스페인과 포르투갈에 의해 시작된 대항해시대 이후 해상무역을 통해 전 세계가 연결되어 세계적 상업화가 이루어진 것이다. 물론 그 이전에도 상업이 발달한 경우가 종종 있었으나, 그것은 국지적이고 일시적인 상황이었다. 전 세계가 연결된 상업화는 이때가 처음이었디. 전 세계적 상업화의 과정에서 식민지 수달이나 노예무역 등 참혹한 일도 많았으나, 이후 경세발선과 민주주의의 정작 능의 연쇄반응을 일으키는 방아쇠가 된 것이 바로 상업화다. 세계적 상업화가 있었기에 공업에서의 혁명적 변화도 발생 가능해진 것이다. 인도의 캘리코보다 더 질 좋고 값싼 옷감을 만들어 팔기 위해 영국에서 공장혁명이 시작된 것이다. 무역혁명 또는 상업혁명이 진정한 대변혁의 시작이었다.

최초의 칙허 회사인 "Company of Merchant Adventurers of London (1407년 설립)"도 있고, 최초의 주식 증서 발행회사인 "Company of Merchant Adventurers to New Lands (1553년 설립)"도 있었지만, 이들은 변화의 흐름에 큰 영향을 미치지는 못했다.

닐 암스트롱이 달에 첫발을 내디딘 사람인 것처럼, 새로운 세상에 첫발을 내디딘 주식회사는 네덜란드동인도회사VOC였다. 이후 네덜란드와 영국의 경쟁에서 영국이 승리한 후 영국동인도회사EIC가 세계 역사의 흐름을 바꾸기 시작했다.

이들 동인도회사는 구조적으로는 주식회사이기는 했지만, 그 기능적인 면에서는 국가기관과 회사의 중간단계 즉 국가-회사 복합체nation-company complex였다고 할 수 있다. 그들은 무역을 위해 국가를 대신해서 다른 나라와 외교적 행위를 할 수 있었고 군대를 보유할 수도 있었다.

윌리엄 핍스는 주식회사를 운영하거나 거기에 소속된 사람은 아니었지만, 그의 보물선 인양 성공으로 인해 영국에서 엄청난 주식회사 설립 붐이 일어났기에 여기에 소개한다.

또한 주식회사 최초의 투기적 붐과 패닉을 일으킨 두 회사, 프랑스의 미시시피 회사 Compagnie du Mississippi와 영국의 사우스 시 회사 South sea company도 여기서 소개한다. 이로 인해 거품법Bubble Act이 제정되어 이후 수십 년간 영국에서 주식회사의 발전이 정체되었다.

1. 네덜란드 동인도 회사 (1602년 설립 ~ 1799년 해산)
Vereenigde Oost-Indische Compagnie ; VOC

네덜란드nederland는 낮은(neder) 땅(land)이라는 뜻이다. 현재의 네덜란드와 벨기에는 주변보다 고도가 낮아 저지대를 의미하는 네덜란드라는 보통명사로 불러 왔다. 하지만 나중에 특정 국가를 지칭하는 고유명사가 되었다. 유럽 언어에서 네덜란드라는 나라 이름에는 반드시 정관사를 붙이는 이유다. 영어로는 "The Netherlands", 독일어로는 "Die Niederlande", 프랑스어로는 "Les Pays-Bas", 스페인어로는 "Los Países Bajos"다.

종교개혁은 1517년에 마르틴 루터가 교회 문에 95개조 반박문95 theses을 붙이면서 시작되어 유럽을 둘로 갈라놓았다. 당시의 지배층들은 지배 이데올로기로 사용하기에 좋은 구교 카톨릭을 고수하였고, 중산층과 상공인들은 자신들에게 적합한 신교 프로테스탄트를 새로운 이데올로기로 받아들였다.
스페인의 국왕이었던 펠리페 2세는 합스부르크 왕가 사람으로, 1580년부터는 포르투갈의 국왕까지 겸임하였고, 잉글랜드의 메리 1세와 결혼하여 영국의 명예왕이기도 하였다. 프랑스의 태양왕 루이 14세와 함께 전제군주의 전형적인 모델이었던 펠리페 2세도 카톨릭을 고수하였다. 교황에게만 머리를 숙이면 백성들을 지배하는 데는 아주 적합한 이데올로기였기 때문이다.
펠리페 2세는 신교도들을 탄압하였고, 이에 저항하여 저지대 지역인 네덜란드의 북부 7개 주는 지역명으로 쓰였던 저지대를 국호로 택해 네덜란드 공화국으로 분리 독립하였다. 1581년의 일이었다. 나머지 저지대의 남부 10개 주는 스페인의 지배를 받아들였고 나중에 벨기에가 되었다.

현대의 민주주의가 왕정에서 벗어나 공화정으로 변화되는 과정을 이야기할 때는 대개 프랑스의 혁명부터 설명한다. 하지만 실제로는 네덜란드가 스페인 국왕의 지배에서 벗어나 공화국으로 독립하면서 시작하여, 영국의 청교도혁명과 명예혁명을 지나, 미국이 영국의 지배를 벗어나 민주국가로 독립하면서 현대의 민주주의는 성립되었다고 보는 것이 더 정확하다. 프랑스는 이들보다 후발주자다. 자극적인 사건들에 관점을 두면 프랑스가 보이지만, 눈을 더 크게 뜨고 돋보기를 들이대면 네덜란드, 영국 그리고 미국이 보인다. 바로 그 네덜란드에서 민주주의와 함께 무역혁명이 시작되었다.

펠리페 2세의 지배 아래 있는 곳에서는 신교도 탄압이 지속되었고 주로 상공인이 많았던 이들은 탄압을 피해 네덜란드로 모여들었다. 특히 현재 벨기에에 속하는 안트베르펜은 그 당시 유럽에서 가장 상공업이 발달했던 곳인데, 이 도시의 신교도들, 상공인들, 금융업에 종사하는 유태인들이 대거 네덜란드로 이주하였다. 덕분에 네덜란드는 순식간에 정치적으로는 민주주의, 경제적으로는 시장주의의 선두주자가 되었다. 현대 민주주의와 시장주의의 싹이 튼 곳은 네덜란드였다. 바로 그 사람들이 주식회사를 세계 최초로 만들어 냈고 그 이름이 "합동동인도회사 Vereenigde Oost-Indische Compagni ; VOC"였다.
영어로는 "Dutch East India Company"라고 한다.

당시에는 아시아로의 항로를 최초로 개척한 포르투갈이 아시아에서 상품을 배로 실어와 유럽의 여러 나라들에 비싼 값을 받고 공급해 주고 있었다. 그런데 네덜란드가 스페인으로부터 분리 독립해 나가자 당시 포르투갈의 국왕까지 겸임하고 있던 펠리페 2세는 네덜란드로의 수출을 중단해 버렸다. 향신료 등 많은 수익이 남는 상품의 공급이 중단되자 네덜란드의 상인들은 자신들이 직접 아시아로의 항로를 개척하고자 했다.
암스테르담을 포함한 여러 도시의 상인들이 각각 회사를 설립해 아시아로의 항해무역을 준비했는데, 이 회사들은 나중에 선구회사voorcompagnieen, precompany라 부르게 된다. 가장 먼저 설립된 선구회사는 "Compagnie van Verre 장거리회사"라는 이름이었는데, 1595년에 무역항로 개척을 시작하였지만 큰 성공을 이루지는 못했다.
이후 지속적인 시도 끝에 마침내 1599년에 야콥 판 넥Jacob van Neck의 함대가 항해무역에 성공하고 귀환하여 투자자들에게 약 400%의 배당금, 즉 투자금의 4배에 달하는 금액을 배당으로 지급했다. 이에 자극받은 다른 여러 선구회사들이 아시아로의 무역에 박차를 가하기 시작했고, 이들의 과다경쟁을 우려한 네덜란드 공화국의 의회에서 이 회사들을 통합하여 하나의 회사를 설립하고 무역독점권을 부여해 주었다. 그것이 1602년 3월 20일이었다.
이 무역독점권 때문에 많은 사람들이 회사 설립에 돈을 투자했는데, 돈 많은 상인들 외에 일반인들도 많이 참가했다. 회사를 설립할 때 초대 주주로 등록한 사람은 1,143명이었고, 투자금은 367만 4,945길더였다.

선구회사의 이사들은 자동적으로 새로운 회사의 이사가 되었는데 모두 60명이었다. 이사회는 암스테르담과 미델뷔르흐에서 번갈아 가며 열렸는데, 그 이유는 제일 규모가 큰 암스테르담으로 회사의 권한이 집중되는 것을 견제하기 위해서 다른 지역의 이사들이 요구한 것이었다. 이사회는 대표이사들만 17명이 참석하였는데,

암스테르담 출신은 8명이 넘지 않도록 견제하였다. 이 17인의 이사회를 "헤렌 17Heren XVII"이라고 불렀는데, "17명의 주인"이란 뜻이었다. 이것이 현대 주식회사의 "이사회"의 출발이었다.

그 이전까지의 회사들은 한 번의 해상무역이 끝나면 정산을 마치고 돈을 돌려주었다. 하지만 VOC는 21년 동안은 정산하지 않고 계속 사업을 유지하기로 하였으므로, 중간에 투자금을 회수하고 싶어하는 사람이 생겨났고 동시에 새로 투자를 하고 싶은 사람들도 있었다. 이들이 서로 주권을 매매하는 일이 발생했고, 그 장소는 상인들이 주로 모여 상품을 거래하던 니우어 브뤼흐Nieuwe Brug (영어로는 New Bridge), 성 올라프 성당St. Olaf`s Chapel이었다. 이후 1611년에 세계 최초의 증권거래소가 설립되었다. 당시의 유명한 건축가 카이저Hendrick de Keyser가 설계하여 "카이저 거래소Beurs van Hendrick de Keyser"라고 하였다.

증권거래소는 영어로 "stock exchange"인데 "bourse"라고도 한다. 이는 네덜란드어의 "beurs"에서 온 단어다. 현재 벨기에의 도시 브뤼허Brugge는 인구 10만 명정도의 작은 도시지만, 중세에는 유럽에서 가장 큰 도시 중의 하나였다. 북부의 저지대neder land에서 대서양과 접하고 강변에 위치하고 있어서 물의 도시이며 상업과 국제무역 중심지로, 마치 이탈리아의 베네치아와 유사해 "북부의 베네치아"라고도 한다. 이 도시에 상업과 금융에 종사하는 대부호 가문이 있었는데 그 가문의 이름이 "Van der Beurze"였다. 이 가문의 건물은 여관으로도 쓰였는데 여기에 국내외의 많은 상인들이 모여들었고 거기서 거래를 했다. 이 가문의 이름인 "Beurze"는 상인들이 거래하는 장소, 거래소라는 의미의 네덜란드어 "beurs"가 되었다. 나중에 주식을 거래하게 되자 증권거래소도 "beurs"라고 하게 되었다.

당시의 주식거래는 현재 알려져 있는 것처럼 주식 증서를 서로 주고받는 것이 아니라, 동인도회사의 회계담당자가 가지고 있는 주주명부에 주주 이름을 고쳐 쓰는 방식이었다. 지금도 가끔 발견되는 VOC의 주식 증서는 주권이 아니라 대금을 완납했다는 영수증이라고 한다.

공화국 의회는 이 새로운 회사가 먼 타국에서 무역사업을 할 때 편리하도록 다른 나라와 외교를 통해 조약을 체결할 권한도 주었고, 군대를 보유할 수도 있도록 했다. 그래서 정확히 말하면 VOC는 현재의 우리가 알고 있는 민간인 중심의 주식회사가 아니라, 국가조직과 민간회사의 혼합 형태인 국가-회사 복합체 nation-company complaex였다고 할 수 있다.

VOC는 향신료 무역을 위해 여러 지역에 상관을 설립했는데, 인도네시아, 말라카, 스리랑카, 페르시아, 타이완, 중국 광저우, 일본 나가사키 등이 포함되었다. 그리고 아프리카 남단에 설립한 상관은 나중에 독립하여 남아프리카 공화국이라는 국가가 되었다.

1600년대 초반에는 먼저 진출해있던 네덜란드동인도회사VOC와 후발주자인 영국 동인도회사EIC 사이에 향신료 무역을 두고 치열한 경쟁을 벌어졌다. 이 경쟁 때문에 암보이나 사건Amboyna Massacre이 발생했다.
1623년 3월 9일에 네덜란드령 동인도의 말루쿠 제도에 있는 암보이나 섬 (현재의 인도네시아 암본 섬)에서 네덜란드 동인도회사의 상관 직원들이 영국 동인도회사의 상관을 습격해 직원 20명을 사로잡아 형식적인 재판만을 거쳐 참수해버린 사건이다. 이 사건 이후로 영국 동인도회사는 값비싼 향신료가 생산되는 동남아시아에서 떠날 수밖에 없었고, 그래서 어쩔 수 없이 그 대안으로 인도로 향했다. 반면 네덜란드 동인도회사는 인도네시아를 포함한 동아시아에서 영향력을 강화할 수 있었고, 1600년대 중반에는 최고의 전성기를 누릴 수 있었다.

하지만 세월이 흐르면서 향신료의 값이 떨어지고 영국과의 수차례에 걸친 전쟁에서 밀리면서 회사는 점차 기울어지기 시작해, 1700년대 말이 되자 회사는 사실상 파산 상태에 이르렀다. 마침내 1799년에 나폴레옹이 네덜란드를 침략해 세운 괴뢰 국가인 바타비아공화국 정부에 의해 회사는 해산되었다. 남아 있던 회사의 자산은 국유화되었다.

하멜 표류기

네덜란드 동인도회사의 직원으로 선박의 포수였던 핸드릭 하멜Hendrick Hamel이란 사람이 있었다. 그는 1653년에 스페르베르 호를 타고 바타비아 (현재의 자카르타)에서 출발해 타이완을 거쳐 일본 나가사키로 가던 중이었다.
도중에 태풍을 만나 표류하다가 조선의 제주도 해안에서 난파를 당하였다. 64명의 선원 중 36명 만이 겨우 살아남았고, 이후 조선에서 억류되어 살다가 13년 만에 동료 7명과 함께 탈출에 성공하여 나가사키에 도착하였다. 다음 해에 겨우 네덜란드로 돌아갔다.
1668년에 조선에서 억류된 기간 동안의 임금을 회사에 청구하기 위해 그동안에 일어난 일을 글로 썼는데, 그 글이 나중에 "하멜 표류기"란 책이 되었다. 하멜이

쓴 임금청구서의 원래 제목은 "야하트 선 데 스페르베르 호의 생존 선원들이 코레 왕국의 지배 하에 있던 켈파르트 섬에서 1653년 8월 16일 난파당한 후 1666년 9월 14일 그중 8명이 일본의 나가사키로 탈출할 때까지 겪었던 일 및 조선 백성의 관습과 국토의 상황에 관해서"였다.

바타비아호 학살 사건

네덜란드 동인도회사의 선박 바타비아Batavia호가 바타비아를 향해 1628년 10월 암스테르담 항구에서 출항하였다. 희망봉을 돌아 인도양을 북동진하다가 표류하여 다음 해인 1629년 6월 4일 오스트레일리아의 서해안 아브롤요스 군도의 산호초에 좌초되었다. 승객과 승무원 332명 중에서 40명은 익사하고 292명은 주변 섬에 겨우 상륙했다.

선단장 프란시스코 펠사아르트와 선장 아리안 야콥스 등 18명이 작은 10인승 보트를 타고 바타비아로 구조를 요청하러 떠났다.

산호초에 남은 사람들은 식량을 관리하고 질서를 유지하기 위해 선상위원회를 구성했다. 부선단장인 예로니무스 코르넬리우스를 선상위원장으로 선출했는데, 이 코르넬리우스가 선상위원회를 동원하여 부족한 식량을 축내는 사람들을 제거한다는 명목으로 어린이와 부녀자, 노인 등을 하나둘 살해하기 시작했다. 살인은 점차 일상적인 일이 되어갔고 코르넬리우스와 심복 20여 명은 재미삼아 무자비한 폭행, 살인, 강간을 자행했다. 코르넬리우스 자신은 직접 살인은 하지 않고 명령만 내렸다고 한다.

선단장 일행이 바타비아에 도착하여 구조대를 이끌고 돌아와 보니 좌초된 6월 4일부터 구조대가 도착한 9월 16일까지 처음 남아 있던 274명 중에서 115명이 살해되어 있었다.

코르넬리우스는 체포되어 재판을 받은 후 두 손을 절단당하고 교수형에 처해졌다. 교수대에 끌려가면서도 야유를 퍼붓는 군중을 향해 "복수할거야, 복수할거야"라고 고함쳤다고 한다.

플라잉 더치맨Flying Dutchman

1881년 7월 11일, 아프리카 대륙의 남단 희망봉에서 약 80km쯤 떨어진 바다 위를 영국 해군의 함대가 대서양 쪽에서 인도양을 향해 항해하고 있었다. 구름이 많고 안개가 짙어 아직 해가 저물기 전인 오후인데도 어두컴컴했다. 기함flag ship인 바칸테HMS Bacchante 호의 갑판 위에 두 사람이 서 있었다.

한 남자가 말했다.

"날씨가 좋지 않군. 아직 낮인데도 아무것도 보이지를 않아."

그러자 옆에 남자가 대답했다.

"예, 원래 이곳은 파도와 바람이 심하게 불고 안개가 잦은 곳이라 항해하기 위험한 해역입니다. 이곳에서 난파당한 배도 많았구요."

"그래서 그런가? 뭔가 나쁜 일이 벌어질 것처럼 으스스한데."

안개가 자욱한 바다를 한참 동안 바라보던 남자가 말했다.

"그런데 저건 뭘까?"

먼 곳에서부터 안개를 헤치고 거무스레한 물체가 다가왔다. 다가올수록 그것은 범선의 모습으로 변했다.

"옛날 네덜란드 상선 같이 생겼군."

"예, 그러네요. 옛날 배인데요. 의장은 완벽하지만 오래된 배네요. 희끄무레한 빛을 발산하고 있는 것이 왠지 좀 기분이 좋지 않네요. 돛은 또 엄청나게 팽팽해져 있고요."

그때 저쪽 배에서 불빛이 하나 흔들리며 왔다 갔다 했다.

"저거 우리 배에 붙여도 되겠냐고 묻는데? 어째야 하나? 제독님께 보고해야겠는데."

"예, 제가 가서 보고하고 오겠습니다."

한참 후에 남자가 제독을 데리고 갑판으로 나왔다. 하지만 제독이 바다를 바라보았을 때는 배는 없고 안개만이 자욱하였다.

"무슨 배가 있었다고?" 제독이 물었다.

"아, 예, 제독님, 분명 네덜란드 범선이 한 척 우리 쪽으로 다가오며 우리 함선에 근접해도 되겠냐는 신호를 해왔는데, 제독님을 모시러 간 동안 스르르 안개 속으로 사라져버렸습니다."

제독이 대답했다.

"예? 왕자님, 농담하시는 겁니까? 이 안개 속에 범선이 갑자기 나타났다 갑자기 사라져요?"

"진짜라니까요. 이 친구도 같이 봤고요."

"예, 저도 분명히 봤습니다. 오래된 네덜란드 상선 같았습니다."

"그래? 음~, 그럼 플라잉 더치맨을 봤나?"

"플라잉 더치맨이요?"

"예, 왕자님. 유령선 말입니다. 이 근처 희망봉 주변에서 자주 출몰한다는."

"예? 유령선이요?" 두 남자가 합창하듯 말했다.

"그런데 플라잉 더치맨을 본 배에는 반드시 불행이 닥친다는 전설이 있는데 어찌지? 우리 배는 괜찮을라나?"
이 일이 있던 다음날 이 배에서 근무하던 선원 한 사람이 밧줄 위에서 작업을 하다가 떨어져 죽었다.

플라잉 더치맨Flying Dutchman, 한국어로는 "하늘을 나는 네덜란드인"이 아니라, "방황하는 네덜란드인"으로 번역한다. 원어인 네덜란드어로는 "De Vliegende Hollander". 하지만 사람이 아니고 배 이름이다. 그것도 무려 유령선.
목격담이 많은데 그중에서 1881년에 영국 국왕 에드워드 7세의 둘째 아들 앨버트 Albert 왕자가 해군사관 후보생으로 근무하다가 목격한 이야기가 가장 유명하다. 나중에 형인 빅터 왕세자가 독감으로 갑자기 죽자 둘째 아들인 앨버트가 왕위에 올랐는데 그가 바로 영국의 국왕 조지 5세다.
가장 최근의 목격담은 1942년 9월 희망봉 근처였다고 한다.

헨드릭 판 데르 데켄Hendrik van der Decken 선장의 전설
네덜란드 동인도회사에 소속된 선장으로, 유능하지만 자만심에 가득 찬 사람이었다고 한다. 1641년에 회사의 상선을 이끌고 희망봉 근처에서 폭풍우를 만나 며칠 동안 고전하다가 "최후의 심판 날이 올 때까지라도 항해할 것이다"라고 하며 신에게 불손한 발언을 했다고 한다. 결국 폭풍우에 침몰해 선장을 포함한 선원 전부가 사망했지만, 신이 선장의 교만함을 벌주고자 최후의 심판 날이 올 때까지 오대양의 바다를 헤매다니게 만들어버렸다고 한다.

이 유령선에 관한 전설은 VOC의 선장이 등장하는 것으로 보아 알 수 있듯이 VOC와 관련이 깊은데, VOC가 가장 활발하게 활동하던 1600년대에 희망봉을 지나던 배의 선원들에 의해 만들어진 전설이다. 희망봉의 원래 이름은 폭풍의 곶으로, 아프리카 대륙의 남단에 있어서 인도양과 대서양이 서로 만나는 곳이라 파도가 심하고 폭풍우가 잦은 지역이다. 그래서 항해가 힘들고 위험한 곳이며 난파당한 배도 많았다. 이곳을 항해하는 배의 선원들은 무서운 느낌이 들기 마련이며 그래서 생겨난 전설이다.

이 유령선에 관한 이야기는 예술가들에게 영감을 주어 많은 작품을 탄생시켰다. 대표적인 것으로 바그너의 오페라 "방황하는 네덜란드인"이 있는데, 바그너가 배를 타고 가다가 폭풍우를 만나 죽을 뻔한 경험을 하고 나서 플라잉 더치맨을 소재로 이 오페라를 작곡했다고 한다.
최근 2000년대에 들어서도 조니 뎁Johnny Depp이 열연한 영화 "캐러비안의 해

적Pirates of the Caribbean" 시리즈에도 등장한다.

2. 영국동인도회사 (1600년 설립 ~ 1858년 해산)
East India Company ; EIC

※ EIC의 간추린 역사

1. 설립 - 1600년
2. 크롬웰의 개혁 - 1657년
3. 합동동인도회사로 병합 - 1708년
4. 정치군사 조직으로 변모 - 1757년, 플라시전투 이후
5. 정부의 규제 - 1773년 노스의 규제법, 1784년 피트의 인도법
6. 무역독점권의 취소 - 1813년 인도무역독점권 취소, 1833년 중국무역독점권 취소
7. 해산 - 1858년

세계 역사의 흐름을 스페인, 포르투갈, 네덜란드, 프랑스가 아니라 영국 중심으로 바꾼 회사, 유럽 서쪽 변방의 작은 섬나라 영국England를 해가 지지 않는 "대영제국British Empire"으로 탈바꿈시킨 회사다.
실제로 영국이 강대국이 된 것은 영국이란 국가의 힘이 아니라 이 동인도회사의 활동 때문이었다. 경쟁자였던 네덜란드동인도회사, 프랑스동인도회사 등과의 경쟁을 이겨내고 살아남은 최후의 승리자이며, 또한 작은 섬나라의 언어인 영어를 세계인들의 공용어로 만든 회사. 이 회사가 없었다면 현재 세계인들은 영어가 아니라 스페인어나 네덜란드어 또는 프랑스어를 공용어로 쓰고 있을 것이다.
물론 그 과정에서 인도와 다른 아시아 국가에 대한 무자비한 식민지배, 흑인 노예들에 대한 잔혹한 행위도 있었다.

영국동인도회사는 1600년 12월 31일에 잉글랜드 왕국의 여왕 엘리자베스 1세에게 칙허Chater를 받았으며, 동인도 즉 아시아에 대한 무역독점권을 부여받았다.
이때 회사의 정식 명칭은 "Governor and Company of Merchants of London

Trading into the East Indies동인도와 무역하는 런던 상인들의 대표와 동업자들"
이었다. 여기서의 "governor"는 총독이 아니라 대표 또는 사장을 의미하고,
"company"는 회사보다는 동업자들로 번역하는 것이 옳다. 이전의 동업회사
partnership company에서 회사 명칭을 "대표자 and 동업자들"로 쓰던 관례가 아
직 남아있는 이름이었다.

1600년대 말엽에 동인도회사의 무역 독점에 반발하는 영국 내의 다른 상인들이
왕실과 의회에 지속적으로 로비를 벌여 무역에 대한 칙허를 받으려 했다. 결국 이
들에 의해 1698년에 두 번째 동인도회사인 "The English Company Trading to
the East Indies동인도와 무역하는 잉글랜드 회사"가 설립되었다. 이 회사의 명칭
에서 100여 년 사이에 "company"란 단어가 "동업자"란 의미에서 "회사"라는 의
미로 변화한 것을 알 수 있다.
이후 두 번째 회사의 로비로 기존의 첫 번째 회사의 특허는 1701년 이후 회수하
기로 결정되었으나, 첫 번째 회사도 또한 막대한 로비를 하여 특허권을 연장받았
다. 두 동인도회사의 경쟁이 너무 과열되자 두 회사의 공멸을 우려한 정부의 중재
로 두 회사를 합병하여 1708년에 "United Company of Merchants of England
Trading to the East Indies동인도와 무역하는 잉글랜드 상인들의 연합 회사"가
되었다.

※ 영국동인도회사의 명칭 변화

첫 번째 회사
; Governor and Company of Merchants of London Trading into the
East Indies
동인도와 무역하는 런던 상인들의 대표와 동업자들
=> 약칭 London company (1600년)

두 번째 회사
; The English Company Trading to the East Indies
동인도와 무역하는 잉글랜드 회사
=> 약칭 English company (1698년)

연합 회사
; United Company of Merchants of England Trading to the East Indies
동인도와 무역하는 잉글랜드 상인들의 연합회사
=> 약칭 United company (1708년)

회사의 공식적인 설립일은 네덜란드 동인도회사보다 2년 더 빠르지만, 실질적인 면에서는 네덜란드 동인도회사보다 뒤처져 있었다. 네덜란드동인도회사VOC는 1602년 설립 때부터 이미 21년 동안 지속적인 사업을 하기로 된 반영속적 기업이었으나, 영국동인도회사EIC는 설립 초기엔 한 번의 무역항해가 끝나면 바로 정산하고 다음 무역항해가 결정되면 다시 자금을 모으는 일회성 기업이었다. 한참 지난 1657년 크롬웰의 개혁 이후 영속적인 조직이 되었다.

초기 자본은 30,133파운드로 주주는 총 57명이었다. 이들 중 19명은 레반트 회사 Levant company의 주주이기도 했는데, 이 회사는 오스만제국으로부터 무역권을 받아 이스탄불에서 상품을 사서 서북유럽으로 공급하던 회사였다. 즉 중개무역으로 적은 수익에 만족하던 영국의 상인들이 훨씬 많은 수익을 낼 수 있는 동인도 즉 아시아와의 직접 무역에 나서게 된 것이다.

영국동인도회사는 후발주자로 초기에는 포르투갈, 네덜란드와 치열한 경쟁을 벌여야 했다. 포르투갈에 대해서는 승리한 반면, 네덜란드에게는 참패를 당했다.

영국동인도회사는 1614년에 수라트에서 포르투갈 함대의 공격을 격퇴하여 인도양의 주도권을 잡았다. 포르투갈은 국가의 규모에 비해 지나치게 넓은 해상에서 활동하고 있었고, 아시아에서는 네덜란드와 상대하느라 힘이 약해져 있었다. 더 중요한 사실은, 포르투갈은 국가 조직이고 동인도회사는 회사 조직이었다는 점이다. 포르투갈 사람들이 벌어들인 수익은 대부분 국왕에게 돌아가지만, 네덜란드나 영국 동인도회사 사람들이 벌어들인 수익은 자신들의 것이 되었다. 국왕을 위해 싸우는 사람보다는 자기 자신을 위해 싸우는 사람이 더 치열하게 싸우는 것은 자명한 일이다. 대항해시대 이후 전 세계를 무대로 벌인 경쟁에서 남아메리카를 제외한 모든 지역에서 포르투갈과 스페인이 네덜란드와 영국에 밀린 것은 바로 이것 때문이었다.

영국동인도회사는 1623년 3월 9일에 발생한 암보이나 사건으로 네덜란드동인도회사에게 참패를 당했고, 값비싼 향신료가 생산되는 동남아시아에서 떠날 수밖에 없었다. 그래서 대안으로 찾은 것이 인도였는데, 가끔 역사에서 발생하는 아이러니가 바로 여기서도 발생했다. 향신료의 가격이 떨어지면서 차츰 네덜란드 동인도회사는 기울어지게 되고, 인도에 진출한 영국 동인도회사는 면제품 사업을 비롯해 여러 가지 식민지 사업으로 크게 성장하게 된다.

당시 인도 대륙의 강자는 무굴제국이었으나 바다에서는 전혀 힘을 쓰지 못해 1624년 동인도회사의 요구에 굴복하여 상업권을 부여했다. 1627년에는 황위계승 경쟁에서 회사가 지원한 왕자가 승리하여 황제가 되면서 회사와 우호적인 관계가 되었는데 그 왕자가 바로 타지마할을 건축한 샤 자한이었다.

네덜란드에 밀리고 있던 영국동인도회사는, 청교도혁명을 일으켜 국왕 찰스 1세를 처형하고 공화정 (실제로는 참주정)을 수립해 호국경Lord Protector이 된 올리버 크롬웰Oliver Cromwell이 1651년에 제정한 항해법Navigation Act에 의해 역전의 기회를 마련한다. 당시 네덜란드는 영국을 포함한 유럽 각국 그리고 식민지들의 무역을 주도하고 있었다. 항해법의 목적은 네덜란드를 견제하는 것이었고, 그 주요 내용은 영국과 그 식민지의 항구에서 네덜란드를 배제하는 것이었다. 이 법으로 인해 네덜란드의 중개무역은 크게 위축되었다.
또한 크롬웰은 1657년에 동인도회사에 새로이 칙허권charter을 부여해 힘을 실어주었다. 여기에는 회사가 외국에서 사업할 때 유리하도록 외교권과 군사권까지 포함되어 있었다. 이런 조치들로 인해 회사는 크게 성장하게 된다.

1700년대부터 회사는 본격적으로 인도 무역을 장악하여 인도산 면직물의 수입과 공급을 독점한다. 이슬람 세력인 무굴제국과 힌두 세력인 마라타 제국 (또는 마라타 동맹) 사이의 전쟁으로 혼란스러운 기간동안 인도 전역에 적극적으로 진출하여 각지에 상관을 개설하였다.

초창기 회사는 전쟁보다 무역에 주력했지만, 17세기 후반 프랑스동인도회사가 요새를 구축하고 군사화하기 시작하면서 회사도 점차 군사화되어 갔다. 프랑스가 먼저 인도인 병사들을 수용하여 전투 능력을 기우자, 1750년대부터는 영국 동인도회사도 이들을 수용해 용병으로 이용했다. 이들 인도인 용병을 세포이sepoy라고 불렀는데, 원래는 병사를 뜻하는 페르시아어 "스파히"에서 유래한 단어로 이 시기에는 인도에서 채용된 현지인 용병을 부르는 명칭으로 사용되었다. 영국동인도회사의 병력 중에서 95% 정도가 이런 세포이였다.

오스트리아 황위계승 전쟁으로 시작된 유럽의 전쟁이 인도에서는 식민지를 차지하기 위한 영국과 프랑스의 전쟁으로 변질되어 양국의 동인도회사끼리 치열하게 싸웠다. 결국 인도 남동쪽 해안의 카르나티크에서 승리하여 인도에서 영국 이외의 유럽 세력을 모두 축출하였다.

회사는 1757년에 발생한 플라시전투Battle of Plassey에서 승리한 후 무역회사 조직에서 벗어나 정치 및 군사 조직으로 그 기능이 변화한다. 플라시전투는 1757년 6월 23일 인도 벵골 지방의 패권을 둘러싸고 영국동인도회사의 군대와 벵골의 토후국이 맞붙은 전투다. 벵골의 나와브Nawab (태수)였던 시라지 웃 다울라는 영국인들을 벵골에서 몰아내려 했다. 회사는 로버트 클라이브 중령이 이끄는 군대를 파견하여 대응하게 했다. 병력은 나와브의 군대가 압도적으로 많았으나, 시라지의 부하들이 영국에 매수되어 배반했기 때문에 참패를 당했다. 회사는 이 전투에서 승리하면서 벵골 지역에서의 패권을 확고히 했으며 이를 기반으로 해서 인도의 식민화 사업에 박차를 가하기 시작한다.

회사의 세력 확장에 반발하여 무굴제국과 지방의 토후 세력들이 1764년 10월 22일에 회사를 공격하여 박사르 전투Battle of Buxar가 일어났으나 오히려 영국동인도회사 군대가 승리하였다. 이 전투 이후 체결된 1765년 알라하바드 조약Treaty of Allahabad에 의해 회사는 무굴제국으로부터 벵골, 오리사, 비하르 등 3개 주의 징세권 즉 세금을 받을 권리를 양도받았다. 징세권 이외의 사법 및 행정은 여전히 나와브가 담당하였으나, 1772년에는 행정권과 사법권까지 회사가 갖게 되어 회사가 3개 주의 실질적인 정치적 지배자가 되었다.

영토를 얻게 되고 영향력도 증가하였지만, 이는 시간이 흐르면서 역설적으로 회사가 기울기 시작하는 원인이 된다. 군대를 유지하기 위해 비용이 너무 많이 들었고, 이 비용을 충당하기 위해 너무 과한 세금을 징수하고 곡물 경작지를 아편 등 돈이 되는 작물로 변경하면서 많은 문제점들이 생겨나기 시작하였다. 1770년에는 벵골 지방에 대기근이 발생해 700만 명이 굶어 죽게 되는 사건이 일어나 영국에서의 여론도 점차 악화되었다.

경영이 악화된 회사는 영국 의회에 도움을 요청하였고, 의회는 신대륙에서 차 무역에 부과하던 세금을 없애주었다. 하지만 여전히 높은 세금을 물던 신대륙 상인들이 반발해 폭동으로 이어지면서 1773년에 "보스턴 차 사건"이 발생한다. 그리고 이 사건은 미국의 독립을 촉발하게 하는 중요한 원인이 된다.

회사가 영국에 가져다주는 이익보다 손실이 더 많아지자, 의회와 정부는 회사를 규제하기 시작한다.
1773년 노스 총리Frederick North의 내각 때 노스 규제법North's Regulating Act이 신설되었다. 주요 내용은 총독, 참사회, 최고법원을 설치하고, 그 권한을 규정하여 정부가 회사 경영에 관여할 수 있게 한 것이었다.
1784년 피트 총리William Pitt의 내각 때에는 규제를 더욱 강화하여 피트의 인도법Pitt's India Act을 통과시켜서, 정부가 총독을 비롯한 인도 내의 회사 주요 직위에 대한 임명권을 가지게 하였다. 또한 영국 본토에는 별도로 감시청을 두어 회사를 감독할 수 있게 하였다.

이후 영국 정부는 이사회에 주었던 외교권과 군사권도 점차 회수한다. 1813년 인도무역 자유화 법안이 통과되어 인도 및 중국을 제외한 아시아 지역의 독점권을 박탈했으며, 1826년 인도 무역을 중단했다. 1833년에는 중국무역 독점권도 박탈되었다.

1857년 세포이 항쟁이 발발했다. 영어로는 "Sepoy mutiny세포이 반란"이라고 하지만 이것은 영국의 입장이고 객관적으로는 항쟁이란 용어가 적절하다.
영국에 고용된 인도인 용병 세포이들은 인종차별 등 여러 가지 이유로 불만이 높아지고 있었는데, 힌두교도는 소를 먹지 않고 이슬람교도는 돼지를 먹지 않는다는 사실을 무시하고 소기름과 돼지기름이 발라져 있는 탄약통을 입에 물라는 명령을 내리는 바람에 이것이 기폭제가 되어 항쟁이 시작되었다. 항쟁은 인도 북부지역에서부터 시작되어 무굴제국의 수도 델리를 점령하고 무굴 황제를 복위시켜 제국을 부활시키려고 했으나 영국동인도회사의 군대에 패배하고 실패로 끝났다.

항쟁을 진압한 후 영국 정부는 회사의 통치로는 인도 지배가 불가능하다고 판단하였다. 회사가 인도에 가진 모든 권한을 국왕과 정부에 넘기라는 새로운 인도법이 1858년 8월 2일에 하원을 통과하고, 9월 1일 정식으로 발효되었다. 이에 따라 영국령 인도제국이 수립되고, 258년 역사의 영국동인도회사는 해산되어 역사 속으로 사라졌다.

영국동인도회사의 인도 식민 지배는 부당한 일이었음에 틀림없다. 암리차르 학살 사건Amritsar massacre도 일으켜 수많은 무고한 인도사람들을 죽인 것을 포함해 많은 잔혹한 일을 자행했다. 하지만 주식회사 시스템의 발전에는 지대한 공헌을 하였고, 주식회사 시스템은 민주주의의 발전을 가져왔다. 야누스의 두 얼굴이다.

3. 윌리엄 핍스, 보물선 인양 (1687)

윌리엄 핍스William Phips는 영국의 식민지였던 북아메리카의 메인Maine주에서 가난한 농부의 아들로 태어나 어린 시절을 지독한 가난과 불운에 시달렸다. 농부였던 아버지는 핍스가 6살 때 사망했고, 자식들을 데리고 재혼한 어머니의 새 남편도 가난했기 때문에 핍스는 학교 근처에도 못 갔다.

하지만 젊은 시절에 첫 번째 행운이 시작되었다. 어찌어찌하여 부유한 아내와 결혼하게 된 것이다. 그는 조선소에 들어가 배 만드는 기술을 배우고, 상선 선원도 해보고, 마침내 자기 소유의 조선소까지 세웠다. 하지만 행운은 여기까지, 인디언들의 습격으로 조선소의 작업장과 건조 중이던 배가 모두 불타버려서 핍스는 모든 재산을 날렸다. 이때가 26세 때였다.

이후 그는 연안 상선의 선원으로 근무하면서 보물선 발굴에 매달리기 시작한다. 침몰한 스페인 보물선에 대한 소문을 들었고 그것을 믿었기 때문이다. 그 보물선은 1641년에 남미대륙에서 착취한 막대한 양의 은과 기타 보물들을 싣고 스페인으로 돌아가던 중 폭풍우를 만나 침몰한 스페인의 은 수송선 "Nuestra Señora de la Concepción"이었다.
보물선이 침몰했다는 지역은 넓이가 $100km^2$가 넘는 광대한 지역으로 산호초 때문에 좌초하거나 침몰하는 선박이 많기로 유명한 지역이었다. 어찌어찌하여 영국의 국왕 제임스 2세의 눈에 들어 보물선 인양용 선박까지 받았지만 7년 동안 아무런 성과를 내지 못했다.

마침내 발굴에 나선 지 7년째인 1687년 어느 날, 핍스에게 진짜로 어마어마한 두 번째 행운이 시작된다. 드디어 보물선을 찾아내는 데 성공한 것이다. 핍스는 단순 자맥질로 59일 동안 은괴 32ton과 금괴 11kg 등 어마어마한 양의 보물을 건져냈다.

핍스는 자신이 태어난 식민지인 북아메리카 대륙은 말할 것도 없고, 본국인 영국에서도 엄청난 환영을 받았다. 인양한 보물 가운데 핍스 자신과 선원들의 몫, 그리고 선박을 하사한 국왕의 몫까지 뺀 나머지 19만 파운드가량의 보물을 인양 후원자들에게 배당금으로 분배했는데, 그 배당률이 자그마치 10,000%, 다시 말해 투자 원금의 100배를 배당으로 돌려줬다고 한다. 1파운드를 투자했다면 100파운드를 배당으로 받았다는 소문이 영국 전체로 퍼져나갔다.

그 후에 어떤 일이 벌어졌을까? 영국에 주식회사 설립 붐이 일어났다. 주식회사의 설립 목적은 해저유물 인양. 너도나도 핍스처럼 성공하겠다고 나섰기 때문이다.

국왕 제임스 2세는 핍스에게 기사 작위를 주었다. 식민지의 가난한 농부의 아들이 영국 귀족이 된 것이다. 게다가 영국군 소장에 임명된다. 장군이 된 것이다. 캐나다에서 퀘벡 전투에 참전도 하였다. 또한 국왕은 그를 매사추세츠의 식민지 총독으로 임명했다.

총독이 된 그는 1692년에 "뉴잉글랜드 마녀사냥"의 재판에서 재판장을 맡아, 힘없고 가난한 소녀 19명을 마녀로 몰아 교수형에 처해버린다. 이후 그는 엄청난 행운아에서 악독한 재판관으로 변해 악명을 떨치게 되었고, 그에 대한 이야기는 후세에 두고두고 입에 오르내리게 된다.

4. 미시시피 회사 (1684)
Compagnie du Mississippi (Mississippi Company)

프랑스에서 1684년에 식민지였던 북아메리카 미시시피 강변의 루이지애나에 대한 무역독점권을 받아 설립된 회사로, 1720년경에 최초의 주식회사 버블과 패닉을 일으킨 회사이다. 경제학자이며 금융가인 존 로라는 사람이 프랑스 국채를 민간회사인 이 회사의 주식으로 전환하는 과정에서 심각한 금융위기를 초래하였다.
영국에서 발생한 사우스 시 회사South Sea Company의 버블에 비해 덜 알려져 있으나, 그보다 먼저 발생했고, 더 많은 돈이 동원되었으며, 더 많은 피해가 있었다.

존 로John Law는 스코틀랜드의 부유한 은행가의 아들로 에든버러에서 태어났다. 젊어서는 노박을 즐겼고, 23세 때에는 결투로 연적을 죽여 교도소에 수감 되었다가 뇌물을 주고 탈출한 적도 있었다. 그 후 10여 년간 유럽을 떠돌며 은행과 금융업에 대해 경험을 쌓았다.

태양왕 루이 14세가 죽고 루이 15세가 국왕이 되어, 존 로와 평소 친분이 있던 오를레앙 공이 왕의 섭정이 되자 금융에 대한 자신의 지식을 펼칠 기회를 잡았다. 루이 14세는 72년간 통치하며 프랑스를 군사 강국으로 만들었지만, 그 과정에서 국가의 재정은 파탄상태가 되어 있었다. 정부의 연간 재정 수입 1억 4,500만 리브르livre의 스무 배가 넘는 30억 리브르의 부채를 남겨 정부는 이자도 갚을 수 없었다.

존 로는 정부가 보증하는 종이화폐를 발행하면 부채를 모두 갚을 수 있다고 설득해 은행설립 허가를 받아냈다. 그가 설립한 "Banque Générale Privée (General Private Bank)"는 기존의 은행 업무인 예금과 대출 외에, 종이화폐를 발행하는 새로운 기능을 하는 은행이었다. 기존의 은행은 금이나 은과 같은 금속화폐나 이것으로 교환할 수 있는 증서만을 다루었는데, 존 로의 은행은 이런 것들로 교환해 주지 않는 종이화폐를 발행했다. 즉 금본위 통화체제를 불환화폐 통화체제로 전환한 것이었다.

이것이 성공하려면 시장의 신뢰가 필요했기에 세금을 이 은행이 발행한 지폐로만 납부할 수 있게 했다. 또한 미시시피 회사의 경영권을 획득해서 1717년에 회사 이름을 "Compagnie d'Occident (Company of the West)"로 바꾸고 정부로부터 북아메리카와 서인도제도의 독점 개발권과 무역권을 얻어내, 이 은행의 지폐나 국채로도 주식 매입이 가능하게 해서 국채의 대부분을 회수했다. 은행은 신뢰감을 주기 위해 1718년에 "Banque Royale (Royal Bank왕립은행)"으로 변경하였다.

이 회사의 주가는 신대륙 개발로 인한 막대한 수익에 대한 환상으로 하늘 높이 치솟았다.
1718년에 250 livre리브르였던 주가가
1719년에 10,000 livre로 폭등했고, 이후 거품이 꺼지며 급락해서
1721년에 500 livre로 폭락했다.

존 로의 불환화폐 발행은 시뇨리지seignorage (화폐 발행으로 인한 이득)를 통한 재정조달로 국가부도 위기를 막았고 금융의 확대로 인한 경제 활성화를 가져왔다. 그러나 통화량 증가로 물가가 급등하고 화폐 가치가 하락하자 사람들은 종이화폐를 금이나 은으로 바꿔줄 것을 요구했고, 금 보유량은 화폐 발행액의 2%밖에 없었기에 화폐의 가치와 회사의 주가가 폭락하면서 버블이 붕괴했다. 통화체제가 무너지고 경제 위기를 맞으면서 결국 이 사건은 프랑스혁명의 원인 중의 하나가 됐다.

여기서 잠깐,

존 로는 프랑스를 금융위기로 몰고 간 사악한 금융업자로만 알려져 있다. 하지만 그는 불환화폐를 세계 최초로 통용시킨 화폐 개혁가, 금융 혁명가이기도 하다.

금 또는 금에 대한 증서를 기본으로 하는 금본위제 즉 태환화폐는 경제 규모가 커지면 한계에 도달하고 만다. 쉽게 비유하자면 다섯 살짜리 아이가 열 살이 되고 스무 살이 되면 그 나이에 맞게 옷을 더 크게 바꿔 입어야 하는데, 금본위제는 그럴 수가 없다. 지구상에 존재하는 금의 양은 한정되어 있기 때문이다. 경제 규모는 기하급수적으로 커지는데 한정된 금만으로는 감당할 수가 없다. 스무 살짜리 청년에게 다섯 살짜리 아이 옷을 입으라는 것과 같은 것이다.

불환화폐는 이것을 극복할 수 있는 혁명적인 발명이면서, 또한 경제와 금융이 발전하면 불가피하게 필요한 것이었다. 다만 경제의 규모와 화폐의 양을 적절히 맞추기가 어렵기 때문에 가끔씩 금융위기가 발생한다는 큰 단점이 있기는 하다. 그럼에도 스무 살짜리 청년이 다섯 살짜리 옷을 입는 것보다는 다소 헐렁한 옷을 입는 것이 훨씬 더 현명하지 않을까?

21세기 현재는 거의 모든 국가가 중앙은행을 통해 불환화폐를 발행한다. 가끔 경제위기가 발생하는 것은 아직도 경제의 규모와 화폐의 양을 적절히 맞추기가 어렵기 때문이다. 각국의 중앙은행장, 특히 미국의 중앙은행인 연방준비제도이사회 Fed의 의장은 이것 때문에 골머리를 앓는다.

5. 사우스 시 회사South sea company (남해 회사) (1711)

프랑스에 미시시피 회사와 존 로가 있었다면, 영국에는 사우스 시 회사와 존 블런트가 있었다. 존 블런트는 존 로를 모방해 영국 국채를 회사의 주식으로 전환하는 작업을 했고 그 과정에서 엄청난 버블이 발생했다.

사우스 시 컴퍼니는 1711년에 존 블런트John Blunt 등 은행가들에 의해 설립되었다. 당시 영국은 스페인 왕위계승 전쟁에서 프랑스를 상대로 전쟁을 치르며 정부 부채가 크게 늘어나 총 1000만 파운드에 달했다. 회사는 주식을 발행해 국채 900만 파운드를 인수하고 사우스 시의 노예무역 독점권을 받았다.

사우스 시South sea는 남아메리카를 의미하는데, 정확하게는 오리노코Orinoco 강에서부터 남쪽 끝인 불의 땅Tierra del Fuego까지의 동해안 지역과 서해안 전체를 말한다. 영국 정부는 사업을 위해 회사에 선박 4척도 주었다.

전쟁에서 승리해 남아메리카에서 스페인을 이곳에서 몰아낼 것으로 기대했지만, 전쟁이 끝나도 스페인의 노예무역은 여전히 지속되었다. 회사의 첫 항해는 1717년이 돼서야 시작됐는데 겨우 배 한 척만이 허용돼 회사는 곤경에 처했다.
영국 정부는 스페인과의 전쟁으로 부채가 다시 급격하게 증가했고, 돌파구가 필요했던 회사는 1720년에 영국 정부에 대해 제안을 한다. 회사의 주식을 원하는 가격에 무한대로 증자할 수 있게 해준다면 연 5%의 이자로 국채 3,200만 파운드를 인수하겠다는 제안이었고 정부는 이 제안을 받아들였다.

회사는 4차례에 걸쳐 주식을 발행하였고 사람들은 앞다퉈 남해회사 주식을 사들였다.
1차는 1720년 4월에 발행가 300파운드
2차는 같은 달에 400파운드
3차는 6월에 발행가 1000파운드
4차는 8월 발행가 1000파운드였다.
발행된 주식은 두세 시간 만에 소진될 정도로 엄청난 인기를 누렸고 회사의 주가는 폭등하기 시작했다.
1720년 초 128파운드에 거래되던 이 회사의 주식은 6월에는 1000파운드 위로 뛰어올랐다. 당시 회사뿐 아니라 거의 모든 회사의 주가가 동반 상승했고, 새로운 회사들이 설립되기 시작했다.

회사는 새로운 회사의 등장을 꺼려 의회에 압력을 가해, 그해 6월 주식회사의 상장을 규제하는 거품법Bubble Act을 통과시켰다. 이 법은 사우스 시 회사의 특권을 보호하기 위해 만든 법이었지만 결과적으로 거품이 꺼지게 만드는 원인이 되었다. 또한 이 법으로 영국에서 주식회사 제도의 발전이 수십 년 동안 지체되었다.

6월에 1000파운드가 넘던 주가가 12월에는 100파운드대로 폭락한다. 위대한 물리학자 아이작 뉴턴Isaac Newton도 이 광기를 피해갈 수 없었다. 뉴턴이 보유한 주식은 한때 7,000파운드의 수익을 내기도 했지만 끝내는 2만 파운드를 잃었다.
"I can calculate the motion of heavenly bodies, but not the madness of men."

나는 천체의 움직임은 계산할 수 있어도, 인간의 광기는 도저히 계산하지 못하겠다."

뉴턴이 했다는 이 말은 두고두고 사람들 입에 오르내렸다.

극소수지만 이득을 본 사람들도 있었다. 음악의 어머니로 추앙받는 독일 출신의 음악가 조지 프레드릭 헨델George Frideric Handel은 주식을 적당할 때 잘 팔아서 많은 수익을 냈다.

회사의 주가 폭락으로 영국 사회는 대혼란에 빠졌다. 시간이 지나며 차츰 해소되었지만, 이 주가 폭등과 폭락 사태는 영국 사회에 몇 가지 영향을 미쳤다.

첫째, 사우스 시 회사의 회계를 담당하던 브릿지 상회의 회계장부를 조사한 찰리스텔이 "브릿지 상회의 회계장부에 대한 소견"이라는 보고서를 의회에 제출한 이후, 영국 정부는 재발 방지를 위해 주식회사들은 반드시 제3자를 통해 회계기록 평가를 의무화하였다. 그래서 영국에서 세계 최초로 공인회계사와 회계감사의 개념이 생겨났다.

둘째, 남해South Sea회사의 주가 급등을 두고 "남해에 거품bubble이 일었다"는 말장난이 유행했는데, 이때부터 주식시장의 과열을 거품bubble이라고 부르게 되었다.

셋째, 가장 크게 영향을 미친 것으로 거품법Bubble Act의 제정이었다. 이후 약 100년 동안 영국에서는 주식회사 제도의 발전이 지체되었다.

2. 공장혁명Factory revolution
일명 1차 산업혁명

국지적으로 조각조각 나뉘어있던 세계가 무역혁명 (또는 상업혁명, 세계화혁명)으로 인해 하나로 통합이 되고 서로서로 영향을 주고받기 시작하면서 전혀 새로운 것이 창발emergence되었다. 그것은 당시 세계화에 가장 앞서 있었던 영국에서, 인류에게 가장 절실히 필요했던 "섬유산업"을 중심으로 일어났다.

인류에게 가장 중요한 것은 먹을 것이다. 먹을 것이 없으면 죽는다. 딱 그만큼 중요한 것이 바로 입을 것이다. 이것을 위해 사람들은 원시시대부터 엄청난 노력을 기울여왔다. 동물의 가죽과 털, 식물의 껍질을 말리고 다듬고 자르고 꿰매서 입었다. 유럽인들은 그때까지 양털과 아마 등 거친 옷감으로 만든 옷만을 입고 살았다.

그러다가 1498년에 포르투갈의 바스코 다 가마의 함대가 인도 서해안의 항구도시 캘리컷Calicut에 도착해 목화로 만든 면직물을 본 순간 눈이 번쩍 떠졌다. 현재의 눈으로 보면 거칠고 투박한 면직물에 불과하였지만, 당시에 아마로 만든 옷감을 입던 유럽인들에게는 더없이 부드럽고 따뜻한 옷감이었다. 이것을 캘리컷에서 왔다고 캘리코Calico라고 불렀고, 엄청난 인기를 끌었다.

영국인들도 이 새로운 옷감을 엄청나게 좋아했다. 하지만 새로운 문물이 생겨나면 기존의 기득권층은 반발하기 마련, 양털로 양털로 0옷감을 만드는 모직업자들의 반발로 인해 1722년 영국 의회는 캘리코 금지법을 제정하였다. 그럼에도 사람들은 면직물을 포기하지 않았고 수공업자들은 인도산 캘리코보다 더 좋은 품질의 옷감을 생산하기 위해 엄청난 노력을 기울였다. 공장혁명이 태동하고 있었다.

왜 1760년경 영국에서 공장혁명이 일어났는가?
이 질문에 대한 대답은 대충 이렇다. 그때 영국에 인도산 면이 있었고, 마침 증기기관이 발명되어 기계를 돌릴 수 있었으며, 연료로 쓸 석탄이 거기 있었다고. 다 맞는 말이다. 딱 한 가지 동기가 빠졌다. 돈을 벌고 싶은 욕망, 이기주의.
사람들이 간절히 원하는 좋은 옷감을 만들어내 시장에서 팔아 돈을 벌고 싶은 사업가들의 욕망이 공업혁명을 일으킨 원동력이다. 이기주의가 자유시장을 만나면 세상을 좋게 만든다. 좋은 물건을 시장에 내놓아야 돈을 벌 수 있기 때문이다.

공장혁명의 핵심은, 이전에는 모든 것을 사람이나 동물의 힘을 이용해 만들었지만, 이때부터는 스스로 움직이는 기계Automatic machine를 이용해 만들었다는 점이다. 스스로 움직이는 자동기계가 공장에서 사람들이 필요로 하는 것을 대량으로 빠르게 만들어내는 세상이 열렸다.

공장혁명이란 제조업의 방식이 가내수공업에서 공장의 대량생산으로 바뀐 것을 말한다.

cottage handmade ---> factory manufacture

이때의 혁신은 언뜻 생각하면 큰 규모의 주식회사Joint stock company에 의해 시작된 것으로 착각할 수 있으나, 이 당시는 거품법이 시행되고 있던 때여서 기존의 소규모 동업회사partership company에 의해 시작되었다. 아크라이트와 그 동업자들이 만든 소규모 동업회사가 혁명에 불을 붙였다.

1. 니드, 스트럿 앤드 아크라이트 컴퍼니 (1769)
Need, Strutt and Arkwright company
- 아크라이트 방적공장

리처드 아크라이트Richard Arkwright (1732~1792)는 영국의 발명가이며 기업가로, 수력을 이용한 방적기를 발명하고 이것으로 방적공장을 운영해 공장혁명, 기계화 혁명, 자동화 혁명에 불을 붙인 혁명가였다.

현대의 우리가 이전 시대에 비하면 훨씬 값싼 가격으로 훨씬 좋은 옷을 입을 수 있게 된 것은 아크라이트 경을 포함한 바로 이런 혁명가들 때문이었다. 혁명은 이런 것이다. 사람을 죽이고 국가권력을 잡는 것이 아니라.

리처드 아크라이트는 가난한 부모에게서 7형제 중 막내로 태어나, 어려서는 이발사, 가발공 등으로 일하다가 머리카락 염색으로 약간의 돈을 벌어 기계 제조업에 뛰어들었다. 특히 당시에 각광받던 섬유산업, 즉 방적기에 관심을 가졌다.

당시에는 1767년 제임스 하그리브스가 발명한 다축 방적기가 널리 사용되고 있었으나 많은 단점을 가지고 있는 불편한 기계였다. 아크라이트는 이를 개량해 1769년에 처음 특허를 얻었다. 직물 관련 사업자였던 두 동업자 Samuel Need, Jebediah Strutt와 함께 니드, 스트릿 앤드 아크라이드 컴퍼니를 창립했다.

1771년부터 수력을 동력으로 한 큰 방적공장들을 세웠다. 기존의 직물공업은 소규모 하청업자들에 의해 운영되어 품질관리가 어려웠지만, 아크라이트는 대규모 공장을 운영하여 전체적인 과정을 규격화할 수 있었기에 매우 높은 품질의 직물을 생산할 수 있었다. 또한 아크라이트는 발명가이면서 동시에 유능한 기업가였다. 그는 자본을 조달하는 방법, 인적 네트워크를 구성하는 방법, 시장에서의 마케팅 등 사업에 필요한 사항에 대해 타고난 재능을 가지고 있었다.

1775년에는 방적기에 관한 두 번째 특허를 얻었는데, 이 특허에 대해 토머스 하이스Thomas Highs란 사람이 자신의 발명을 표절한 것이라고 주장했다. 그는 방적기에 들어가는 기계부품들을 시계공에게 위탁해서 제작했는데 나중에 아크라이트가 그 시계공을 고용해 제작 비밀을 빼내 갔다고 주장했다. 아크라이트는 이 특허 소송에서 패소했고, 그의 특허는 무효가 되었다. 그로 인해 그의 발명품은 누구나 사용할 수 있게 되었다.

하지만 아이러니하게도 이 판결로 인해 아크라이트 방적기는 더 빠르게 확산되어 나갔고, 섬유산업의 발전에 혁명적 역할을 할 수가 있었다. 아크라이트의 방적공장 이후 영국의 섬유산업은 폭발적으로 성장했다. 인류의 입는 문제를 해결한 역사적 사건이었다. 그는 1786년에 영국 국왕으로부터 기사 작위를 받았다.

하지만, 캘리코에 대항해 기존 모직업자들이 반발했듯이 이번에도 대량생산 공장의 등장에 대해 기존의 소규모 수공업자들이 반발했다. 기계파괴운동이라고도 하는 러다이트 운동Luddite Movement이 1811~1817년에 발생한 것이다. 이 운동의 주동자였던 제너럴 러드General Ludd를 따르는 사람들을 러다이트Luddite라고 하였는데, 제너럴 러드는 가상의 인물이라는 설도 있고, 네드 러드Ned Ludd라는 실존 인물이라는 설도 있다.

1812년 영국 의회는 기계를 파괴하는 노동자는 사형에 처할 수 있다는 법안을 제정했고, 1813년 2월 영국 정부는 실제로 러다이트 운동을 주동한 열네 명의 노동자들을 교수형에 처했다. 그러나 신문물에 대한 저항은 여기서 멈추지 않고 이후에도 이어진다.

3. 중화학공업혁명Heavy chemical Revolution

일명 2차 산업혁명

섬유산업에서 시작된 공장혁명은 시간이 지나면서 점차 더 큰 규모의 산업으로도 번져나갔다. 대표적으로 철강산업, 화학산업이 그것이다. 1800년대 초중반에 보통 중화학공업이라고 부르는 산업군에도 혁명적인 변화가 시작되었다.

그것은 기존의 섬유산업에 비해 훨씬 많은 자본과 큰 공장이 필요했으므로, 농업 회사partnership company로는 불가능했고 훨씬 더 큰 규모의 회사가 필요했다. 하지만 영국에서는 거품법Bubble Act이 시행되고 있어서 이런 변화에 대처할 수 없었다. 미국과 프랑스에서는 이런 규제가 없었으므로 영국보다 먼저 앞서 나가기 시작했다.

공장혁명으로 최초의 혁명적 변화에 불을 붙였던 영국이었지만, 법적 규제로 인해 그다음 순서인 중화학공업에서는 뒤처지게 되었다. 시간이 지나면서 영국에서도 거품법을 폐지하고 자유롭게 대규모 주식회사를 설립할 수 있도록 법안이 바뀌기 시작했다. 마침내 완벽한 형태의 주식회사joint-stock company가 등장하였다.

1720 사우스 시 컴퍼니의 버블, 거품법 제정
1720 ~ 1825, 거품법 시행 ; 국가의 특허없이 회사 설립 불가
1825 - 거품법 폐지
1844 - 주식회사등기법, the Joint Stock Companies Resistration Act
 ; DOS, the Deed of Settlement회사설립증서를 상무부에 등기하면 법인 회사로 인정
1855 - 유한책임법, Limited Liability Act
 ; 주식회사 제도의 완결
1856 - 주식회사법, the Joint Stock Companies Act
 ; 유한책임법을 흡수 통합

---

1. 뮤퐁 DuPont (1802)

정식 명칭은 "E. I. du Pont de Nemours and Company"

프랑스의 신교도인 위그노 출신이며, 유명한 화학자 라부아지에Antoine Lavoisier 의 제자였던 엘뢰테르 이레네 듀퐁Éleuthère Irénée du Pont이 프랑스혁명의 혼 란을 피해 미국으로 이주해서 1802년에 설립한 회사이다. 라이터로 유명한 "S. T. du Pont"과는 아무런 관계가 없다. 창업주의 이름이 같아 회사 이름이 같을 뿐이 다.

이 회사의 제품으로 가장 유명한 것은 나일론nylon이다. 나일론은 폴리아마이드 계열의 합성 고분자 화합물을 통칭하며, 비단과 같은 질감을 내는 합성섬유다. 하 버드대학 화학교수 출신으로 듀퐁에 입사한 윌리스 캐러더스Wallace Hume Carothers가 1935년에 최초로 합성했다.

나일론의 용도로서 가장 유명한 것은 여성들의 스타킹이다. 1939년에 나일론 소 재의 스타킹이 최초로 만들어지자 어마어마한 인기를 끌어, 이것을 모르는 여성은 있어도 알면서 착용하지 않는 여성은 없다고 할 정도였다. 제2차 세계대전 시기에 는 낙하산이나 방탄복에 쓰기 위해 스타킹의 생산과 공급을 줄이자 스타킹을 애 용하던 여성들이 맨살을 드러내는 것에 부담을 느껴서 다리에 털을 면도하거나 제모를 하기도 했다고 한다. 심지어 스타킹을 착용한 것처럼 페인트칠을 하기도 했다고 하니 실로 어마무시한 인기였다.

스타킹용 나일론과는 약간 다른 MC나일론Mono Cast nylon은 기계적 강도가 플 라스틱보다 뛰어나고 내마모성, 내약품성을 가지고 있어서 나사, 톱니바퀴, 기타 기계 부품으로도 사용된다.

또한 이 회사 제품으로 유명한 것은 프레온 가스Freon gas로, 염소와 불소를 포 함한 유기 화합물 염화불화탄소chlorofluorocarbon, CFC이다. 프레온 가스는 1928 년에 발견되어 냉장고의 냉매, 발포제, 분사제, 세정제 등으로 광범위하게 사용되 었지만, 나중에 오존층 파괴의 주요 원인으로 지목되면서 생산이 금지되었다. 그러 나 지금도 건축물이나 냉장 시설의 단열재로는 여전히 사용되고 있다.

또한 이 회사 제품으로 프라이팬 코팅재료 등으로 알려진 테플론Teflon과 이 테플 론을 이용해서 만든 고어텍스가 있다. 고어텍스Gore-tex는 듀퐁에서 근무했던 고 어Wilbert (Bill) Lee Gore가 퇴사하여 1958년에 부인과 함께 "W. L. Gore & Associates, Inc."란 회사를 창립해서 제품화한 것으로, 방수가 되는 섬유로 유명 하다.

이런 화학제품의 생산으로 인류의 일상생활을 편리하게 하는데 큰 공헌을 했으며,

기타 군수산업, 우주산업, 현대 농업 등에도 관여하고 있다.

2017년에 사업의 구조조정을 위해 다우 케미칼Dow chemical과 합병하여 다우듀퐁DowDupont Inc.이 되었고, 1865년에 설립된 독일의 바스프BASF, Badische Anilin & Soda Fabrik와 함께 세계 화학산업을 이끌고 있다.

2. 카네기 철강회사 (1892)
Carnegie Steel Company -> U.S. Steel Company (1901)

앤드류 카네기Andrew Carnegie는 1835년에 스코틀랜드의 던펌린Dunfermline에서 가내수공업자인 직조공의 아들로 태어났다. 수동식 직조기를 사용하던 그의 아버지는 1847년에 증기식 직조기가 도입되면서 생계가 어려워지자, 1848년 카네기가 12세 때 가족을 데리고 미국의 펜실베이니아주 피츠버그로 이주하였다.

이주 후 카네기는 면직물 공장에 들어가 일을 하기 시작했다. 던펌린에서 초등학교를 다닌 것이 학력의 전부였지만, 근면과 성실성 그리고 명석한 머리로 좋은 기회를 잡곤 했다. 전신국에 전보 배달원으로 일하고 있던 때에는 전신기사가 하는 일을 어깨너머로 보고 배워두었는데, 전신기사가 잠시 자리를 비운 사이에 급한 업무가 발생하자 능숙하게 업무를 대신해 정식 전신기사로 일하게 되기도 했다.
이런 카네기를 전신국의 단골손님이었던 펜실베이니아 철도회사의 피츠버그 지부장 토머스 스콧이 눈여겨보고 1853년에 카네기를 스카우트한다. 스콧은 철도 업무뿐만 아니라 투자나 기타 인생살이에 대해 카네기의 스승이 되어준 사람이었다.

1856년에는 철도 침대차 사업에 투자해 처음으로 거금을 벌어들였다. 1859년에는 스콧의 뒤를 이어 펜실베이니아 철도회사의 피츠버그 지부장으로 승진했으며, 1861년에 남북전쟁이 발발하자 스콧을 따라 워싱턴으로 향해 철도와 전신의 복구 업무를 담당했다. 그 무렵에 카네기는 석유회사에 큰돈을 투자해서 엄청난 수익을 얻었고 이것을 자본으로 1863년에 키스톤 교량회사를 설립해서 철강 분야에 뛰어든다.

당시 영국에서는 헨리 베서머Henry Bessemer가 1855년에 베서머 제강법 Bessemer process을 개발해 철강 분야에서 혁명적 변화를 일으키고 있었다. 대형 포탄의 발사를 견딜 만한 포신용 강철을 제조하기 위해 실험을 하다가, 용해된 선철pig iron에 공기를 불어 넣어 주면 불순물이 제거되어 더 좋은 철을 얻을 수 있다는 사실을 알았고 이를 강철 생산에 이용한 것이었다. 이것은 제2차 산업혁명에 가장 중요한 역할을 한 발명이기도 했다.

1872년에 영국의 제강소를 방문한 카네기는 그곳에서 새로운 제강법을 미국으로 도입해, 1875년 미국 최초의 강철공장인 에드거 톰슨 강철회사를 설립해 강철을 대량으로 제조 판매하였다. 1881년에는 프릭 코크스 회사를 합병하고, 1886년에는 홈스테드 제강소를 매입했다.

1892년에 카네기는 기존의 철강관련 사업체를 하나로 묶어 카네기 철강회사 Carnegie Steel Company를 설립했다. 회사는 한때 미국 철강 생산의 4분의 1을 차지할 정도로 큰 규모였다.

1901년에 철강왕 카네기와 금융왕 모건John Pierpont Morgan 사이에 역사적인 메가 빅딜이 이루어졌다. 카네기는 회사를 J.P.모건 에게 303,450,000달러에 매각 하였다. 이후 모건은 다른 철강회사들도 인수 합병해서 당시 세계 최대의 철강회사인 "U.S. Steel Company"를 설립하였다.

회사를 매각한 이후 카네기는 교육 및 문화 사업에 집중했다. 카네기 협회, 카네기 교육진흥재단, 카네기 국제평화재단, 카네기 재단 등을 설립했고, 카네기 공과대학 Carnegie Technical Schools도 설립하였는데, 이는 나중에 종합대학인 카네기 멜론 대학Carnegie Mellon University이 되었다.

3. 제네럴 일렉트릭GE (1892)
General Electric Company
- 같은 이름을 사용하는 영국회사가 있으므로 주의

인공위성에서 지구의 밤을 사진으로 찍은 것을 본 적이 있는가? 칠흑같이 어두운 세상이지만 사람이 사는 지역은 명확히 구분이 된다. 전기를 이용한 조명 덕분이다. 전기를 이용한 전구를 최초로 발명한 사람, 토머스 에디슨Thomas Alva Edison (1847~1931)과 그가 설립한 전기회사 덕분이다.

에디슨은 전기 관련 회사 여러 개에 관련이 되어 있었다.
Edison Lamp Company,
Edison Machine Works,
Edison Electric Light Company 등이었다.

에디슨은 1889년에 이 회사들을 모두 통합하여 새로운 회사를 설립했는데 그 이름이 "Edison general electric company"였다. 하지만 이후에 그는 회사에서 쫓겨나고 만다.

1890년대에는 전기를 먼 곳으로 송전하는 방식을 두고 직류direct current (DC)로 할 것인지, 교류alternating current (AC)로 할 것인지 표준 논란이 일었다. 이 논란에서 에디슨은 직류 방식을 지지하였고, 기차용 공기 브레이크를 발명하고 웨스팅하우스 일렉트릭 컴퍼니를 설립한 조지 웨스팅하우스George Westinghouse는 교류 방식을 지지했다. 이 경쟁에서 교류 방식을 지지한 웨스팅하우스가 승리하였고 에디슨은 패배하였다. 이것을 이유로 회사에서 에디슨을 후원하던 J.P.모건이 회사의 주식을 공개매수하여 지분을 늘린 뒤 "Thomson-Houston Electric Company"라는 전기회사와 "Edison general electric company"를 합병한 후 에디슨을 회사에서 축출해 버렸다. 회사 이름도 에디슨을 빼버리고 "General Electric Company"로 변경하였다. 1892년의 일이었다.

창립 초기의 주요 사업이었던 조명기구를 비롯하여 각종 가전제품, 의료기기 (초음파, CT, MRI, PET), 각종 엔진 (자동차용, 철도기관차용, 비행기용, 선박용), 선박용 부품 (선박제어시스템, 선박용 엔진, 시추선, 해양플랜트 장비)등을 생산하였다. 원자력사업, 에너지사업, 금융업 (GE 캐피탈)등도 하였으며, 미국의 방송사 NBC를 소유했다가 매각하기도 하였다.

창립자 토머스 에디슨 이외에 GE 하면 빼놓을 수 없는 사람으로 잭 웰치Jack Welch가 있다. 화공학 박사 출신으로 회사에 입사해 1981년 최연소로 회장이 되었다. 불필요한 사업부를 제거하고 많은 직원들을 해고하면서 "Neutron Jack중성자폭탄 잭"이라는 별명을 얻었고, 모토로라의 6시그마 전략을 채용하는 등 경영혁신으로 회사를 세계 최고의 기업으로 성장시켰다. 1981년 회장으로 부임할 당시의 회사 가치는 120억 달러였는데, 퇴임하던 2001년에는 4500억 달러로 약 40배가 증가했다.

21세기 들어서면서부터 성장이 지체되기 시작했고, 2015년부터는 소프트웨어 기업으로 전환하기 위해 기존 사업을 정리하고 있다. 가전사업부와 조명사업부도 매각하였나.

4. 제이피 모건 은행
J.P. Morgan & Co. (1861) -> JPMorgan Chase & Co. (2000)

은행Bank銀行은 돈을 맡아주고, 맡아둔 그 돈을 다시 다른 사람에게 빌려주는 곳이다. 거래하는 존재인 인간에게 돈은 필수품이다. 이 필수품을 유통하는 곳이 은행이다. 은행을 이야기하기 전에 돈에 대해 좀 더 깊이 알아보자.

최초의 돈은 음식물이었을 것이다. 가장 확실한 가치를 지닌 것이 음식물이니까. 그러나 음식물은 보관과 운반이 불편하다. 이 불편함을 해결할 다른 물건을 찾았다. 조개껍질, 돌 등 자연에 존재하는 것들이 대상이 되었다.

조개껍질 화폐로 유명한 것은 카우리 조개Cowrie shell화폐다. 조개 화폐라면 아주아주 고대에 원시인들이나 사용하던 돈으로 생각되겠지만 천만에, 인도양의 몰디브Maldives에서 생산되는 독특한 형태의 이 조개는 대항해시대에는 물론 20세기 초반까지도 생산지에서 아주 멀리 떨어진 유럽과 중국 남부에서도 사용되어 기축통화 역할을 해냈다.

돌 화폐로 유명한 것은 태평양 마이크로네시아의 야프Yap 섬에서 사용된 "Rai"다. 둥근 원반 형태의 돌 중앙에 구멍을 뚫어 도넛 모양이었다. 지름 7~8cm 정도의 작은 것도 있지만, 지름 3~4m에 4톤 정도 되는 큰 것도 있었다. 이 무거운 돈을 어떻게 주고받았을까? 답은 "주고받지 않았다"이다. 그냥 같은 곳에 두고 소유자만 바뀌는 것이다. 심지어 돌이 원래 있었던 곳에서 배로 가져오다가 잘못되어 바닷속에 빠져버린 것도 있었는데, 이것도 소유주가 있어서 돈으로서의 역할을 했다. 그 섬의 사람들은 모두 누가 그 돌 화폐의 주인인지를 알았고 그래서 화폐로 쓰이는데 아무런 문제가 없었다. 그래도 좀 원시적이라고? 그럼 이건 어떤가? 미국 켄터키주 포트 녹스Fort Knox에는 미국 금괴보관소가 있는데, 뉴욕의 연방준비은행 금고과 함께 미국이 보유하고 있는 금의 상당수를 보관하고 있다. 가끔 매매가 이루어져 주인이 바뀌기도 하는데, 이 금을 매수자가 가져가지 않고 거기에 그냥 둔다. 포트 녹스는 미국 전차부대의 헤드쿼터로 보안이 아주 잘 되어 있어서, 괜히 금을 운반하다가 갱들에게 탈취라도 당하기보다 금고 사용료를 물고 그냥 거기에 두는 것이 훨씬 안전하기 때문이다.

조개껍질과 돌도 화폐로 사용되었지만, 사람들에게 가장 오랫동안 사랑을 받아온 것은 금속화폐 즉 금과 은이었다.

은銀은 중국 명나라에서 화폐로 사용되었는데, 상인들의 조직인 행行과 합쳐져서 은행銀行이란 단어의 어원이 되었다. 銀行은행을 영어로 직역하면, "silver를 화폐로 사용하는 guild", 줄여서 "silver guild"쯤 되겠다.

금은 전 세계적으로 아주 오랫동안 화폐 역할을 해왔다. 물론 현재까지도. 그런데 물건을 사고팔면서 금을 주고받기는 좀 위험하고 불편하다. 그래서 금을 맡아주고 대신 금 보관증을 써주는 업자가 생겼다. 뱅크bank다.

"bank"의 어원이 되는 단어가 인도유럽어족의 조상인 고대 언어에 있었던 것 같다. 아마도 주변의 땅보다 약간 솟아오른 길쭉한 언덕, 즉 제방이나 둑 또는 해변의 모래톱을 지칭하는 단어였을 것이다. 이런 의미가 가장 잘 남아 있는 것이 스웨덴어의 bank다. 노르웨이어의 banke는 해변의 긴 모래톱을 의미한다. 독일어와 네덜란드어의 bank, 프랑스어의 banque는 제방이나 둑처럼 생긴 길고 약간 높은 형태의 가구 즉 긴 의자, 작업대, 판매대 등을 뜻하는 단어로 쓰였다. 영어에서는 이것을 bench라고 했다. 현대 영어의 benchmark는 바로 이런 언덕에 어떤 표시를 해두고 기준점으로 삼았던 데서 유래한 단어일 것이다. 더 나아가 다른 사람의 기준점을 모방해 내 기준점으로 삼는 것은 benchmarking이 되었다.

이런 banke, bank, bench를 이탈리아어에서는 banco라고 했는데, 상업과 금융이 발달된 북부 이탈리아 특히 피렌체에서 르네상스 시대에 이 banco를 사이에 두고 전당포, 환전, 기타 금융업을 하는 사업장도 또한 banco라 하게 되었다. banco 위에다 녹색 천을 덮어 깔끔하게 보이도록 했다고 한다. 이 banco가 다시 다른 나라들로 건너가 은행이라는 의미의 bank가 되었다.

영어 단어의 bench와 bank는 같은 조상 단어에서 유래되어 다른 의미로 쓰이게 된 말이다. 독일어, 네덜란드어, 프랑스어에서는 두 단어의 스펠링이 같다.

은행에 금을 맡겨두면 금 보관증을 준다. 시장에서 물건을 거래할 때 이 보관증을 주고받으면 금을 주고받는 것과 마찬가지다. 그래서 은행권, 즉 종이화폐인 지폐가 시작되었다. 지금도 종이화폐에는 이것을 발행한 은행 총재의 도장이나 서명이 있다. 금 보관증에서 유래했다는 흔적이다.

그런데 은행업자들은 재미있는 사실 하나를 발견한다. 손님들이 맡겨둔 금으로만 은행권을 발행하는 것이 아니라, 그보다 더 많은 금액의 은행권을 발행해도 된다는 것이다. 손님들이 "거의" 금을 찾으러 오지 않기 때문이다. 은행업자는 더 많은 수수료를 챙길 수 있게 되었다.

그런데 여기서 잠깐, "거의"는 "완전히"가 아니다. "가끔" 금 보관증 즉 지폐를 가진 사람들이 금을 달라고 은행을 찾아오는 경우가 있다. 은행으로 달려간다고 해서 "Bank run"이라고 한다. 은행의 신용에 문제가 생길 때다. 가지고 있는 금보다 너무 많은 지폐를 찍어낼 때 이런 현상이 생긴다. 이제는 세상이 변해 은행의 예금통장을 들고 와서 맡겨둔 돈을 지폐로 달라고 하는 것도 "Bank run"이라고 한다.

금속화폐인 금이라는 어머니와 은행권 즉 지폐라는 자식 사이에는 눈에 보이지 않는 탯줄이 연결되어 있었다. 이 탯줄을 끊어버리려는 노력은 오래전에도 있었다. 스코틀랜드에서 태어나 프랑스에서 활약한 경제학자이며 은행가인 존 로John Law (1671~1729)가 그 사람이다.

은행권 즉 지폐를 금으로 교환해주는 화폐 ; Convertible currency 태환화폐
은행권인데 금으로 교환해주지 않는 화폐 ; Nonconvertible currency 불환화폐

그러나 존 로의 불환화폐라는 아이디어는 불행하게도, 1720년에 그의 주도로 발생한 미시시피 회사의 버블 사태로 인해 오랫동안 현실로 실현되지 못했다. 하지만 경제의 규모가 커지면 불환 화폐는 반드시 필요해진다.

존 로로부터 250여 년이라는 긴 세월이 지난 1971년 8월 15일, 마침내 불환화폐가 현실 세계에 등장했다. 금과 지폐 사이의 보이지 않는 탯줄을 끊어버린 사람은 미국의 37대 대통령 리처드 닉슨Richard Milhous Nixon이었다.
당시는 1944년에 체결된 브레턴우즈 협정Bretton Woods agreement에 따라 금 1온스(31.1g)를 35달러에 고정하는 금본위제가 시행되고 있던 브레턴우즈 체제였다. 즉 그때까지 미국 달러는 금으로 바꿔준다는 태환화폐였지만, 전 세계의 무역에 사용되는 기축통화인 달러를 미국이 보유한 금으로 태환해줄 수는 없었다. 닉슨 대통령이 이 연결고리를 끊어버린 것이다. 불환화폐는 경제 발전에 필연적인 발명품이다.

※ 돈을 의미하는 영어 단어들
* money돈 ; 가장 일반적인 의미의 돈
* coin동전 ; 금속으로 만들어진 돈, 현대의 우리는 동전만 사용하지만 예전엔 금전, 은전도 사용하였다.
* bill (미국) 계산서 또는 지폐 / note (영국) 메모 또는 지폐
; 종이로 만들어진 돈, 종이화폐, 지폐paper money
* cash현금 ; 수표, 어음, 신용카드처럼 시중에서 신용에 의해 재창조된 돈이 아니

라, 중앙은행이 직접 발행한 동전과 지폐
* currency통화 ; 현재 시중에서 사용중인 돈
* capital자본 ; 사업에 쓸 목적으로 모인 돈

돈은 조개껍질이었고, 돌이었고, 금이었고, 종이였다. 형태로만 보면 그렇다. 하지만 돈의 실체는 사람들 사이의 약속, 즉 "신용credit"이다. 야프섬의 돌 화폐 Rai가 돈으로 사용되는 것도, 미국 재무부가 발행한 달러가 돈으로 사용되는 것도 모두 이 신용 때문이다.
돈의 실체는 사람들이 경제활동을 편하게 하기 위해서 자신들만의 독특한 특성인 추상성과 창조성을 이용해 만들어낸 창조물로, "신용"이라는 추상적 개념을 눈에 보이는 구체적 형태 즉 "돈"으로 변환한 것이다. 마치 "자연의 위대한 힘"이라는 추상적 개념을 "신God"이라는 구체적 형태로 변환시켜 사용하는 것처럼.
시장경제는 바로 이 신용으로 굴러간다. 시장경제를 이끌어 가는 두 기둥은 "계약"과 "신용"이다, 쉽게 표현하면 "약속"과 "약속을 지키는 것"이 시장경제의 기본원리다.

경제가 발전하면 금융업이 동시에 발전한다. 은행은 상업이 발달한 시대에 경제가 발달한 지역에서 함께 발달했다.
세계 역사에 흔적을 남긴 은행 가문을 3개 꼽으라면
1300년대 말기부터 르네상스를 일으킨 피렌체의 메디치 가문Famiglia Medici,
1700년대 말부터 시작된 유럽의 도약기에 활약한 유태인 로스차일드Rothschild 가문 (영어로 로스차일드, 독일어로는 로트실트, 프랑스어로는 로쉴드),
1800년대 후반부터 시작된 미국의 모건Morgan 가문이다.

모건 가문도 옛날 같으면 자손들에게 이어졌겠지만, 이제는 주식회사 시스템으로 내려오고 있다. 은행업을 시작한 아버지 J. S. 모건의 사업을 물려받은 아들 J. P. 모건은 은행업은 물론이고, 카네기의 철강회사를 인수해 U.S.스틸을 만들어 철강업에 큰 영향을 미쳤고, 에디슨의 회사를 인수해 "General Electric"을 만들기도 하는 등 현대 미국산업의 기초를 형성하는데 엄청난 영향을 미쳤다. 그리고 그 이름은 지금도 세계 최대의 은행 "JPMorgan Chase"에 남아 있다.

이 은행의 시작은 모건이 아닌 피바디로부터 시작된다. 1830년에 미국의 사업가 조지 피바디George Peabody가 런던에서 은행업을 시작한 것이 이 회사의 출발이었다. 1851년에 "George Peabody & Co."란 이름으로, 그리고 1854년에 J. S.

모건Junius Spencer Morgan (1813~1890)이 피바디의 동업자가 되어 "Peabody, Morgan & Co"가 되었고, 10년 후인 1864년에 피바디가 은퇴하면서 회사를 인수하여 "J.S. Morgan & Co."로 이름을 바꾸었다.

1861년에 주니어스의 아들 J. P. 모건John Pierpont Morgan (1837~1913)이 뉴욕에 "J.P. Morgan & Co."를 설립하여 런던에 있는 아버지의 회사에서 인수한 유럽의 증권을 뉴욕에서 판매하면서 사업을 시작하였다.
이후 연이은 합병으로 은행의 덩치가 점차 그리고 매우 커졌고, 가장 최근인 2000년에는 "Chase Manhattan Bank"와 합병하여 지금의 이름인 "JPMorgan Chase & Co."가 되었다.

4. 교통혁명Transportation Revolution

산업혁명을 보통 1차부터 4차까지 구분하는데, 그 구분엔 교통에 관한 사항이 빠져있다. 하지만 기차와 철도, 자동차, 비행기, 선박 등 교통부문에서도 엄청난 규모의 혁명적 변화가 있었다. 그리고 그 변화의 중심에도 주식회사들이 있었다.

철도회사 중에는 주식의 역사에서 가장 유명한 이리 철도, 자동차회사 중에는 컨베이어 벨트 시스템을 채용해 자동차 제조는 물론 제조업 전체에 혁명석 변화를 일으킨 포드 자동차, 그리고 비행기 제조회사인 보잉. 이들이 사람들을 더 빨리, 더 멀리, 더 편하게 왕래하도록 한 주역들이다.

1. 이리 철도회사 (1832)
Erie Railroad

교통혁명은 기차에서 맨 먼저 시작되었다.

1765년에 제임스 와트James Watt가 증기기관을 발명했고, 1804년 리처드 트레비딕Richard Trevithick이 최초로 증기기관차 발명했으나 상용화되지는 못했다. 선로를 주철로 만들어 무게를 이기지 못하고 깨졌기 때문이다.

이후 조지 스티븐슨George Stephenson이 선로를 주철 대신 연철로 만들어 상용화에 성공했다. 1825년 9월 27일, 기관차 로코모션Locomotion이 석탄을 실은 화차를 달고 시속 13km의 속도로 영국의 스톡턴-달링턴 노선을 달린 것이 세계 최초의 기차다. 1830년에 기관차 로켓Rocket이 사람을 실은 객차를 달고 리버풀-맨체스터 노선을 달린 것이 최초의 여객용 기차다. 이후 영국과 미국을 중심으로 여러 나라에서 철로가 개설되기 시작했다.

조지 허드슨George Hudson은 어려서 부모를 잃고 친척 집에서 자라다가 부유한 친척이 물려준 재산으로 요크시의 시장이 된 사람이다. 1834년에 조지 스티븐슨을 우연히 만나게 되어 철도의 중요성을 깨달았다. 1842년 요크-노스미들랜드 철도회사York and North Midland Railway를 설립하고 이후 다른 철도회사들도 인수했다. 1844년에 그가 소유한 철도노선이 1,000km로, 당시 영국 전체 철도노선의 3분의1 정도를 차지해 철도왕이라는 별명을 얻었다.

이 당시 철도 주식이 선풍적인 인기를 끌었다. 철도 숫사슴railway stags이란 용어도 등장했는데, 이는 철도회사 주식 단기매매자를 뜻한다.

1841년에는 영국의 토머스 쿡Thomas Cook이 최초의 여행사인 토머스 쿡 앤드 선Thomas Cook and Son을 설립해 철도를 이용한 패키지 투어를 만들었다. 지금은 대부분의 사람들이 비행기, 선박, 자동차를 이용해 국내는 물론 해외여행을 자유롭게 떠나는 시대지만, 당시만 해도 여행은 아무나 떠날 수 있는 것이 아니었다. 토머스 쿡이 여행사를 만들면서 여행이 대중화되기 시작했다.

※ 주식 동물원

주식투자자를 동물에 비유해 부르는 경우가 많았다. 대표적인 것으로 다음과 같은 것들이 있다.

곰bear

주가가 떨어질 것으로 예상하고 공매도를 하는 투자자.

옛날 곰 사냥꾼이 곰을 잡기도 전에 곰 가죽을 미리 팔았던 데서 유래하였다. 나중에 곰 사냥꾼은 곰을 직접 잡아서 매수자에게 가죽을 갚아주어도 되었지만, 곰을 잡지 못하면 시장에서 사서 갚아주어도 되었다. 이런 제도가 주식시장에서도 사용되어 공매도 제도가 생겼다. 공매도가 주가를 떨어트린다고 싫어하는 사람들도 있지만, 주식이 적정가격을 찾아가는 과정이라고 보면 긍정적인 측면이 더 많은 제도다.

황소bull

주가가 오를 것으로 예상하고 주식을 매수하는 투자자.

곰에 대응해서 나중에 생긴 용어다. 곰은 공격할 때 뒷발로 서서 앞발을 이용해 위에서 아래로 찍어 누르는데 반해 황소는 두 뿔을 이용해 아래에서 위로 치받아 올리는 데서 유래한 것으로 추정된다. 세계 경제의 중심지 뉴욕 월스트리트에는 이 황소의 동상이 서 있다. 곰의 동상은 없다.

절름발이 오리lame duck

채무 불이행 상태에 빠진 주식투자자.

주식을 살 때 자신이 가지고 있는 현금보다 더 많은 주식을 증권회사가 제공하는 빚 즉 레버리지leverage를 이용해 샀는데, 주가가 폭락해서 빚을 갚지 못하게 되어버린 투자자를 말한다. 나중에는 임기가 얼마 남지 않아 영향력이 적어진 대통령을 의미하게 되었다.

숫사슴stag
주로 1840년대 철도 투기에서 단기로 주식을 매매하던 개인 투자자

이리 전쟁Erie War, 1868년

이리 호Lake Erie는 미국 북동부에 있는 호수의 이름으로 5대호 가운데 하나다. 모르는 사람이라면 "이리 전쟁? 이 호수에서 큰 전쟁이 일어났었나?" 할 수도 있다. 하지만 이리 전쟁은 이 호수의 이름에서 따온 철도회사인 이리 철도회사의 경영권 분쟁을 말한다. 총칼을 들고 싸운 전쟁이 아니라 철도회사의 경영권 분쟁이지만 전쟁이라고 하는 이유는 그만큼 치열했기 때문이다. 당시 미국 대통령이었던 앤드류 존슨의 탄핵이 진행되고 있었는데, 사람들은 대통령 탄핵보다 이리 전쟁에 더 관심이 더 많았다고 한다.

영국의 철도왕이 조지 허드슨이라면, 미국의 철도왕은 코넬리우스 밴더빌트 Cornelius Vanderbilt (1794~1877)였다. 밴더빌트는 센트럴 철도를 운영하고 있었고, 다니엘 드루, 제이 굴드, 짐 피스크는 이리 철도Erie Railroad를 운영하고 있었다. 이 두 회사는 노선이 겹쳐 서로 경쟁 관계였다.

1차 전쟁은 밴더빌트가 먼저 시작하였다. 그는 이전에 연안 여객선 사업을 할 때부터 운임을 엄청나게 낮춰서 경쟁업체를 눌러버리는 수법으로 회사를 키워왔는데, 철도에서도 그 수법을 써먹기로 하였다. 센트럴 철도의 뉴욕-버팔로 구간의 운임을 125달러에서 100달러로 전격 인하하면서 전쟁이 시작되었다. 이리 철도의 다니엘 드루도 지지않고 맞받아쳐서 75달러로 인하했다. 치고받고 하면서 운임이 1달러까지 떨어졌다. 밴더빌트는 그렇게까지 운임이 떨어져도 자금력이 풍부한 자신이 이길 거라고 생각하고 있었다.

하지만 다니엘 드루의 꼼수, 가축사업을 했던 그는 자신의 소를 밴더빌트 화물차에 실어 운반해서 거의 공짜로 가축을 운반했나. 이를 알게 된 밴더빌트는 분노했고, 이리 철도를 빼앗기로 마음먹고 이리 철도의 주식을 비밀리에 매집하기 시작했다. 본격적인 2차 전쟁이 시작된 것이다. 다니엘 드루는 비밀리에 진행되던 밴

더빌트의 주식 매집을 알게 되었고, 이에 대항해서 물타기를 진행했다. 이 당시에는 아직 주식 관련 법이 미비해서 다른 주주들 모르게 신주를 발행할 수 있었기에 드루와 그 일당들은 이리 철도의 신주를 700만 달러어치나 발행해 버린 것이다. 이것을 알게 된 밴더빌트는 판사를 매수해 드루 일당의 체포영장을 발부하게 했다.

드루 일당은 체포되기 직전에 허드슨강을 건너 뉴욕의 법이 미치지 않는 뉴저지로 도망가 버렸다. 뉴저지의 경찰과 법원 그리고 주의회에 뇌물을 뿌렸고, 자신들에게 유리한 법안을 제정하도록 했다. 밴더빌트도 뉴저지주 의회에 뇌물을 주고 자신의 편으로 끌어들이려 했으나, 결국엔 포기하고 물러났다. 이리 철도에서는 다니엘 드루의 부하였던 제이 굴드와 짐 피스크가 반란을 일으켜 드루를 밀어내고 경영권을 장악하고 있었으므로, 이리 전쟁의 최종 승자는 굴드와 피스크가 되었다.

밴더빌트는 이후에도 미국의 철도산업을 꾸준히 키웠고, "The Commodore제독" 이란 별명을 얻었다. 테네시주 내슈빌에 막대한 금액을 기부해 밴더빌트 대학을 세웠다. 그를 투기꾼이라고 비난하는 사람도 있지만, 철도산업을 키운 위대한 투자자로 사업가로 존경하는 사람들이 더 많다.
이리 전쟁 이후에 신주 발행을 사전에 알리는 공시제도가 시행되어 물타기를 할 수 없게 되었다.

2. 포드 자동차회사 (1903)
Ford Motor Company

자동차에 관해서라면 1900년대는 내연기관의 시대였다. 가솔린엔진과 디젤엔진을 장착한 자동차들이 세계의 도로를 누볐다. 2000년대 들어서면서부터는 전기자동차가 친환경이라는 이유로 각광을 받기 시작했다. 그래서 사람들은 자동차 하면 가솔린자동차가 제일 먼저, 그다음으로 전기자동차가 개발되었다고 생각할 것이다. 하지만 최초의 자동차는 증기자동차였다.

최초의 자동차는 1769년 프랑스의 니콜라 퀴뇨Nicolas Joseph Cugnot가 처음 발명한 증기자동차였다.
전기자동차는 그보다 훨씬 뒤인 1881년에 프랑스의 구스타프 트루베Gustave Pierre Trouvé가 발명한 세 바퀴 달린 자동차였다.

내연기관 자동차는 가장 늦게 1885년에서야 독일의 기술자인 칼 벤츠Carl Friedrich Benz와 고트립 다임러Gottlieb Wilhelm Daimler가 개발하였다.

1800년대 초중반부터 철도가 장거리 운송을 담당하기 시작하면서, 차츰 근거리 운송에 필요한 장치의 필요성이 대두되었다. 그리하여 1900년대 초에는 증기자동차, 전기자동차, 가솔린자동차가 3파전을 벌이고 있었고, 가솔린자동차가 다른 경쟁 상대를 누르고 이길 것이라고 생각한 사람은 거의 없었다.

1900년대 초에 가장 사랑을 받았던 것은 증기자동차였다. 크기가 처음보다 매우 작아졌고, 엔진이 강력하여 어떤 도로에서도 달릴 수 있었다. 특히 "Stanley Motor Carriage Company"가 개발한 증기 자동차 "Stanley Steamer Rocket"은 자동차 경주에서 시속 127.7mile (= 시속 205.5km)의 속도를 냈다.
하지만 연료인 석탄, 물, 물을 끓이는 보일러, 증기로 돌아가는 엔진(증기기관) 등으로 되어 있어서 너무 무거웠고, 물이 증기로 증발되므로 50km마다 다시 물을 공급해야 했다. 최대의 단점은 시동을 걸려면 증기를 발생시켜야 하므로 최소 30분 정도의 시간이 걸린다는 점이었다.

전기자동차는 현대적 이미지를 가지고 있어서 2000년대에나 상용화되기 시작한 것으로 착각하는 사람들이 많은데, 실제로 전기자동차는 1890년대에 미국의 윌리엄 모리슨William Morrison이 상용화에 성공하였다. 소음이 없고 매연을 배출하지 않아 깨끗한 느낌을 주었고, 간단한 구조로 되어 있어 운전이 쉽고 정비가 쉬웠다.
하지만 최고 속도가 시속 32km에 불과했으며, 80km를 달리면 충전을 다시 해야 했다. 가파른 언덕을 오를 수도 없었고, 비용이 너무 많이 들었다.

초기의 가솔린 자동차는 다른 자동차들에 비해 매우 불편한 기계였다. 여러 가지 기계 장치들이 복잡하게 연결되어 있어 고장이 빈번히 발생했으며 정비도 쉽지 않았다. 장점을 찾아보자면 경사로를 쉽게 오를 수 있고, 속도가 꽤 빨랐으며, 연료의 추가 공급 없이도 120km 정도를 달릴 수 있었다는 점이었다.

1900년에 미국에서 약 4,000대의 자동차가 생산되었는데, 증기자동차가 약 40%, 전기자동차가 약 38%를 차지하고 있었고 가솔린자동차는 고작 22%에 불과했다. 사람들은 증기자동차와 전기자동차 중에서 어느 쪽이 승리할지 궁금해하고 있었다. 가솔린자동차의 성공 가능성을 높게 생각하는 사람은 거의 없었다.

그런데 결국 승리를 차지한 것은 가솔린자동차였다. 그 이유가 뭘까? 우연이 항상 역사를 만들어내곤 하는데 여기서도 그랬다. 우연이 제일 중요한 원인이었다.

※ 가솔린자동차가 증기자동차, 전기자동차를 제치고 승리한 이유
① 제1차 세계대전 발발
전쟁 중에는 가솔린자동차가 가장 유용했다. 증기자동차는 시동을 거는데 30분 이상이 걸렸고, 전기자동차는 가파른 언덕을 오를 수 없었다. 많은 단점에도 불구하고 전쟁 때문에 가솔린자동차가 유리한 고지를 먼저 점령했다.
② 텍사스에서 유전 발견
기름값이 하락하여 유지비용이 가장 적게 들었다.
③ 그리고 포드자동차의 "Model T"
중산층도 자동차를 살 수 있게 되었다. 가솔린자동차가 대세가 되었다.

당시의 자동차는 사치품이었다. 증기자동차든 전기자동차든 가솔린자동차든, 자동차라면 모두 재벌이나 귀족들만 탈 수 있는 아주 비싼 물건이었다. 하지만 헨리 포드는 평범한 월급쟁이라도 살 수 있는 대중적인 자동차를 만들고 싶어 했다.

헨리 포드Henry Ford (1863~1947)는 농부의 아들로 태어나 어려서부터 기계에 흥미를 가져 학업을 중단하고 15세 때 기계공이 되었다. 1899년까지 디트로이트에 있는 에디슨회사에서 기술책임자로 있었으며, 1903년에 동업자와 함께 포드자동차 회사를 설립했다.
값싸고 튼튼한 자동차를 만들기 위해 그는 부품과 공구를 "표준화"하고, 작업공정을 "세분화"해서, 작업자마다 한가지 작업만 하도록 "단순화"했다.
1903년 모델 A를 시작으로 알파벳 순서대로 제품을 설계하기 시작해 모델 B, 모델 C, 모델 F, 모델 K, 모델 N, 모델 R, 모델 S를 설계했다. 그리고 마침내 이 모델들의 모든 장점을 결합하여 만들어낸 것이 "모델 T"였다.
모델 T는 1908년 10월 13일에 출시되었는데, 이때 가격이 다른 차와 비교해 매우 저렴한 825달러였고 출시되자마자 엄청나게 팔려나갔다. 모델 T는 무게가 550kg에 불과하면서도 20마력의 강력한 힘을 가진 4기통 엔진을 탑재하고 있었다. 발로 조작하는 2단 변속기가 장착되어 있어서 운전을 하는 것도 어렵지 않았다.

1913년에는 공장에 컨베이어 벨트로 연결된 조립라인을 구축했다. 세계 최초의 컨베이어 벨트 시스템 conveyor belt system이 공장에 도입된 것이다. 이후 이 시

스템은 자동차 제조뿐 아니라 모든 제조업 공장에 채택되어 가히 제2차 공장혁명이라고 부를 수 있을 만큼 혁명적 변화를 가져왔다.

하지만 작업이 단순화되자 작업자들이 피로감을 많이 느껴 회사를 그만두는 사람이 많아졌다. 그래서 포드는 1914년에 하루 일급 5달러, 1일 8시간 노동 등 당시로서는 획기적으로 근무조건을 개선시켰다.

당시에 모델 T의 가격은 400달러 정도로 떨어져 있었는데, 그것은 포드 자동차회사에 근무하던 일반 노동자 월급의 4배에 불과하다. 이제 평범한 노동자들도 자동차를 구매할 수 있게 된 것이었다. 그래서 미국은 1920년대에 자동차가 대중화되기 시작했다.

1924년에는 모델 T의 가격을 290달러까지 낮출 수 있었고, 그해 6월 4일에는 1,000만 번째 모델 T가 생산되었다. 약 20년 동안 모델 T는 세계에서 가장 잘 팔리는 자동차였고, 당시 경쟁 차들보다 판매 대수가 6배나 많았다.

하지만 단일모델 단일색상 (모델 T, 검정색)을 고수하면서 사람들의 호감이 떨어지기 시작했고, 경쟁업체인 제너럴 모터스General Motors, GM가 모델 T의 단점을 보완하고 멋진 스타일로 설계해서 "Chevrolet쉐보레"라는 이름으로 출시하자 모델 T는 소비자들의 관심에서 멀어지기 시작했다.

GM이 포드가 독식하던 자동차 시장을 급속히 잠식했지만, 포드는 자신의 분신이나 다름없는 모델 T에 끝까지 집착하다가 점차 사세가 기울기 시작했다. 이렇게 생산성과 효율성만을 중시한 포드는 결국 GM, 크라이슬러 등 후발주자에 밀려서 오랜 기간동안 침체기를 겪다가 1960년대에 "Falcon"과 "Mustang"을 출시하면서 다시 재기에 성공하여 현재에 이르고 있다.

캐나다의 화가 모드 루이스Maud Lewis가 그린 그림 "Model T on tour"를 보면, 이전에는 집 한 채보다 비쌌던 자동차를 적당한 가격에 소유하게 되고 드라이브를 즐길 수 있게 된 당시 중산층들의 행복감을 추측해볼 수 있다.

모델 T의 별명이 "깡통 리찌Tin Lizzie"인 이유

1922년 자동차 경주에 노엘 불록Noel Bullock이란 사람이 올드 리즈Old Liz라고 별명을 붙인 모델 T를 가지고 참가했다. "Liz"는 엘리자베스Elizabeth란 여자 이름의 애칭으로, "Old Liz"는 "늙은 엘리자베스"라는 뜻이다. 올드 리즈는 그 이름처럼 페인트도 벗겨지고, 엔진을 덮는 후드도 없고, 매우 낡아 보이는 차였다. 그래서 관중들이 올드 리즈를 양철 깡통에 빗대서 깡통 리찌Tin Lizzie라 부르며 비웃었다. 소유주인 노엘 자신도 승리하리라고 생각하지는 않고 그냥 재미 삼아 출전한 것이었다.

그런데 웬걸! 이 차가 경주에서 1등을 해버렸네! 당시의 비싼 고급 자동차들을 모두 제끼고! 다른 차들이 고장을 일으켜 퍼져있는 동안 깡통 리찌는 잔 고장 하나 없이 씩씩하게 결승점을 통과해버린 것이다.

이 사건으로 깡통 리찌는 모델 T의 속도와 내구성을 증명하는 계기가 되었고, 이것이 신문에 대서특필 되면서 모델 T는 모두 "Tin Lizzie"라 부르게 되었다. 물론 이제는 더이상 깡통이라는 비웃음의 대상이 아니라 이미 소유한 사람에게는 자부심으로, 아직 소유하지 못한 사람에게는 워너비로.

붉은 깃발법Red flag act

영국에서 자동차가 세상에 새로 출현하자, 마차 사업으로 먹고살던 마부들은 생계를 잃게 될 위험에 처했고 그래서 다음과 같은 법안을 만들어달라고 의회에 요청하였다. 1865년 영국 의회에서 제정돼 1896년까지 실제로 시행된 법안이며, 정식 명칭은 "The locomotives on highways act", 줄여서 "Locomotive act", 보통은 빨간 깃발이 특징적이어서 "Red flag act (붉은 깃발법, 적기조례, 赤旗條例)"라고 한다.

* 한 대의 자동차에는 반드시 운전사, 기관원, 기수 등 3명이 있어야 한다.
* 자동차의 최고 속도는 6.4km/h, 시가지에서는 3.2km/h로 제한한다.
* 기수는 낮에는 붉은 깃발, 밤에는 붉은 등을 들고 자동차의 55m 앞에서 차를 선도하도록 한다.

이 법을 한 마디로 요약하면 "자동차 타지 마"

자동차가 가기 전에 사람이 먼저 달려가서 붉은 깃발로 신호를 하면 그때서야 자동차가 뒤따라온다? 이게 무슨 코미디야? 라고 생각할 수 있겠지만, 붉은 깃발법은 영국에서 약 30년간 실제로 시행되었고 이 같은 규제 때문에 산업혁명의 발상지였던 영국은 자동차 산업에서 그 주도권을 미국, 프랑스, 독일 등 다른 나라에 내주게 되었다. 붉은 깃발법은 새로운 문물의 출현을 막는 악법의 대명사가 되었다.

캘리코 금지법, 붉은 깃발법 등등, 왜 이런 어이없는 일들이 계속해서 일어나는가?

신문물 출현 -> 기존 업자들의 생계가 위협 -> 반발 -> 이들의 표를 의식한 국회의원들이 신문물 금지법안을 제정하기 때문이다.

3. 보잉 사 (1916)
The Boeing Company

인간은 아주 오랜 옛날부터 새처럼 하늘을 나는 꿈을 꾸었다. 이카루스의 신화는 이런 꿈을 보여준다. 1400년대 말 레오나르도 다 빈치는 하늘을 나는 기계를 만들기 위해 새와 닮은 모형의 비행기를 설계하려고 하였다.

많은 노력 끝에 최초의 비행기를 탄생시킨 것은 라이트 형제Wright brothers였다. 자전거 타기를 좋아하고 글라이더 만들기를 즐겼던 오빌 라이트Orville Wright와 윌버 라이트Wilbur Wright 형제는 이 두 가지를 결합하여 최초의 비행기를 제작하였다.

1903년 12월 17일에 ˮ플라이어 1호ˮ를 동생 오빌이 타고, 첫 비행은 12초 동안 36m를 날았고, 두 번째 비행은 59초 동안 243.84m를 비행하였다. 이후 라이트 형제는 비행기 제작에 전념해 비행기 개발을 원조해 주도록 여러 나라에 호소하였다. 1908년 프랑스에서 그들이 설계한 비행기를 조립하겠다는 회사가 나타나 1909년에 ˮ아메리칸 라이트 비행기 제작회사ˮ를 설립했다.

비행기의 시대가 열렸다. 이후 비행기는 1차, 2차 세계대전을 겪으면서 급속한 속도로 발전했다.

윌리엄 보잉William Edward Boeing (1881~1956)

독일에서 미국으로 이주한 빌헬름 뵈잉Wilhelm Böing의 아들로 태어났다. 아버지는 1890년에 인플루엔자로 사망했고 그의 어머니는 곧 재혼했다. 기계를 좋아해 시애틀에서 기계공업에 대한 일을 배웠고, 시애틀 대학에서 만난 조지 콘래드 웨스터벨트George Conrad Westervelt와 1916년에 "B & W seaplane"을 설립해 사업을 시작했다.

같은 해인 1916년에 "Pacific Aero Products Company"를 설립해 첫 번째 비행기 "Boeing Model 1 : B & W Seaplane"을 생산했다.

회사 이름은 1917년에 "Boeing Airplane Company", 1961년에는 "The Boeing Company"로 바뀌었다.

보잉 사는 크게 두 개의 부문 즉 군용 항공기제작과 민간용 항공기제작으로 나뉘어있다.

보잉의 역사는 비행기의 역사나 마찬가지이며, 주로 미국 육군과 해군의 대량 주문에 힘입어 발전하였다. 특히 제2차 세계대전 중 활약한 대형폭격기 B-17, B-29를 생산해 미국은 물론 세계의 대표적인 항공기 제조회사가 되었다. 2차 세계대전 이후에는 B-47, B-52로 세계 최초의 제트폭격기를 개발했다. 이후 군사용 미사일, 우주 사업용 로켓 등도 생산하고 있다.

민간용 중형 여객기로, 장거리용 707, 중형 중거리용 720, 중형 중·단거리용 727, 중형 단거리용 737을 생산했으며, 대형 장거리용 여객기로는 747, 757, 767, 777 등을 생산하였다.

보잉이 독차지하던 민간 여객기 시장에 대항하기 위해 유럽에서 1969년에 에어버스Airbus를 설립해 첫 기종인 A300의 개발을 시작하여 1974년에 취항했다. 이후 민간 항공기 분야에서는 두 회사가 서로 팽팽하게 경쟁하고 있다. 자유시장에서 경쟁은 좋은 것이다.

5. 정보통신혁명Information & Communication Revolution
일명 3차 산업혁명

사람들은 먼 곳으로 빨리 가기를 원하기도 했지만, 먼 곳의 소식을 빨리 알고 싶어 하기도 했다. 1800년대에는 전신기와 전화기로 통신혁명이 시작되었고, 1900년대에는 컴퓨터, 개인용컴퓨터PC, 소프트웨어, 검색엔진, 온라인 유통, 소셜 미디어가 개발되어 정보혁명이 시작되었다. 그리고 마침내 2000년대에는 스마트폰이 등장해 세상을 완전히 바꿔놓고 있다.

1. 벨 전화기회사 (1875)
Bell Telephone Company -> AT&T (1899)

전화기 텔리폰telephone이란 단어는 "tele(멀리 떨어진)"와 "phone(소리)"의 합성어로 멀리 떨어진 곳에 있는 사람에게 말을 하게 해주는 기계를 말한다. 21세기인 지금은 지구 반대편에 있는 사람에게도 쉽게 전화를 걸어 말을 할 수 있지만, 전화기가 개발되기 전에는 1km 떨어져 있는 사람에게도 말을 전하지 못했다. 그래서 예전 사람들은 멀리 떨어져 있는 사람과 소식을 주고받을 수 있게 되기를 간절히 원했다. 그 소원이 해결되기 시작한 때가 1870년대 였다.

전화기의 발명에는 많은 사람들의 노력이 필요하였다.
처음으로 전화기라는 기계의 아이디어를 제안한 이탈리아의 이노센조 만제티 Inocenzo Manzetti,
"목소리의 전기적 전송"이란 글을 잡지에 기고한 프랑스의 샤를 부르셀Charles Boursel,
그리고 부르셀의 아이디어를 실현시키고자 시도했던 독일의 요한 라이스Johann Philip Reis까지.
마침내 1870년대 중반에 전화기의 발명이 눈앞에 다가왔고, 3명의 경쟁자가 특허 등록을 두고 치열하게 경쟁했다.
안토니오 무치Antonio Meucci,
엘리샤 그레이Elisha Gray,
알렉산더 그레이엄 벨Alexander Graham Bell 이었다.

알렉산더 그레이엄 벨 (1847~1922)은 스코틀랜드 에든버러에서 태어났다. 어린 시절에 할아버지와 아버지로부터 발음교정과 웅변술 등을 공부했고, 캐나다를 거쳐 1871년에 미국 보스턴에 정착했다.

그는 다른 경쟁자들보다 기술적으로는 앞서지 못했다. 하지만 어린 시절의 교육으로 소리와 귀의 특성에 대해 잘 알고 있었고, 보스턴의 부유한 변호사였던 장인 가디너 허버드를 통해 경제적인 후원을 받을 수 있었으며, 자신이 설립한 농아학교 학생들에게 도움을 주고자 하는 열망도 높았다. 더구나 다른 사람들은 전화기의 상업성을 확신하지 못했지만, 그는 전화기의 미래를 확신하였고 사업 수완 또한 뛰어났다.

3명의 경쟁자 중에서 결국 승리한 것은 벨이었다. 벨이 특허청에 전화기의 특허를 출원한 것은 1876년 2월 15일 오후 1시였다. 1시간 후에 엘리샤 그레이가 특허 절차 보류신청을 했지만 받아들여지지 않았다.

1875년에 벨과 토마스 왓슨Thomas Watson, 가디너 그린 허버드Gardiner Greene Hubbard는 "Bell Telephone Company"라는 주식회사를 설립했고, 1881년에 "American Bell Telephone Company"로 이름을 바꾸었다. 이 회사의 자회사로 "American Telephone and Telegraph Company (AT&T)"가 1885년에 설립되었고, 1899년에는 모회사의 자산을 물려받아 AT&T가 새로 모회사가 되었다. 이후 발전을 거듭하여 "Bell System"이라고 불리는 거대한 기업집단을 형성해 미국에서는 물론 세계 최대의 통신회사가 되었다. 미국에서는 "Ma Bell벨 아줌마"이라는 친근한 별명으로 불린다.

2. IBM (1911)
International Business Machine

인류문명에서 문자letter가 차지하는 만큼의 중요성을 가진 것이 숫자number다. 문자와 숫자는 동시에 탄생하였다. 메소포타미아의 수메르에서 탄생한 최초의 문자는 물건의 종류와 수를 표시한 물표token物票였다고 한다. 물표는 문자이면서 동시에 숫자였다. 문명이 발달할수록 수를 빠르고 정확하게 계산하는 것은 그 자체로 힘이 되었다. 그래서 수를 계산하는 기계에 대한 필요성은 점차 증가하였다.

컴퓨터computer란 단어의 어원은 "계산하다compute + 사람-er"으로 "계산하는 사람"이란 뜻이다. 물리학 분야 특히 대포의 탄도계산, 천체물리학에서 천체의 궤적 계산 등에 수학적 방식이 도입되면서 엄청나게 많은 수학적 계산이 필요해졌다. 그래서 학자들이 수학적 계산만을 대신해줄 계산원들을 고용하면서 이런 일을 하는 계산원들을 컴퓨터라고 불렀다고 한다.

2017년 개봉된 데오도르 멜피Theodore Melfi 감독의 영화 "히든 피겨스Hidden Figures"에는 실제로 미국항공우주국 나사NASA에서 근무했던 여성 계산원들의 이야기가 나온다. 로켓을 발사하고 이 로켓이 우주공간을 날아가기 위해서는 수많은 수학계산이 필요한데 미국과 소련의 우주경쟁이 한창이던 1950년대에는 아직 전자 컴퓨터가 사용되지 못하던 시절이라 사람 컴퓨터가 이 일을 담당했다고 한다.

이후 과학기술의 발전으로 계산의 과정과 양이 많아지고 복잡해지고 다양해짐에 따라 사람 컴퓨터는 한계에 도달하여 이를 대신해 계산 작업을 수행해줄 기계 즉 전자장치가 필요해졌고 전자컴퓨터가 컴퓨터란 이름을 물려받게 되었다. 그래서 현재 컴퓨터란 단어는 전자컴퓨터란 뜻으로만 사용된다.

최초의 계산용 도구는 주판abacus籌板이었다. 기원전 3000년경에 메소포타미아의 수메르에서 처음 개발되었고, 그리스와 로마를 거쳐서, 명나라 때에 중국으로 전래되고 개량되었다.

주판에서 시작된 계산하는 기계가 진화하여 컴퓨터가 되는 과정은 다음과 같다.
* 1642년에 파스칼Blaise Pascal과 라이프니츠Gottfried Wilhelm von Leibniz가 톱니바퀴를 이용한 수동식 계산기를 만들어 덧셈 뺄셈 곱셈 나눗셈 등 사칙연산 정도를 할 수 있게 되었다.
* 1800년대 초반에 영국의 수학자 배비지Charles Babbage가 명령에 따라 자동으로 계산을 실행하는 기계들을 계획하였으나 성공하지는 못했다. 하지만 그가 계획했던 미분기Difference Engine와 해석기관Analytical Engine은 컴퓨터의 발전에 큰 공헌을 했다.
* 1944년에 하버드대학의 에이컨Howard H. Aiken이 IBM과 함께 자동으로 계산을 실행하는 최초의 컴퓨터 MARK-I을 개발하였다.
* 1945년에 펜실베이니아대학교의 J.W.모클레이와 J.P.에커트가 최초의 전자식 컴퓨터 ENIAC ; electronic numerical integrator and computer을 개발하였다. 이것은 진공관을 사용하였는데, 19000개의 진공관을 사용하여 덩치가 매우 컸다.
* 1946년에 J.L.노이만이 기억장치에 수치와 함께 컴퓨터에게 주는 명령을 동시에 기억시키는 내장프로그램stored program 방식을 제안하였고, 이것이 컴퓨터의 기본원리가 되었다. 이 원리를 기초로 개발이 시작되어,

* 1949년에는 최초로 프로그램 내장방식 컴퓨터인 EDSAC이 개발되었고,
* 1951년에는 EDVAC이 개발되었다.
* 최초의 상업용 컴퓨터는 1951년에 레밍턴 랜드Remington Rand Inc.에서 제작된 UNIVAC-I 이었다.

이후에 전자 컴퓨터의 발달과정을 세대별로 구분해보면 다음과 같다.
* 제1세대 ; 진공관을 사용, 1950년부터 1957년까지
* 제2세대 ; 트랜지스터와 다이오드 등 반도체 소자를 사용, 1957년경부터 1964년경까지
* 제3세대 ; 집적회로integrated circuit (IC)를 사용, 1965년경부터 1970년대 중반까지
* 제4세대 ; 고밀도집적회로large scale integrated circuit (LSI, VLSI)를 사용, 1975년부터 최근까지
* 제5세대 ; 현재는 인공지능 컴퓨터와 양자컴퓨터가 연구개발 중이다.

IBM은 사무용 기구를 생산하는 사업으로 출발해, 컴퓨터를 생산하고 보급하여 세계적인 기업이 되었다.
IBM의 시작은 창업자인 찰스 플린트Charles Ranlett Flint (1850~1934)가 1911년에 3개의 회사를 합병해 CTR ; Computing Tabulating Recording Company을 설립한 것이었다. 이 CTR의 3개의 선구회사pre-company는 다음과 같다.
Computing Scale Company of America
Tabulating Machine Company
International Time Recording Company
그중 "Tabulating Machine Company"는 1896년에 허먼 홀러리스Herman Hollerith가 설립한 회사로 천공카드시스템을 고안하여 집계기tabulating machine를 만든 회사다. 종이 카드에 구멍을 뚫어 데이터를 집계하는 장치였다.

토머스 왓슨Thomas John Watson Sr.이 1915년에 CEO가 되면서 비약적인 발전을 시작해 CTR을 세계적인 기업으로 성장시켰다.
1924년에 현재의 회사명인 IBM으로 변경했고, 1935년에는 최초의 전동식 타자기인 "Electromatic"을 출시하여 큰 성공을 거뒀다.

IBM의 역사는 컴퓨터의 역사라고 할 만큼 컴퓨터의 발전에 미친 영향은 지대하다. 그 과정을 열거해보면 다음과 같다.

1940년대부터 전자회로로 만들어진 컴퓨터를 개발하기 시작

1944년 최초의 컴퓨터 MARK-I을 개발

1950년대에는 군사용 컴퓨터를 생산

1952년 상업용 컴퓨터인 IBM 701을 출시

1957년 컴퓨터 프로그래밍 언어인 FORTRAN (FORmula TRANslation)을 개발

1964년 기업용 대형 컴퓨터인 IBM system/360 시리즈를 개발

1971년 새로운 저장장치인 플로피 디스크floppy disk를 생산

컴퓨터라는 기계는 엄청나게 크고, 그만큼 또 비싸고, 사용하기도 매우 어려운 기계였다. 연구소, 대학교, 국가기관, 대기업 등 소수의 전문가들만 사용할 수 있었던 이 기계를 평범한 일반인들도 직장과 집에서 사용할 수 있도록 해준 것이 개인용 컴퓨터Personal Computer, PC다.

컴퓨터 자체의 발명과 같은 수준의 혁명적인 발명이 개인용 컴퓨터의 발명이라고 할 수 있다. 이 기계로 인해 컴퓨터사용 인구가 늘어나고 인터넷이 보급되면서 정보화 사회가 열렸다. 21세기에는 스마트폰이 발명되면서 모바일 컴퓨팅의 시대가 되었다. 이런 정보화 사회의 발전에 가장 중요한 밑바탕이 된 것은 개인용 컴퓨터의 발명이었다.

최초의 개인용 컴퓨터는 1974년에 MITS (Micro Instrumentation Telemetry Systems)에서 출시한 알테어Altair 8800였다. "Personal Computer"라는 용어 역시 이 제품을 만든 제작자가 최초로 사용했다고 한다. 이후 1970년대에 많은 기업이 개인용 컴퓨터를 내놓기 시작했다. 켄백Kenbak의 켄백-1, 애플Apple의 애플 I 등이 그것이었다.

알테어 8800은 우편 주문을 통해 조립키트 형태로 판매되었고, 구매자는 부품들을 스스로 조립해야 했다. 알테어는 오늘날의 PC하고는 전혀 다른 모양이었다. 우선

모니터와 키보드가 없었다. 대신 입력장치는 스위치, 사용자는 올렸다 내렸다 하는 스위치를 이용해 이진 부호로 직접 프로그램을 입력해야 했다. 출력장치는 켜졌다가 꺼졌다가 하는 라이트의 깜빡임을 통해 결과를 나타냈다. CPU는 2MHz의 인텔 8080 마이크로프로세서를 장착했고, 운영체제(OS)는 CP/M1을 사용했다.

알테어 8800을 위한 컴퓨터 언어 BASIC을 만든 사람이 당시 하버드 학생이었던 빌 게이츠Bill Gates였다. 빌게이츠는 이 일을 계기로 학교를 그만두고 소프트웨어 사업에 뛰어들었다고 한다.

PC라는 용어가 널리 사용된 것은 IBM에서 "IBM Personal Computer, model 5150"을 출시하면서부터다. 1975년에 IBM 5100 portable computer를 출시했던 IBM은, 1981년에 IBM PC 5150을 발표함으로써 PC시대를 열어젖혔다.

하지만 1990년대 초에는 심각한 경영난을 겪게 되는데, 가장 중요한 이유는 IBM PC가 범용 부품으로 만들어져 있어서 다른 업체들이 쉽게 모방할 수 있었기 때문이다. 중앙처리장치CPU는 인텔에서 구입하고, 운영체제Operation System는 마이크로소프트Microsoft의 MS-DOS나 Windows를 이용하면 누구나 쉽게 PC를 제작할 수 있었다. 그래서 인텔와 마이크로소프트는 합쳐서 윈텔Wintel이라 불리게 되었고 엄청난 호황을 맞았지만, IBM은 적자가 늘어갔다.

1993년 루이스 거스너Louis Vincent Gerstner가 CEO에 오르면서 주력 사업을 기존의 컴퓨터 하드웨어 제조업에서 탈피하여, 기업 컨설팅과 업무 프로세스 개선, IT 솔루션 개발 및 구축 등 IT서비스 사업으로 재편하기 시작하면서 부활하기 시작했다.

2000년대 초반에는 회사의 주요 사업 분야를 서비스로 전환하여 통합 솔루션 회사로 탈바꿈하였다. 이후 컨설팅, 소프트웨어, 서비스 비즈니스의 매출이 회사 전체 매출의 60%를 차지하게 되었다.

3. 애플 (1976)
Apple Inc.

애플apple이란 단어를 보거나 들었을 때 먹는 과일이 떠오른다면 그는 20세기 또는 그 이전 사람이다. 21세기 사람이라면 애플이란 단어를 보았을 때 한입 베어먹은 빨간 사과를 로고로 사용한 스마트폰 제조회사를 떠올릴 것이다. 그만큼 애플사는 인류의 생활에 크나큰 영향을 미쳤다.

애플은 수많은 전자제품, 그리고 그 전자제품과 관련된 수많은 소프트웨어 등 여러 가지 상품과 서비스를 시장에 내놓았지만 가장 중요한 것은 두 가지다. 개인용 컴퓨터PC와 스마트폰Smart phone. 이 두 가지 제품은 인류의 일상적인 생활을 근본적으로 바꿔놓았다.

애플은 1976년에 미국 캘리포니아주에서 개인용 컴퓨터 제조회사로 처음 설립되었다. 설립자는 3명이었다.

스티브 잡스Steve Jobs (본명은 Steven Paul Jobs, 1955 ~ 2011)
스티브 워즈니악Steve Wozniak (본명은 Stephen Gary Wozniak)
론 웨인Ron Wayne (본명은 Ronald Gerald Wayne)
설립 당시 지분은 잡스 45%, 워즈니악 45%, 웨인 10%였다. 그런데 웨인이 자신의 지분 10%를 잡스와 워즈니악에게 800달러에, 1년 후에 1500달러를 추가해 총 2300달러에 팔고 회사를 떠났다.

애플이라는 회사 이름은 여러 가지 설이 있었으나, 잡스가 선불교를 수행했던 사과 과수원에서 비롯되었다고 잡스 사후에 공동창업자인 워즈니악이 밝혔다.

1970년대에는 여러 기업이 개인용 컴퓨터를 발표하기 시작했다. MITS의 알테어 Altair 8800, 켄백Kenbak의 켄백-1, 애플Apple의 애플 I 등 당시 초창기의 PC는 조립키트로 판매되어 사용자가 회로기판과 각종 마이크로칩 등의 부품을 직접 조립해야 했다. 이것은 전문가가 아닌 일반인에게는 무척 힘든 일이었다.
1977년에 인텔에서 근무한 적이 있는 마케팅 전문가 마이크 마큘라Mike Markula에게 9만 1000달러를 투자받았고, 총 25만 달러를 들여 애플 I, II를 개발하였다. 조립키트가 아닌 완성품으로 판매된 애플 II는 초대박 상품이었다. "집마다 컴퓨터 한 대", 더 나아가 "1인당 컴퓨터 한 대"의 시대가 열렸다. 첫해에는 600대를 판매하는 것으로 그쳤지만 해가 갈수록 판매량이 급속하게 늘었다. 1980년에 나스닥Nasdaq에 상장하였고, 잡스 워즈니악 마큘라는 억만장자가 되었다.

하지만 초창기의 어마어마한 성공 이후에는 애플 I, II의 후속으로 개발된 애플 III의 실패로부터 시작해 실패의 역사가 줄기차게 이어진다. 1985년 경영실패의 책임을 지고 스티브 잡스가 회사에서 물러났다. 자신이 만든 회사에서 쫓겨난 것이다.
존 스컬리, 마이클 스핀들러, 길 아멜리오 등이 차례로 CEO가 되었으나 모두 회사를 정상화시키지는 못했다.

회사에서 쫓겨나, 다음 발걸음으로 넥스트스텝NeXTSTEP이란 운영체재(OS) 사업을 하던 스티브 잡스가 1997년에 애플의 구원투수로 고문 직함을 달고 돌아왔으며, 곧 임시 CEO를 맡았고, 2000년에는 정식으로 CEO에 취임하였다.
스티브 잡스는 맨 먼서 MP3 플레이이인 아이팟iPod를 개발하여 큰 성공을 기두었다. 2003년에는 아이튠즈itunes 뮤직스토어를 시작하였다.
2004년에 스티브 잡스는 췌장암 수술을 받았지만 회복되어 본격적으로 경영에 복귀하였다. 맥북MacBook과 아이맥iMac 시리즈를 개발하여 시장에서 좋은 반응을 얻었다.

드디어 2007년, 아이폰iPhone이라는 혁명적인 제품을 세상에 내놓았다. 아이폰이 등장한 이후 휴대폰mobile phone은 더이상 단순히 휴대하는 전화가 아닌 컴퓨터에 가까운 스마트폰smart phone이 되었다. 아이폰은 세상을 바꾸었다.
이후 앱스토어App Store 서비스를 시작해, 전 세계 누구나 자유롭게 스마트폰용 소프트웨어를 개발하여 판매할 수 있게 하였다. 2010년에는 아이패드i-Pad를 개발하여 태블릿 컴퓨터 시대를 열었다.

2011년 10월 5일, 스티브 잡스는 췌장암 합병증으로 사망하였다. 췌장암치고는 치료율이 높은 신경내분비종양이었으나 발병 초기에 민간요법 등으로 시간을 낭비해 치료 시기를 놓친게 화근이었다고 한다. 새로운 시대를 연 거인의 죽음에 전 세계인이 애도하였다.

6. 자율화혁명Autonomous revolution
일명 4차 산업혁명

21세기인 현재는 4차 산업혁명의 시대라고 한다. 그 변화의 핵심은 무엇일까? 그것은 자율기계autonomous machine이다. 기계가 스스로 알아서 자율적으로 움직이고, 컴퓨터가 스스로 생각하고 판단하는 것이다. 자율화 혁명의 핵심 분야는 다음과 같다.

① 스스로 알아서 움직이는 기계 ; 자율운행기계 (자율주행차, 로봇)

② 스스로 생각하는 컴퓨터 ; 인공지능 (Artificial Intelligence ; AI)

③ 이들이 작동하는데 필요한 엄청난 속도의 연산 능력을 가진 컴퓨터 ; AI반도체(GPU, HBM), 양자컴퓨터

이 새로운 물결에 앞장설 사람이나 단체는 어디일까? 당연히 주식회사 시스템이 앞장서고 이끌어 갈 것이다. 4차 산업혁명 즉 자율화혁명을 성공시키고 시대를 변화시킬 기업이나 기업가는 누구인지 지금부터 눈을 크게 뜨고 찾아보자.

끝마치며Outro

개론은 학문의 전체 분야를 아울러서 개괄적으로 설명하는 것이다. 주식학 개론도 마찬가지로 주식에 관한 전반적인 사항에 대해 개괄적으로 설명하였다.
여기서 더 나아가 세부사항으로 들어가려면 다음과 같은 과정이 있다.

추세추종학 ; 시스템 트레이딩, 선물거래
추세예측학 ; 거시경제지표와 주기 변화의 상관관계 연구
가치추종학 ; 재무제표를 통한 재무분석
가치예측학 ; 다면평가를 통한 회사의 미래가치 예측
계량분석학 ; 알고리즘 트레이딩, 옵션거래
이상 다섯 가지는 이미 유통 중인 주식이 거래되는 시장, 즉 주식유통시장에서 투자하는 방법들이다.

주식발행학 ; IPO 이전 단계의 회사에 투자하는 방법, 즉 주식발행시장에서 투자하는 방법을 설명한다. 엔젤투자, 벤처캐피탈 등이 포함된다.

어떤 길로 가든 모험을 떠나는 모든 사람에게 해주고 싶은 말이다.
"항해하라, 당신의 신세계를 찾아서.
Set sail, for your new world"

[부록] 주식 연대기

**1453년 5월 29일,
오스만 투르크, 동로마제국의 수도 콘스탄티노플을 함락시켰다.**

로불루스와 레무스 형제가 로마를 선국한 BC 753년부터 헤아리면 2206년의 역사, 서로마에서 분리되어 동로마제국이 된 AD 330년부터 헤아려도 1123년의 역사, 실로 장구한 역사의 제국이 투르크족의 술탄 메흐메드 2세에 의해 멸망하였다. 서로마가 AD 476년에 멸망하고도 거의 천년 동안이나 이교도인 이슬람 세력으로부터 유럽의 방패 역할을 해오던 콘스탄티노플이 함락되자 유럽인들은 멘붕에 빠졌다.

이날, 유럽의 중세가 끝났다.
유럽의 중세를 보통 암흑기라고 하지만, 이는 그 이전의 로마제국에 비해 문화가 뒤떨어진 것을 의미하지 실제로 어둡고 칙칙한 시대는 아니었다. 천 년 동안 나름 안정된 삶을 유지하며 살고 있었다. 대략 천년의 세월이 지나고 변화가 시작되었다. 따뜻했던 날씨가 추워지기 시작해 곡식 수확이 줄어들기 시작했다. 흑사병이라는 전염병도 창궐하고 있었다. 이런 상황에서 이민족이면서 이교도인 오스만 투르크가, 같은 기독교도들의 제국인 동로마를 멸망시킨 것이다. 유럽의 보호막이 없어져 버린 것이다.

탈출구를 찾아야 했다.
마치 BC 1200~1150년경 청동기시대가 붕괴되면서 (아마 그때도 기후 탓이었을 것이다) 바다 민족들Sea people이 살길을 찾아서 배를 타고 그나마 안정을 유지하고 있는 이집트 같은 제국의 해안가를 침략했던 것처럼.

대항해시대는 그런 것이었다.
그들의 항해는 처절한 몸부림이었다. 바다 끝에는 낭떠러지 폭포가 기다리고 있다는 소문도 있었다. 하지만 아시아의 어딘가에는 사제 요한Prester John이 다스리는 기독교인들의 나라가 있다는 소문도 돌았다.
중국 명나라 정화 함대의 항해 (1405~1433, 총 7차례)는 유럽인들보다 먼저 훨씬 큰 배를 가지고 훨씬 더 대규모로 진행되었지만 그런 처절함이 없었다. 때문에 훨씬 소규모이고 초라한 콜롬버스의 항해나 바스코 다 가마의 항해는 역사에 깊은 각인을 남겼지만, 정화의 함대는 잊혀지고 말았다.
현대로 오기 위한 몸부림, 근대가 시작되었다.

1492년,
크리스토퍼 콜롬버스, 아메리카 대륙을 발견하였다.

스페인은 "서쪽"으로 갔다.
이탈리아의 제노바는 베네치아와 마찬가지로 해상무역으로 살아가던 뱃사람들의 도시였다. 콘스탄티노플의 함락으로 일거리가 줄어든 그들은 일자리를 찾아 헤맸다. 제노바 출신의 크리스토퍼 콜롬버스Christopher Columbus도 인도로 가는 항로를 찾고 싶었지만, 후원자를 찾지 못하고 있었다. 마침내 스페인의 이사벨라 여왕의 후원을 받게 되었고, 인도를 찾아 서쪽으로 떠났다.
목숨을 건 항해에서 마침내 도착한 육지, 콜롬버스는 자기가 인도에 도착한 줄 알았고 죽을 때까지도 자신이 발견한 곳이 인도인 줄로 알고 죽었다. 그래서 아메리카 대륙의 중앙에 섬들로 이루어진 그 땅들은 인도도 아니면서 지금도 인도 (서인도West Indies)라고 불리고 있다. 마찬가지로 아메리카 원주민들은 인도사람도 아니면서 인디언Indian이 되었다.

새로 발견된 신대륙을 최초 발견자인 콜롬버스의 이름을 따 "Colombia"라고 하지 않고, "America"라고 부르는 이유.
피렌체 사람이었던 아메리고 베스푸치Amerigo Vespucci는 콜롬버스가 발견한 땅이 인도가 아니라 전혀 새로운 땅임을 알았고, 이것을 1503년에 발간한 자신의 책 "신세계Nuovo Mundo"에 실었다. 이것을 본 독일의 지도제작자인 마르틴 발트제뮐러Martin Waldseemüller가 1507년에 신대륙의 지도를 배포하면서 "America"라고 표시해서 배포하였다. "Amerigo"의 라틴어식 표기 "Americus"의 여성형이 "America"다. 라틴어에서는 땅이름이나 나라의 이름은 여성형으로 표시한다. 신대륙은 그렇게 아메리카라고 불리게 되었다.

1494년,
스페인과 포르투갈, 토르데시야스 조약을 체결하였다.

토르데시야스Tordesillas는 스페인에 있는 작은 마을의 이름이다. 새로운 땅을 발견해 차지하려는 스페인과 포르투갈의 경쟁이 너무 치열해지자, 당시의 교황 알렉산더 6세가 중재하여 토르데시야스에서 조약을 체결했다.

아프리카 대륙의 서쪽 끝 해안선에서 서쪽으로 1,500km 지점에 선을 그어, 이 선의 동쪽에서 발견되는 땅은 포르투갈이, 서쪽에서 발견되는 땅은 스페인이 소유하기로 하였다. 현재 남아메리카 대륙에서 브라질만 유일하게 포르투갈어를 사용하고, 나머지 나라는 모두 스페인어를 사용하게 된 이유다.

1498년 5월 20일,
포르투갈의 바스코 다 가마, 인도 캘리컷에 도착하였다.

포르투갈은 "동쪽"으로 갔다.

포르투갈은 유럽의 가장 서쪽에 있었기 때문에, 그 이전부터 대서양과 아프리카 대륙의 서해안으로 항해를 시도하고 있었다. 특히 항해왕자 엔히크Infante Dom Henrique, o Navegador (영어식 발음은 엔리케)가 이런 원정 항해를 주도하였다. 1415년에는 세우타를 정복하고, 1419년에는 사그레스 성을 건축하기 시작했으며, 대서양의 마데이라와 아조레스 군도에 원정대를 보냈다. 1434년에는 카나리아 제도를 정복했다.

대항해시대의 경쟁이 시작되고, 1488년에 바스톨로뮤 디아스Bartolomeu Dias가 아프리카 대륙의 최남단에 도착했다. "폭풍의 곶 Cabo Tormentoso"이라 명명한 것을 나중에 포르투갈의 국왕 주앙 2세가 "희망봉 Cabo da Boa Esperança"이라고 개칭하였다. 영어로는 "Cape of Good Hope"다. 디아스는 항해를 계속해 아프리카 대륙의 동쪽 해안과 인도양으로 항해하려 했으나, 선원들의 반대에 부딪혀 실패하고 말았다. 불운한 사람이었다.

그로부터 10년 후, 1498년 5월 20일, 마침내 바스코 다 가마Vasco da Gama가 인도대륙 서해안의 도시 캘리컷Calicut (현재는 코지코드Kozhikode)에 도착했다. 거기에는 유럽인들에겐 엄청난 행운의 시간이, 아시아인들에겐 지독한 수난의 시간이 기다리고 있었다. 근대라는 이름의 시간이었다.

맨 먼저 포르투갈과 스페인이 세계의 바다를 약 100년간 지배했다.

이후 약 50년간은 네덜란드가 지배했다.

그 후 약 200년간 영국이 세계의 바다를 지배했다.

이 행운과 수난의 시간이 지나가자 마침내 우리가 살고 있는 시대, 현대가 시작되었다.

캘리컷에서 유럽인들은 목화로 만든 면직물을 처음으로 보았고, 그래서 그 옷감의 이름을 캘리코Calico라고 불렀다. 영국에서 양모업자들이 반발해 캘리코 금지법을 만들어야 할 정도로 엄청난 인기를 끌었던 그 캘리코 말이다.

이 캘리코를 개량해서 대량으로 공급하기 위해 아크라이트가 방적기를 발명하고 공장을 만든 것이 공장혁명의 시작이었고, 그 최초의 시작이 바로 포르투갈 사람들이 캘리컷에 도착한 사건이었다.

1500년,
포르투갈의 페드로 알바레스 카브랄Pedro Álvares Cabral 함대, 브라질을 발견했다.

캘리컷으로 향해 항해하던 도중 표류하다가 우연히 남아메리카 대륙의 브라질 땅을 발견했다. 포르투갈은 토르데시야스 조약을 근거로 영유권 주장했고, 그래서 남아메리카의 다른 땅들은 모두 스페인이 차지했지만, 브라질만은 포르투갈의 땅이 되었다.

1511년,
포르투갈, 향신료 무역에 성공하고 말라카를 점령하였다.

1512년,
포르투갈, 마침내 향신료의 고향인 몰루카 제도의 테르나테, 암보이나에 도달하였다.

기적 같은 일이었다. 콘스탄티노플이 함락된 이후, 배를 타고 아프리카를 돌아 향신료의 고향인 몰루카 제도에 도착해 무역에 성공한 것은 그야말로 기적이었다. 현지에서 향신료의 가격은 매우 저렴했다. 그동안 말라카와 유럽의 중간에 있는 나라와 상인들이 취했던 폭리를 주지 않아도 되었으니, 이제 향신료는 거의 공짜로 사는 거나 다름없었다. 유럽에 가져가면 부르는 게 값이었으니, 포르투갈은 앞으로 100여 년간 대박을 맞을 예정이었다.

1513년,
포르투갈의 조르즈 알바레스, 중국 광동에 도착하여 유럽인 최초로 중국무역을 시작하였다.

이때만 해도 중국인들은 유럽인들을 그저 먼 곳에서 배 타고 온 바다오랑캐쯤으로 여겼다. 보잘것없는 상품을 들고 와서 무역하기를 청하는 그들이 한없이 하찮아 보였을 것이다. 하지만 그렇게 하찮아 보였던 유럽인들이 300여 년쯤 지나면 중국의 수도 베이징을 점령하게 된다.

1517년,
마르틴 루터, 95개 조의 반박문Theses를 교회 문에 내걸었다.

기독교의 종교개혁이 시작되었다. 로마의 교황을 중심으로 한 구교 카톨릭에서, 루터와 칼뱅 등을 중심으로 한 신교 프로테스탄트가 분리되어 나왔다.
같은 뿌리에서 나왔고 같은 신과 같은 경전을 믿었지만, 카톨릭과 프로테스탄트는 전혀 다른 종교다. 카톨릭은 농업을 중심으로 한 세습왕조국가의 이데올로기였고, 프로테스탄트는 상업을 중심으로 한 민주국가의 이데올로기가 되었다.

이데올로기와 사회구조는 뗄레야 뗄 수 없는 관계다. 전쟁으로 얻은 땅에서 농업으로 먹고살았던 로마는 카톨릭을 이데올로기로 삼았고, 그 땅을 물려받은 게르만족들도 농업으로 먹고 살았기에 같은 이데올로기를 믿었다.
하지만 세상이 변하고 있었다. 농업에서 상업으로 경제의 중심이 바뀌자 이데올로기도 변화가 필요했다. 그럼에도 불구하고 한 시대의 말기엔 항상 그렇듯이 기존의 기득권층은 심각하게 부패해 있었다. 카톨릭 교회의 사제들은 면벌부를 팔아먹고 살 정도로 타락해 있었다.
이집트 종살이에 길든 유대인들을 끌고 광야로 나온 모세처럼, 돈과 권력에 취한 유대교 사제들을 비판하며 신과 새로운 계약을 맺은 예수처럼, 마르틴 루터는 교회의 문에 카톨릭 교회의 타락을 고발하는 95개 조의 반박문을 내걸었다. 한마디로 요약하면 "니들이 이러고도 하느님의 사제냐?"

1519~1522년,
포르투갈의 페르디난드 마젤란Ferdinand Magellan, 인류 최초의 지구 일주 항해에 성공하였다.

포르투갈 출신의 뱃사람으로 스페인 카를로스 1세의 후원을 받아 항해를 시작했다. 그는 항해 도중 1521년에 사망하고 동료 선원들이 항해를 마쳤지만, 그의 이름은 세계 최초의 지구일주 항해자로 영원히 남았다.

1542년,
포르투갈, 일본에 진출하였다.

무사들끼리의 내전으로 해가 지고 날이 새던 일본인들에게 발달된 유럽의 무기와
신문물은 그야말로 눈이 뚱그렇게 떠지는 것들이었다. 그것을 동아시아 나라들 중
에서 가장 먼저 적극적으로 받아들인 일본은 이웃 나라 조선과 중국 명나라를 침
략할 준비를 시작한다.

1551년,
영국, "Company of merchant adventurer to new lands"가 설립되었다.

1553년에 국왕 에드워드 6세에게 인가를 받았으나 칙허장charter을 받기 전에 국
왕이 사망하는 바람에, 2년 후인 1555년에 정식 칙허를 받았다.
세바스티안 캐벗Sebastian Cabot을 대표Governor로 하고, 리처드 챈슬러Richard
Chancellor와 휴 월러비 경Sir Hugh Willoughby이 참여해 설립하였다. 약 240명
의 모험가adventurers (= investors)에게 1주에 25파운드를 받고 증서를 발행해
주었다. 세계 최초의 주식증서 발행이었지만, 일회성 항해무역이었고 매매가 원활
하지 않았으므로 최초의 주식회사로는 인정받지 못한다.

1564년,
포르투갈, 마카오를 식민 지배하기 시작하였다.

1580년,
포르투갈, 스페인에 병합되었다.

이후 1640년까지 60년간 포르투갈은 스페인의 지배를 받았다. 스페인의 국왕 펠
리페 2세가 포르투갈의 국왕을 겸임하였다.
종교개혁으로 상공인들은 주로 신교 프로테스탄트를 믿기 시작했지만, 국왕은 구
교 카톨릭이 지배 이데올로기로 더 유익하였고 그래서 신교도들을 탄압하기 시작
했다. 펠리페 2세의 억압을 피해 신교도 상공인들은 북부 유럽의 낮은 지대의 땅
인 저지대 "neder land"로 모여들었다.
이후 "neder land" 중에서도 좀 더 북쪽 지역에는 신교도와 상공인이 많아 스페
인의 지배로부터 독립을 선언해 공화국인 "The Nederland"가 되었다. 좀 더 남쪽
의 지역은 그대로 스페인과 카톨릭의 지배를 받아들이기로 해서 벨기에가 되었다.

당시는 포르투갈이 동남아시아와 유럽 사이의 향신료 중계무역을 독차지하고 있었고, 포르투갈의 국왕까지 겸임하고 있던 펠리페 2세는 네덜란드로 가는 향신료 수출을 차단해 버렸다. 암스테르담을 중심으로 한 네덜란드의 상인들은 많은 수익을 남기는 향신료의 공급이 중단되자 멘붕, 새로운 길을 모색해야만 했다.

1595~1598년,
네덜란드, 독자적으로 아시아 항로를 개척하기 위해 노력하였다.

1599년,
네덜란드의 야콥 판 넥Jacob Corneliszoon van Neck의 함대, 드디어 동남아 향신료 무역에 성공하였다.

그 항해무역에 자금을 투자한 투자자들에게 약 400%의 배당, 즉 투자금의 4배를 수익으로 안겨 주었다. 기적이었다. 당시 유럽사람들은 아시아로의 무역은 포르투갈 사람들에게 전적으로 의존하고 있었다. 그런데 포르투갈이 아니고도 그것이 가능하다는 것이 증명된 순간이었다.
포르투갈의 시대가 저물고, 네덜란드의 시대가 열리고 있었다. 국가의 시대가 저물고, 주식회사의 시대가 열리고 있었다.

1600년 12월 31일,
영국동인도회사East India Company (EIC), 잉글랜드 왕국의 여왕 엘리자베스 1세에게 칙허charter를 받았다.

공식적인 회사의 명칭은 "Governor and company of merchants of London trading with the East Indies". 네덜란드동인도회사보다 먼저 설립되었지만 최초의 주식회사로 인정받지 못하는 이유는, 설립 초기에는 한 번의 무역항해가 끝나면 자본을 투자자들에게 돌려주는 일회성 사업을 영위했기 때문이다.

1602년 3월 20일,
네덜란드동인도회사Verenigde Oostindische Compagnie (VOC), 네덜란드 공화국 의회로부터 설립 인가를 받았다.

이전의 회사들은 한 번의 해상무역이 끝나면 정산을 마치고 돈을 돌려주었지만,

VOC는 21년 동안은 정산하지 않고 계속 사업을 유지하기로 하였다. 나중에 그 기간이 연장되었다.

중간에 투자금을 회수하고 싶어하는 사람과 새로 투자를 하고 싶은 사람들이 주권을 매매하기 시작했다. 그래서 VOC를 "세계 최초의 주식회사"라고 한다.

1603년 3월 3일,
네덜란드의 뱃사람 얀 알레츠 토트 론덴Jan Allertsz tot Londen, 세계 최초로 주식을 거래하였다.

얀 알레츠의 이름 뒷부분에 붙어있는 토트 론덴은 이름이라기 보다는 별칭nickname이라고 할 수 있다. 토트 론텐tot Londen은 영어로 하면 "to London"인데, 네덜란드 암스테르담에서 영국 런던으로 가는 배의 뱃사공 일을 하던 집안에서 쓰던 별칭이었다.

암스테르담에서 런던으로 가는 배의 뱃사공이었던 얀 알레츠가 VOC에 투자한 자신의 지분 중에서, 2,400길더 어치는 마리아 반 에그몬트에게 매도하고, 나머지 600길더 어치는 헤이그에 사는 반 바르슘 부인에게 매도하였다. 이것이 세계 최초의 주식거래였다.

1611년,
네덜란드 암스테르담, 세계 최초의 증권거래소인 "카이저 거래소"가 설립되었다.

VOC의 주식은 주로 상인들이 모여서 상품을 거래하던 새로 만든 다리Nieuwe Brug (New Bridge)나 성 올라프 성당에서 이루어지다가, 1611년에 전문 거래소가 설립되었는데, 당시의 유명한 건축가 카이저Hendrick de Keyser가 설계하여 "카이저 거래소Beurs van Hendrick de Keyser"라고 하였다.

1623년,
말루쿠 제도의 암보이나 섬, 암보이나 사건Amboyna Massacre이 발생했다.

네덜란드동인도회사의 상관 직원들이 영국동인도회사의 상관을 습격해 직원 20명을 사로잡아 형식적인 재판만을 거쳐 참수해 버렸다.

이후 영국 동인도회사는 값비싼 향신료가 생산되는 동남아시아에서 떠날 수밖에 없었고, 그래서 대안을 찾아 인도로 향했다. 쫓겨서 찾아온 인도에서 영국은 엄청난 행운을 맞는다. 역사는 가끔 이런 재밌는 아이러니를 만들곤 했다.

1636~1637년,
네덜란드, 튤립투기 버블이 발생했다.

1600년대 초중반 네덜란드는 세계에서 가장 부유하고 역동적인 국가였다. 포르투갈이 100여 년 동안이나 독점하고 있던 아시아와의 향신료 무역에 성공하여 엄청난 부가 몰려들었기 때문이다

튤립은 원래 오스만 투르크 제국의 꽃이었다. 튤립tulip의 이름은 터번turban을 닮아서 붙여진 이름이다. 원래 오스만 투르크에서는 이 두 가지의 이름이 같았는데 유럽으로 전해지면서 꽃 이름은 튤립이 되고 모자 이름은 터번이 되었다. 오스만 제국의 수도 이스탄불 (이전의 콘스탄티노플, 더 이전에는 비잔틴)에 주재하던 오스트리아의 외교관이 튤립을 선물로 받아 오스트리아 빈으로 가져왔고, 이 꽃이 네덜란드에도 들어왔다고 한다.

평범한 단색의 튤립은 싼 가격에 거래되었지만 희귀한 색깔의 튤립은 무척 비싸게 거래되었다. 희귀하고 아름다운 변종을 만들어 낼 수 있으면 더욱 큰돈을 벌 수 있게 되었다. 튤립은 둥근 양파 모양의 뿌리, 즉 구근bulb球根으로 거래되었는데, 봄에 예쁘고 희귀한 꽃을 피울수록 가을에 수확하는 구근의 값이 비싸졌다.

네덜란드동인도회사의 주식을 사고 싶지만 돈이 많지 않았던 사람들은 좀 더 저렴했던 튤립을 사서 재배했다. 희귀한 변종을 일으킨 튤립일수록 비싼 가격이 매겨지므로 대박이 날 가능성이 있었다.

수백 가지 품종이 개발되었고, 품종의 이름은 "황제, 총독, 제독, 영주, 대장" 등의 계급으로 불렸다. 1636년 버블이 최대로 커졌을 때 가장 비쌌던 "Semper Augustus종신황제"라는 이름의 튤립 구근은 하나에 2,500길더였다고 하는데, 금으로 환산해서 현재 가격으로 계산하면 튤립 구근 하나로 승용차 한 대를 살 수 있는 정도의 큰돈이었다고 한다.

1636년 일 년 동안 줄곧 오르던 튤립 구근의 가격 상승세가 1637년 1월에 절정에 달했고, 마침내 1637년 2월 5일 갑자기 가격이 추락하기 시작했다. 하락세가 지속되어 4개월 만에 최고가에서 95~99퍼센트 정도로 가격이 폭락했다. 주식시장의 역사상 최악의 폭락이라는 1929년 대공황 때 2년 동안 75퍼센트가 하락했던 것과 비교하면 훨씬 더 엄청난 폭락이었다.

이 사건은 두고두고 "투기"란 이렇게 나쁜 기야, 비보들이니 하는 짓이야 라는 식으로 반면교사처럼 인용되지만, 글쎄 과연 그럴까? 이 사건 덕분에 전 세계의 사람들은 이 예쁜 꽃을 봄마다 볼 수 있게 되었다. 네덜란드는 튤립의 종주국이 되

었다. 현대인들은 튤립을 보고 오스만 투르크 즉 지금의 튀르키예를 떠올리지 않는다. 튤립은 풍차의 나라 네덜란드의 꽃이 되었다.

투기적 버블이 결코 나쁜 것만은 아니다. 기차도, 자동차도, 인터넷도 모두 초기에는 투기적 붐이 일었다가 사그라들면서 만들어졌다. 투기와 투자는 야누스의 두 얼굴처럼 서로 떼어낼 수 없는 관계다. 투자는 좋고 투기는 나쁘다는 생각은 뭘 모르는 사람들이 하는 것이다. 현대문명은 모두 이 투기/투자에 의해 만들어졌다.

1649년,
영국, 청교도혁명Puritan Revolution이 발생했다.

국왕 찰스 1세가 처형되고 공화정(이라고 하지만 실제로는 참주정)이 수립되었다. 마르틴 루터로부터 시작된 종교개혁으로 이데올로기가 변화하자, 국가의 권력구조 즉 정치체제도 변화하기 시작했다. 그 최초의 변화는 영국에서부터 시작되었다. 청교도혁명은 1642년부터 1649년까지 영국에서 신교도들인 청교도Puritans들이 의회파와 연합해, 국교회(성공회)를 고수하는 찰스 1세와 왕당파에 대항해 벌인 내전이다. 의회파의 승리로 올리버 크롬웰이 호국경Lord Protector이 되어 집권하였다.

올리버 크롬웰이 1658년에 사망하고 그의 셋째 아들 리처드 크롬웰이 2대 호국경이 되었다. 하지만 그의 지도력 부족으로 의회파가 분열되었고, 서로 다른 정파에게 권력을 주지 않기 위해 의회파는 처형된 찰스 1세의 아들 찰스 2세를 1660년에 국왕으로 다시 세워 왕정복고가 이루어졌다.

찰스 2세는 왕위에 오르자마자 자신의 아버지를 죽인 올리버 크롬웰의 무덤을 파헤쳐 목을 잘랐다. 부관참시는 영국에도 있었다.

"Lord Protector"는 이후에 미국에서 시작된 "President"와는 다르다. 고대 그리스 시대의 "Τύραννος (Tyrannos, 참주)"와 더 유사한 직책이었다.

고대 그리스의 도시국가들은 대개 다음과 같은 과정을 겪어 민주정이 되었다. 다만 나라마다 달라서 왕정에 머무르기도 하고, 한 단계를 건너뛰기도 하고, 거꾸로 되돌아가기도 했으나 대체적으로는 이런 과정을 겪었다.

Monarchy 왕정 (세습 왕의 지배)
-> Aristocracy 귀족정 (무능한 왕을 축출하고 귀족들이 공동지배)
-> Tyranny 참주정 (귀족 중에서 뛰어난 자가 독재)
-> Democracy 민주정 (참주를 축출하고 귀족과 평민들이 의회를 결성)

왕정은 왕이 혼자서 국가를 다스리는 나라다. 왕은 반드시 다음 두 가지 특징을 가지고 있어야 한다.

첫째, 왕은 초월적인 존재와 관계가 있어야 한다.
예를 들어, 수메르의 왕은 신의 대리자를 자처했고, 중국의 황제는 하늘의 아들天子를 자처했다. 인류역사상 가장 큰 제국을 열었던 로마와 몽골의 지배자들은 모두 늑대의 자손임을 자처하였다. 다른 시대 다른 나라의 왕들도 모두 어떤 것이 되었던 사람이 아닌 초월적인 존재와 관계가 있어야만 왕으로 대접을 받았다. 신라의 왕들은 새의 알에서 태어났다고 한다.

인류 최초의 지배 이데올로기 ; 왕은 초월적인 존재와 관계가 있다.

이런 지배 이데올로기를 만든 사람들이 왕이 되고 귀족이 되었다. 이들은 사람이 아닌 다른 어떤 고귀한 존재여야만 했다.

둘째, 왕은 세습되어야 한다.
왕은 특별한 존재이므로 후임자는 반드시 전임자의 혈통에서 나와야 한다. 만약 혈통이 끊겼다면 최대한 피가 많이 섞인 친척 중에서 후임자를 찾아야 한다.

귀족정은 왕이 무능할 때 주로 발생한다. 왕을 폐위시키고 귀족들이 정치를 하는 것이다. 귀족들이 모두 직접 참가할 수도 있고, 일부가 선출되어 정치를 하기도 하였다. 귀족정을 건너뛰고 참주정이나 민주정으로 바로 갈 수도 있었다.

참주정은 귀족 중에서 권력이 센 한 사람이 참주가 되어 마치 왕처럼 나라를 다스리는 것이다. 원래 귀족정이었던 스파르타에서 평민들의 지지를 얻어 참주가 된 페이시스트라토스Peisistratos가 대표적인 참주다.
참주는 그 기능적인 면에서는 왕과 거의 유사하였다. 하지만 왕의 두 가지 특징을 가지지 못했다. 그는 신적인 존재가 아니라 사람이었고, 자식에게 세습시키지 못했다. 만약 참주가 그 직책을 자손들에게 세습시킨다면 왕정으로 변질된 것이다. 그렇게 된다면 후손들은 자신들의 첫 번째 선조를 신적인 존재로 탈바꿈시킬 것이나. 이런 측면에서 본다면 인류 최초의 왕은 이쩌면 참주로부디 시작되었을지도 모른다. 영국의 "Lord Protector호국경"도 2대째인 리처드 크롬웰이 잘 유지해서 자손들에게 물려주었다면 새로운 왕조 즉 크롬웰 왕조로 변질되었을 것이다.

1651년,
토마스 홉스, "리바이어던Leviathan"을 출간하였다.

원래 국가는 왕의 개인 소유물이었다. 땅도 사람도 모두 국가 안에 있는 것이라면 왕의 것이었다. 왕은 신의 대리인이며, 왕의 권한은 신으로부터 오는 것이었다. 농업시대의 보편적인 사고방식이다. "왕권신수설"이라고 한다.

경제의 중심이 농업에서 상업으로 바뀌기 시작하자 이런 생각에도 변화가 시작되었다. 최초의 변화는 청교도혁명 2년 뒤인 1651년에 출간된 토마스 홉스의 저서 "리바이어던"에서 나타난다. 홉스의 주장을 정리하면 다음과 같다.

인간은 각자 자유롭고 평등하며 무슨 일이든지 할 수 있는 자연적인 권리를 가지고 있다. 하지만 각자가 모두 그런 권리를 무한히 추구하면 결과적으로 "만인의 만인에 대한 싸움the war of all against all"이라는 자연 상태 즉 정글이 되고 만다. 이런 상태로부터 자신을 보호하기 위해 인간은 사회계약에 입각한 리바이어던을 수립하여야 한다. 리바이어던은 성경에 나오는 바다 괴물로 국가를 상징한다. (여기서부터가 중요한데) 그렇게 계약에 의해 성립되었으므로, 국민은 그 주권자인 왕에게 충성하여야 한다.

이 주장은 왕권신수설보다는 반 발자국만 앞으로 나아간 것이다. 신이 준 권한이므로 왕은 신과 같은 무한한 권한을 가진다는 이데올로기에서, 사람들의 자발적인 계약에 의해 성립된 왕권이므로 거역해서는 안된다는 쪽으로 아주 조금 변화한 것이다. 신흥 시민세력 즉 의회파의 입맛에 맞는 말을 해주면서도 결국은 절대군주제를 옹호한 것이다.

1652년,
영국 vs 네덜란드, 전쟁이 시작되었다.

향신료 무역을 두고 선발주자인 네덜란드와 후발주자인 영국의 치열한 주도권 쟁탈전이 시작되었다. 네덜란드의 독주를 영국이 그냥 두고 보기에는 너무 군침 도는 사업이었다.

1차 전쟁 (1652~1654)은 영국 크롬웰 정부의 항해법Navigation Act (1651)이 원인이었다. 영국이 점령한 항구에 화물을 가지고 입항하는 선박은 모두 영국의 선박을 이용해야만 한다는 데 대해 네덜란드가 대항한 것이다. 영국이 승리하여 1654년 웨스트민스터 조약이 체결되었다. 네덜란드가 1523년의 암보이나 사건까지 모두 포함하여 배상하기로 하였다.

2차 전쟁 (1665~1667)은 영국의 왕정복고 정부에 의한 항해법 갱신 (1660년), 영국이 아메리카 해안에 있는 네덜란드 식민지 뉴암스테르담을 점령 (1664년)한 것 때문에 일어났다. 초기에는 영국이 우세했으나 결국 네덜란드가 승리했다. 1667년 브레다 조약으로 종결되었다.

3차 전쟁 (1672~1674)은 프랑스 국왕 루이 14세가 네덜란드와 전쟁을 시작하자, 루이 14세와 도버밀약을 맺고 있던 영국 국왕 찰스 2세가 참전하여 시작되었다. 의회가 전비를 승인하지 않아서 승패가 뚜렷이 판가름나지 않은 채 종결되었지만, 이 전쟁 이후 네덜란드의 해상무역 주도권이 약해지기 시작했고, 영국이 점차 승기를 잡기 시작했다.

이들 전쟁 이후, 아시아를 포함한 세계의 바다는 점차 영국이 차지하게 되었다. 네덜란드의 시대가 저물고, 영국의 시대가 열리고 있었다. 해가 지지 않는 대영제국의 시대가 다가오고 있었다.

1657년,
영국동인도회사EIC, 크롬웰이 개혁을 단행하였다.

청교도혁명 이후 정권을 잡고 호국경이 된 올리버 크롬웰은 동인도회사의 중요성을 인식하고 EIC가 네덜란드동인도회사VOC와 경쟁할 수 있도록 개혁을 단행했다.
국왕이 주었던 칙허장charter을 의회가 주는 차터charter로 변경해 법적 기반을 강화시켜 주었고, 현지 세력에 대한 외교권 및 군사권까지 부여하여 식민지 무역 사업을 수월하게 할 수 있도록 힘을 실어주었다.
하지만 무엇보다도 가장 중요한 개혁은, 그 이전까지 일회성 사업을 영위함으로서 큰 사업을 하지 못했던 것을 개선해 VOC처럼 영속적인 사업을 할 수 있는 회사로 변경했다는 것이다.
이때부터 EIC는 실질적인 주식회사로 탈바꿈되었다. 이로써 1600년대 초반, VOC에 밀리던 EIC가 차츰 세력을 확장해 나가기 시작했다.

1664년,
영국, 네덜란드의 니우 암스테르담을 점령해 뉴욕New York으로 개칭하였다.

최초로 뉴욕 지역에 발을 디딘 것은 프랑스 사람들이었다. 1524년에 프랑스의 국왕 프랑수아 1세가 조반니 다 베라차노를 후원하여 뉴욕 지역을 탐험하게 했고, 조반니는 프랑수아 1세가 원래 앙굴렘 백작이었으므로 새로 발견한 이 지역을 누벨 앙굴렘Nouvelle-Angoulême (영어로는 New Angouleme)이라 하였다. 하지만 정착지를 세우지는 않았다.

1609년에 네덜란드동인도회사에 근무하던 영국인 헨리 허드슨Henry Hudson이 맨해튼 섬에서부터 거슬러 올라가는 강을 탐험하고 자신의 이름을 따서 허드슨 강Hudson river이라고 하였다. 맨해튼 섬은 허드슨 강 하구의 동안에 해당한다. 맨해튼Manhattan의 어원은 인근에 살던 원주민의 언어 "manahahtaan"에서 유래된 것으로, 그 의미는 "활 만들 나무를 얻는 곳"이다.

이후 1624년 맨해튼에 도착한 네덜란드 사람들은 지형이 암스테르담과 비슷하여 니우 암스테르담Nieuw Amsterdam (영어로는 New Amsterdam)이라고 불렀다. 1626년에 네덜란드 사람들이 맨해튼 섬을 원주민들로부터 24달러에 사들였다고 하는데, 실은 네덜란드 돈으로 60길더 어치 정도의 물건들을 준 것으로 현재 가치로 하면 약 1,600달러 정도였다. 이것은 현대인들의 생각하는 것과 같은 부동산 거래는 아니었다. 땅값이라기보다는 원주민들과 함께 살면서 무역할 권리를 산 것으로, 원주민들은 그 이후에도 계속 인근에서 함께 살았다. 월 스트리트의 유명한 투자자 존 템플턴 경이 이 거래를 인용해서 만약 그때 24달러를 가지고 지금까지 연 8%의 복리 수익을 얻었다면 오늘날엔 100조 달러가 넘는 어마어마한 돈이 되었을 것이라고 해서 유명해졌는데, 그때부터 현재까지 연 8%의 이자를 4백 년 동안 받는다는 것은 현실적으로 가능하지 않고 그냥 복리의 위력을 표현하기 위해 인용한 것으로 이해하면 된다.

월스트리트Wall street라는 거리 이름은 네덜란드 사람들이 1640년대에 거주지역의 북쪽 경계선에 말뚝을 박아 담장wall을 설치한 데서 유래한다. 이 담장은 인디언 원주민들과 영국인들의 공격으로부터 방어하기 위한 것이었다. 이후 네덜란드 서인도회사Geoctroyeerde West-Indische Compagniem, GWC의 피터 스튜이베산트Peter Stuyvesant가 1652년에 좀 더 튼튼하게 말뚝울타리palisade로 보강하였다. 이 담장은 영국인들이 1699년에 철거하였다.

242

1664년에 제2차 영국-네덜란드 전쟁에서 영국이 네덜란드 사람들을 축출하고 당시 영국의 국왕 찰스 2세의 동생인 요크 공Duke of York의 이름을 따서 뉴욕 New York이라고 명명했다.

1673년 제3차 영국-네덜란드 전쟁에서 다시 네덜란드가 점령했을 때 네덜란드 총독이 자기 나라의 오라녜Oranje공 (영어로는 오렌지Orange공) 빌렘 1세의 이름을 붙여 니우 오라녜 Nieuw Oranje (영어로는 New Orange)로 개칭했으나, 이듬해인 1674년 전쟁이 끝나고 웨스트민스터 조약을 체결하면서 수리남은 네덜란드가 차지하고 뉴욕은 영국이 차지하게 되었고, 이후 이 지역의 이름은 뉴욕이 되었다.

※ 주식회사 시대가 시작된 이래 세계 금융의 중심지는 다음과 같이 변하였다.
* 네덜란드 암스테르담 ; 1600년대 초-중반의 약 60여 년
* 영국 런던의 더 시티The City of London ; 1660년경부터 약 260여 년
* 미국 뉴욕 맨해튼 섬의 월스트리트 ; 제1차 세계대전이 끝난 1920년 무렵부터 월스트리트에는 세계 금융의 심장부 뉴욕증권거래소가 있고, 강세장을 염원하는 의미로 황소상이 서 있다.

1687년,
윌리엄 핍스, 침몰한 보물선에서 엄청난 양의 보물을 인양하였다.

남미대륙에서 착취한 막대한 양의 은과 금 등 보물을 가득 싣고 가다가 1641년에 침몰한 스페인의 은 수송선박에서 은괴 32ton과 금괴 11㎏ 등 어마어마한 양의 보물을 건져냈다. 후원자들에게 투자 원금의 100배를 배당금으로 돌려주었는데, 이후 영국에 해저유물인양을 목적으로 한 주식회사 설립 붐이 일어났다.

영국 국왕에게 기사 작위를 받아 귀족이 되었고, 매사추세츠주의 식민지 총독으로 임명되었다. 1692년에 "뉴잉글랜드 마녀사냥" 재판에서 재판장을 맡아 힘없고 가난한 소녀 19명을 교수형에 처해버렸는데, 이후 그는 엄청난 행운아에서 악독한 재판관으로 악명을 떨치게 된다.

1688년.
호세 드 라 베가Josef de la Vega, 최초의 주식 관련 서적을 출간했다.

호세 드 라 베가는 암스테르담에 살았던 유태인 출신의 상인으로 책의 제목은

"Confusion de Confusiones" (영어로는 confusion of confusions 혼돈 속의 혼돈)
이다. 네덜란드 암스테르담 증권거래소에서 일어나는 일들을 대화 형식으로 서술
하였다. 지금의 기준으로 보면 두께가 매우 얇은 책이지만 주식거래는 물론이고,
선물 옵션 등 파생상품 거래, 신용거래, 주가조작 등 현대적 금융기법이 모두 당
시에 이미 등장했음을 기술하고 있다.

1688년,
영국, 명예혁명Glorious Revolution이 발생하였다.

"Glorious Revolution"이란 명칭은 피를 흘리지 않고 이루어낸 혁명이라는 의미
다. 1688년에 영국 의회가 제임스 2세를 몰아내고, 그의 딸을 메리 2세로 그리고
그녀의 남편 네덜란드 공화국의 통치자 오라녜공 빌렘을 윌리엄 3세로 옹립하였
다.

호국경 올리버 크롬웰이 죽은 후 왕정복고가 이루어지고, 찰스 1세의 아들인 찰스
2세가 국왕이 되었다. 찰스 2세의 뒤를 이은 제임스 2세는 독실한 가톨릭교도로
왕권 강화에 힘을 쏟았고 그래서 개신교가 주류였던 의회와의 사이가 악화되었다.
제임스 2세가 왕자를 낳게 되자, 위기의식을 느낀 의회가 제임스 2세의 큰딸 메리
공주와 결혼한 네덜란드의 통치자 오라녜공 빌렘 (빌렘은 네덜란드어, 영어로는
윌리엄)에게 편지를 보내 두 사람에게 영국 왕위를 줄 테니 영국으로 와달라고 했
다. 이에 빌렘이 영국 의회의 요청을 받아들여서 잉글랜드에 상륙했다. 제임스 2
세는 승산이 없음을 깨닫고 프랑스로 망명했고, 런던에 입성한 오라녜공과 메리는
각각 윌리엄 3세와 메리 2세 여왕으로 공동 국왕이 되었다.

혁명의 의의를 좁게 보면 제임스 2세를 왕위에서 쫓아내고 메리 2세와 윌리엄 3
세를 왕위에 옹립한 단순한 왕위 다툼이라고 할 수도 있다.
하지만 이 혁명의 결과로 1년 후인 1689년에 영국 의회는 권리장전Bill of Rights
을 제정해 의회의 의결 없이는 국왕이 징병, 법률의 폐지, 수세 등을 하지 못하도
록 규정함으로써 민주주의가 첫걸음을 뗀, 인류역사상 가장 위대한 혁명이었다. 단
순히 피를 흘리지 않아 명예혁명일 뿐만 아니라, 인류 역사에서 가장 명예로운 혁
명이었다.

이날, 왕은 신에서 인간으로 복귀하였다.
영국의 명예혁명은 인류의 사회구조가 수천 년간 지속해온 제2의 프레임에서 벗

어나 제3의 프레임을 구성하기 시작한 첫 번째 사건이었다. 이후 혁명의 불길은 미국의 독립혁명, 프랑스의 혁명으로 이어지면서 왕들의 세상이 시민들의 세상으로 차츰 바뀌기 시작했다.

**1689년,
존 로크, "통치론 - 시민정부론"을 출간하였다.**

존 로크는 토마스 홉스보다 여러 발자국 더 나아갔다.

명예혁명이 일어난 다음 해인 1689년에 출간된 그의 저서 "통치론 - 제2론, 시민정부의 참된 기원, 범위 및 그 목적에 관한 시론", 줄여서 부를 땐 "시민정부론"

여기서 존 로크는 사람들의 자유로운 계약에 의해 국가가 성립되었으므로, (역시 여기서부터가 중요한데) 국가의 주인은 국민 개개인이며 국가는 그들을 보호할 의무가 있다. 왕이 이런 계약을 지키지 못하면 국민은 왕을 바꿀 수 있다고 했다. 토카스 홉스의 리바이어던과 비교해 엄청난 진보가 이루어졌다. 그리고 시대를 규정하는 이데올로기가 완전히 바뀌었다. 왕의 세상에서 시민들의 세상으로.

영국에서는 청교도혁명과 명예혁명을 겪고 난 후 1600년대 말에 이미 시민의식이 크게 성장하였고, 민주주의가 뿌리를 내리기 시작했다.

재밌는 사실은, 영국에서는 혁명이 일어나고 1~2년 뒤에 그것을 사상적으로 뒷받침해주는 저서가 출간되었는데, 프랑스에서는 그런 저서의 출간 이후에 혁명이 발생했다는 점이다. 프랑스인들은 항상 영국인들보다 조금씩 늦었다. 영국보다 수십 년 후인 1762년에 그런 저서가 발표되었고, 혁명은 그로부터 한참 후인 1789년에 발생했다.

**1695년 9월 11일,
영국 출신의 해적 헨리 에브리. 무굴제국의 황제 아우랑제브의 배 건스웨이호를 약탈하였다.**

헨리 에브리Henry Every는 1659년에 영국 데번셔에서 출생하여, 영국 왕립해군에 입대했다가 제대 후에는 노예상인으로 잠시 일한 적이 있는 사람이었다.

당시 하원의원이었던 제임스 후불론James Houblon이 설립한 스페인원정해운 Spanish Expedition Shipping에 신원으로 참가하였다. 스페인원정해운은 서인도제도의 스페인사람들에게 무기를 판매한다며 설립되었지만, 실제 목적은 카리브해에 침몰한 배에서 보물을 인양하는 것이었다. 4척의 배로 구성된 함대였는데 그중

기함flag ship은 찰스2세 호였다.

알 수 없는 이유로 출항하지 못하고 5개월 동안이나 대기상태에 있던 이 배에서 헨리 에브리가 동료들과 선상 반란을 일으켜 찰스 2세 호를 탈취하고, 배 이름을 팬시Fansy 호로 바꾼 후 해적질을 시작하였다.

헨리 에브리와 동료 해적들은, 이슬람 성지 메카를 순례하고 인도 서해안의 항구 도시 수라트로 귀항하던 건스웨이Gunsway 호라는 배를 약탈하였다. 건스웨이는 영국 사람들이 발음하기 편하게 부르는 이름이었고 이 배의 진짜 이름은 간지이사와이Ganj-i-Sawai 호였는데, 페르시아어로 "넘치는 보물"이라는 뜻이었다. 배 안에는 이름에 걸맞게 어마어마한 양의 보물과 함께 무굴제국의 황제 아우랑제브 (타지마할을 만든 샤 자한의 아들)의 딸 또는 가까운 친척이라고 알려진 귀부인을 포함한 여성들이 타고 있었다. 해적들은 보물을 탈취하고, 선원들을 고문하고 죽였으며, 이 여성들을 며칠 동안이나 가둬두고 윤간한 후, 바다 멀리 도망가 버렸다. 이 사실이 황제 아우랑제브에게 알려졌고 황제는 분노했다. 해적들은 주로 영국 사람들이었기 때문에 영국동인도회사의 직원들은 수개월 동안 연금되었고 영업활동은 중지되었다. 더구나 동인도회사는 인도사람들에게 인도 상선을 몰래 약탈하고 있다는 의심도 받고 있던 터였다. 직원들의 죽음은 말할 것도 없고, 동인도회사의 인도 사업이 끝장날 위기 상황이었다.

이때 동인도회사의 임원중 한 사람이 인도 정부에 제안을 하나 하여 위기를 돌파했다. 이 사태의 책임을 지고 그 대가로 동인도회사가 바다에서 해적들을 소탕하고 질서를 유지할 테니 용서를 해달라는 것이었다. 육지에서는 강력한 제국이었지만 바다에서는 힘이 약했던 무굴제국으로서는 솔깃한 이야기였다.

궁여지책으로 맡게 된 이 일로 인해 아이러니하게도 영국동인도회사는 인도에서 해상권을 장악하게 된다. 이렇게 장악한 해상권을 발판으로 인도 내에서 동인도회사의 영향력은 증대되고, 결국에는 인도를 식민지로 만드는데 성공한다.

해적pirate

배로 사람과 물건을 실어나르던 때에는 항상 해적이 있었다. 청동기시대 말기에 크레타 문명과 미케네 문명을 멸망시키고 히타이트 심지어 이집트까지 침략했던 바다민족Sea People, 8~11세기 스칸디나비아반도에서 시작해 지중해, 흑해, 심지어 신대륙까지 휘젓고 다녔던 바이킹, 그리고 최근의 소말리아 해적들까지.

하지만 해적이라 하면 대개는 1700년대 초에 중앙아메리카의 카리브해에서 활동하던 해적들을 말한다. 남미대륙에서 약탈한 금은 등 보물을 싣고 유럽으로 향하던 스페인 선박을 약탈하던 캐러비안의 해적이 바로 그들이다.

이들의 해적 활동이 가장 왕성하던 시기를 해적의 황금기라고 하며 대략 1690년부터 1730년대까지이다. 이때에는 바하마의 나소Nassau에 해적들의 공화국이 생길 정도였다. 1706년에 결성되어 1718년에 영국 해군에 의해 괴멸될 때까지 12년 동안이나 존속하였다.

그 당시 유명한 해적들이 많이 있었지만 특히 블랙비어드와 캡틴 키드가 유명했다.

검은 수염 블랙비어드Blackbeard라 불린 에드워드 티치Edward Teach는 뻣뻣한 검은 수염을 가지고 있어서 그런 별명을 얻었다. 적들에게 공포감을 심어주려고 모자 아래에 화승(火繩, slowmatch, 느리게 타는 도화선)을 묶고 불을 붙이고 다녔다고 한다. 해적 역사상 가장 흉포하고 잔인한 해적으로 약탈한 배의 생존자는 남겨두지 않았다고 하며, 정부의 상선을 많이 공격하여 그의 목에는 많은 현상금이 걸렸다고 한다.

캡틴 키드Captain Kidd로 알려진 윌리엄 키드William Kidd는 원래 영국 군인으로 영국-프랑스 전쟁에서 큰 공을 세웠다. 한때는 해적 헨리 에브리를 체포하라는 명령을 받고 활동하기도 했다. 하지만 그는 해적을 상대하면서 차츰 해적과 손을 잡았고 마침내 유명한 해적 선장이 되었다. 엄청난 양의 보물을 어딘가에 묻었다는 소문이 돌아 많은 사람들의 관심을 얻었다. 하지만 결국 보스턴에서 체포되어 영국으로 송환되었고 사형 선고를 받아 교수형에 처해졌다. 영국 정부가 해적에게 본때를 보여주기 위해 죽은 뒤에도 오랫동안 장례도 치르지 못하게 하고 교수형 당한 채로 부패할 때까지 묶어두었다고 한다.

해적들이 배에 달고 다니는 해적 깃발을 졸리 로저Jolly Roger라고 한다. 공포감을 주기 위해 죽음의 색깔인 검정색 바탕에 해골과 뼈 또는 칼 등을 그려 넣어 돛대에 달고 다녔다.

그런데 해적 (또는 산적)이라는 말을 들으면 묘한 친근감이 든다. 왜 그럴까?

이들 모두 원래는 평범한 서민이었기 때문이다. 국가의 억압과 착취를 견디다 못해 산으로 들어가 산적이 되고, 바다에서 해적이 되었기 때문이다. 대항해시대와 그 이후의 해상무역 전성기에 무역선에 탑승한 사람들은 두 부류로 나뉘어져 있었다. 마치 육지에서 귀족과 평민으로 나뉘는 것처럼, 선장 항해사 등 간부들과

하급 선원으로 나뉘어 그 차이는 매우 컸다. 당시의 항해는 선원의 절반 이상이 죽어 나갈 정도로 혹독했고, 그래서 가끔 선원들이 반란을 일으켜 선장 등 간부들을 죽이거나 배 밖으로 내쫓는 선상반란이 일어났다. 선상반란은 매우 큰 중범죄였고 돌아가면 사형이 기다리고 있었기에 그들은 해적이 될 수밖에 없었다.

기존 체제에서는 심한 차별을 받던 그들이었기에 해적이 된 후에는 평등을 추구했다. 그래서 민주주의의 뿌리가 해적에서부터 시작되었다고 하는 사람들도 있다. 이전의 무역선 선장은 선원들보다 급여가 10배 20배에 달했지만, 해적선의 선장은 일반 선원보다 2배 정도만 더 받았다고 한다. 또한 잘못이 있으면 선원들의 투표에 의해 쫓겨나기도 했다. 마치 민주주의 국가의 탄핵처럼.
로빈후드, 홍길동 같은 산적들이 서민들의 사랑을 받았듯이, 비록 살인 강도 강간을 일삼던 해적이었지만 서민들은 은근히 그들의 성공을 바랐다. 헨리 에브리도 마찬가지였다. 스페인원정해운의 투자자들이나 영국동인도회사의 간부들은 그를 증오했지만, 영국의 서민들은 헨리 에브리가 무굴제국 황제의 딸과 사랑의 도피행각을 벌이는 멋지고 로맨틱한 남자였으리라고 미화하면서 그가 잡히지 않기를 바랐다. 그들의 바람처럼 헨리 에브리는 잡히지 않았고, 넓은 바다 어딘가로 사라져버렸다.

1698년, 잉글랜드동인도회사 설립 /
1709년, 합동동인도회사로 합병

1600년에 설립된 영국동인도회사의 첫 번째 정식 명칭은
"Governor and Company of Merchants of London Trading into the East Indies"
동인도와 무역하는 런던 상인들의 대표와 동업자들
줄여서 "London company", 런던회사

그런데 1600년대 말엽에 런던동인도회사의 무역 독점에 반발하는 영국 내의 다른 상인들이 왕실과 의회에 지속적으로 로비를 벌여 1698년에 두 번째 동인도회사가 설립되었다.

두 번째 동인도회사 명칭은
"The English Company Trading to the East Indies"
동인도와 무역하는 잉글랜드 상인들의 회사

줄여서 "English company", 잉글랜드회사

이후 두 번째 회사의 로비로 기존의 첫 번째 회사의 특허는 1701년 이후 회수하기로 결정되었으나, 첫 번째 회사도 또한 막대한 로비를 하여 기한을 연장받았다. 이 두 동인도회사의 경쟁이 너무 과열되자 공멸을 우려한 정부의 중재로 1708년에 두 회사가 합병하였다.

합병된 동인도회사의 명칭은
"United Company of Merchants of England Trading to the East Indies"
동인도와 무역하는 잉글랜드 상인들의 연합 회사
줄여서 "United company", 합동회사

결과적으로 영국동인도회사EIC의 덩치가 두 배 이상으로 커진 것이다.

1720년,
프랑스, Mississippi Company 버블 발생 /
영국, South Sea Company 버블 발생 /
영국, Bubble Act 시행

1720년은 주식의 역사에서 매우 중요한 해다. 이 해에 프랑스에서는 미시시피 회사 버블이 터졌고, 영국에서는 사우스 시 회사 버블이 터졌다. 이보다 더 중요한 사건은 영국에서 거품법Bubble act이 제정되었다는 것이다. 이후 1825년에 이 법이 폐지될 때까지 105년 동안이나 영국에서는 주식회사 제도의 발전이 지체되었다.

1755년,
프랑스의 장 자크 루소, "인간 불평등 기원론"을 출간하였다.
1762년에는 "사회계약론"을 출간하였다.

프랑스 브르고뉴의 디종 아카데미Académie de Dijon가 1753년에 "인간 불평등의 기원은 무엇이며 그것은 자연법으로 시인되는가?"라는 주제로 논문을 현상 공모하였나. 루소가 여기에 응모했다가 닉선된 후 그 논문을 2년 민인 1755년에 "인간 불평등기원론"이란 이름으로 출간하였다.
여기서 그는 인간이 서로 불평등한 까닭은 "사유재산제도"에 있다고 하였다. 사유재산 때문에 부자와 가난한 자가 생기고, 불평등을 비롯한 모든 사회 문제가 발생한다고 하였다.

1700년대 중반쯤에는 인간이 불평등한 것이 의문이었다. 왜 같은 인간들인데 서로 불평등한가? 하지만 21세기인 지금은 질문을 바꿔야 한다. 인간을 포함한 모든 동물, 특히 모여 사는 사회적 동물들은 원래 "자연적으로" 불평등하다. 침팬지, 고릴라, 늑대, 하이에나, 사자 등은 물론 인간들까지 모두 모여 사는 동물이라면 불평등한 것이 자연법칙이다. 힘이 제일 센 수컷이 먹을 것도 가장 먼저 가장 많이 먹고, 암컷도 가장 먼저 자기 맘껏 취할 수 있다. 물론 종마다 약간의 차이는 있겠지만.

그런데 왜 인류의 원시사회 즉 적은 수의 사람들이 무리band를 이루어 유랑하면서 부족tribe 안에서 생활하던 과거에는 왜 서로 평등했을까? 고고학자들은 집터를 보고 그들이 평등했다고 추정하며, 인류학자들은 현재까지 원시생활을 유지하고 있는 부족들을 보고 그들이 꽤 평등한 편이라고 한다.

그래서 디종 아카데미가 지금 다시 논문을 공모한다면 그 제목은 "과거 원시시대에 인간 평등의 기원은 무엇이며 그것은 자연법으로 시인되는가?"여야 한다. 누군가는 그에 대해 "인간평등기원론"으로 답해야 할 것이다.

불평등의 원인은 사유재산이 아니라, 사람들이 너무 많이 너무 조밀하게 모여 살기 때문 즉 "인구압"때문이다. 적은 수의 사람들이 넓은 땅에 흩어져서 살아간다면 인간은 좀 더 평등해질 것이다.

또한 불평등을 심화시킨 것은 "공유재산"이지 사유재산이 아니다. 국가가 모든 것을 소유하는 공유재산, 다시 표현하면 국왕이나 공산당이 모든 것을 소유하는 공유재산제 국가에서는 불평등이 심해지지만, 국민 개개인이 각자 사유재산을 소유하고 그것을 시장에서 자유롭게 거래하는 사유재산제 자유시장경제 국가에서는 불평등이 다소 약해진다.

원시 공유사회가 훨씬 평등하긴 했지만, 그런 사회는 다시는 돌아오지 않는다. 인류의 수가 어떤 이유로 급감하여 지구 전체에 적은 수로 뿔뿔이 흩어져 살게 된다면 모를까.

이후 루소는 1762년에 출간한 "사회계약론"에서, 인간은 모두 자유롭게 태어났지만 어디서나 사슬에 매여 있다. 그러므로 "자연으로 돌아가라"라고 하였다. 그러나 현실적으로 자연으로 돌아가는 것은 불가능하므로 대신에 사회계약으로 만들어진 국가가 개인의 자유를 최대한 보장해야 한다고 주장했다. "주권은 항상 국민에게 속하며 양도될 수 없으며, 국가는 국민들의 대리인으로서 법을 집행할 뿐이다"
라고 했다.

1757년 6월 23일,
EIC, 인도에서 플라시 전투Battle of Plassey가 발생하였다.

인도 벵골지방의 나와브Nawab (태수)였던 시라지 웃 다울라와 영국동인도회사의
로버트 클라이브 중령의 전투에서 영국동인도회사가 승리하였다. 병력은 나와브의
군대가 압도적으로 많았으나, 시라지 웃 다울라의 부하들이 영국에 매수되어 배반
했기 때문이었다.
회사는 이 전투에서 승리한 이후에 무역회사 조직에서 벗어나 정치 및 군사 조직
으로 그 기능이 변화했다. 다시 말해 주식회사라기보다는 국가기관처럼 그 기능이
바뀐 것이다. 이후 회사는 인도 벵골지방에서의 패권을 확고히 했고, 이를 기반으
로 인도의 식민화에 박차를 가했다.

1764년 10월 22일,
EIC, 인도에서 박사르 전투Battle of Buxar가 발생하였다.

무굴제국과 지방의 토후 세력들이 동인도회사의 세력 확장에 반발해 회사를 공격
하였으나 오히려 동인도회사의 군대가 승리하였다.
이 전투 이후 체결된 1765년 알라하바드 조약Treaty of Allahabad에 의해 회사는
무굴제국으로부터 벵골, 오리사, 비하르 등 3개 주의 디와니diwani (징세권 즉 세
금을 받을 권리)를 양도받았다. 징세권 이외의 사법 및 행정은 여전히 나와브가
담당하였으나, 1772년에는 행정권과 사법권까지 회사가 갖게 되어 회사가 3개 주
의 실질적인 정치적 지배자가 되었다.

1760~1840년,
영국, 공장혁명 (또는 제1차 산업혁명)이 시작되었다.

아크라이트가 1769년에 수력방적기 특허를 획득해, 1771년에 아크라이트 방적공
장을 설립했다. 제1차 산업혁명은 섬유제조업을 중심으로 시작되었다.
이때의 컴퍼니는 대규모의 주식회사Joint stock company가 아니라, 3~4명의 동
업자들이 모인 동업회사Partnership company였다. 이때 영국에서는 1720년에 제
정된 거품법이 시행되고 있었기 때문이다.

근대가 끝나가고 있었다. 저 멀리서 안개처럼 어렴풋이 현대가 다가오고 있었다.

1766년,
EIC의 주식, 폭등하기 시작했다.
1772~1773년에 버블이 붕괴되었고 많은 상처를 남겼다.

1772년,
영국 런던, 주식거래소가 새로 개설되었다.

1773년,
영국, 노스 규제법North's Regulating Act이 시행되었다.

동인도회사에 대한 영국 정부의 규제가 시작되었다. 총독, 참사회, 최고법원을 설치하고 그 권한을 규정하여 영국 정부가 회사 경영에 관여하기 시작했다.

1784년,
영국, 피트의 인도법Pitt's India Act이 시행되었다.

동인도회사에 대한 영국 정부의 규제가 한층 강화되었다. 영국 정부가 총독은 물론 인도 내의 동인도회사 주요 직위에 대한 임명권을 가지게 하였다. 더 나아가 영국 본토에는 별도로 감시청을 두어 동인도회사를 감독할 수 있게 하였다.

1773년,
영국의 존 해리슨, 크로노미터chronometer를 발명해 상금을 받았다.

크로노미터는 항해할 때 사용하므로 마린 크로노미터marine chronometer라고도 한다. 해양 시간측정기, 쉽게 말해 항해용 정밀시계다.
항해할 때 위도는 태양과 별자리를 보고 정확하게 측정할 수 있다. 아스트롤라베 astrolabe라는 측정기를 사용한다. 아스트롤라베는 고대 그리스 로도스 섬의 천문학자 히파르코스가 BC 190~120년경에 최초로 만든 것으로 추정된다. 로마, 이슬람을 거쳐 유럽에 도입되어 사용하고 있었다.
하지만 경도를 정확하게 계산하기 위해서는 정확한 시계가 반드시 필요했다. 1714년에 영국 정부는 이런 목적으로 쓸 수 있는 정확한 시계를 공모했고, 1773년에 시계공이었던 존 해리슨John Harrison이 여기에 당선되어 상금을 받았다.

그는 1735년에 제1호 크로노미터 H1을 제작했고, 계속 정밀도를 높여서 1761년에는 제4호 크로노미터 H4를 개발했다. 156일의 항해에서 54초의 오차를 내는 매우 정밀도 높은 기계였다. 이들은 모두 태엽식이었고, 현재는 수정식 전자시계를 사용한다.

1776년,
애덤 스미스, 국부론을 출간하였다.

애덤 스미스Adam Smith (1723~1790)는 스코틀랜드에서 태어난 경제학자이자 철학자이다. 최초의 경제학자, 경제학의 아버지로만 알고 있는 사람들이 많지만, 1759년에 도덕감정론The theory of moral sentiments을 출간한 철학자이기도 하다.
국부론The wealth of nations의 원래 제목은 "An inquiry into the nature and causes of the wealth of nations국부의 성질과 원인에 관한 연구"다. 이 책에서 스미스가 주장하는 바를 쉽게 설명해보면 다음과 같다.
* 부의 원천은 노동이다.
* 부의 증진은 노동생산력의 개선으로 이루어진다.
* 노동생산력은 분업에 의해 증대된다.
* 분업과 협업이 자연스럽게 이루어지는 자유시장에서 이기적인 사람들이 자유롭게 경쟁하고 협동할 때 "보이지 않는 손Invisible hand"이 작동되어 국가의 부가 증진된다.

이때부터 인간의 "이기심"은 더이상 추악한 것이 아니라 자연스럽고 생산적인 것이 되었다.

국부론이 출간된 1776년은 특별한 해였다. 영국에서는 공장혁명 (제1차 산업혁명)이 이제 막 태동하고 있었고, 식민지였던 미국에서는 독립선언문이 발표되었다. 경제적으로, 정치적으로 세계가 업그레이드되기 시작하던 때였다. 국부론은 이런 풍요로운 시기의 영국에서 태어났다. 테제these가 세워졌다.
하지만 그로부터 약 90년 뒤인 1867년에 국부론은 칼 마르크스의 자본론에 의해 비판받는다. 자유방임주의가 극에 달해 노동자가 노예 신세로 전락했기 때문이다. 이것이 안티테제antithese로 작용해 테제these와 상호작용을 하기 시작했다.
테제these인 자유방임주의 국부론과 안티테제antithese인 공산주의 자본론이 1800년대 말과 1900년대 초중반에 서로 격렬하게 부딪혀 상호작용하였다. 그 결과 자유방임주의는 수정되어 점차 안정화되었다. 마침내 신테제synthese가 완성되었다. 그 수정된 자유주의 국가가 바로 영국, 미국, 프랑스다. 현대를 이끌어가고 있는 세 나라. 이들 국가는 농업국가에서 상업국가로, 그리고 다시 공업국가로 변신하였고, 세습왕조국가에서 민주국가로 변신하였다. 이제 슬슬 전 세계를 손에 쥘 준비를 마치고 있었다. 그러나 공산주의는 안티테제라는 자기 본분을 마치고 역사에서 사라져버렸다.

1802년,
엘뢰테르 이레네 듀퐁Éleuthère Irénée du Pont, 화학회사 듀퐁DuPont을 설립하였다.

이 회사의 제품으로 가장 유명한 것은 나일론Nylon으로, 나일론으로 만든 스타킹은 여성들의 의복의 한 종류로까지 인식될 정도로 어마어마한 인기를 누렸다. 프레온 가스Freon gas도 이 회사의 제품이며, 방수가 되는 섬유로 유명한 고어텍스Gore-tex는 듀퐁에서 근무했던 고어Wilbert (Bill) Lee Gore가 퇴사하여 부인과 함께 회사를 창립해서 제품화한 것이다.

1813년,
EIC, 인도무역 독점권이 취소되었다.
1833년에는 중국무역 독점권도 취소되었다.

1825년,
영국, 거품법Bubble Act이 폐지되었다.

사우스 시 회사South sea company 때문에 제정되어, 105년간 영국 주식회사 제도의 발전을 가로막던 거품법이 마침내 폐지되었다.

1834~1837년,
철도광 시대Railway mania가 개막되었다.

기관차가 개발되고, 주식회사 시스템은 도시들을 철로를 연결하기 위해 분주히 활동하기 시작했다. 철도회사의 주식 투자에 열광한 철도 숫사슴들railway stags이 주식시장을 펄쩍펄쩍 뛰어다녔다.

1841년,
영국, 중국의 향기로운 항구 香港Hong Kong을 점령하였다.

1840~1842년,
영국 vs 중국, 아편전쟁이 발생하였다.
중국이 영국에게 패배해 1842년에 난징조약이 체결되었다.

마침내 현대modern times가 모습을 드러냈다.
세계의 중심이었던 "中國"을 아주 치졸한 방식으로 박살 내버린 영국과, 영국의 DNA를 물려 받았지만 훨씬 젊고 덩치가 큰 미국과, 영국의 영원한 라이벌이면서 동시에 친구인 프랑스. 이렇게 세 나라가 세계를 이끌어가는 시대, 현대가 시작되었다.
후발주자인 독일, 이탈리아, 일본이 이들에게 대들다 된통 혼난 것이 제1, 2차 세계대전, 러시아가 소비에트를 결성해 대항했다가 차츰 시들어 버린 것이 냉전cold war, 그리고 아직도 잠에서 덜 깨어난 중국몽中國夢까지.
현대는 이렇게 영국, 미국, 프랑스가 다른 나라들을 이끌고 가는 시대다. 이들 세 나라에는 국가라는 오래된 조직과 함께, "주식회사"라는 매우 새롭고 강력한 조직이 있었기에 패권을 차지할 수 있었다.

1844년,
영국, 주식회사등기법Joint Stock Companies Resistration Act이 제정되었다.

예전처럼 국왕이나 의회의 특별허가증인 차터charter를 받아야만 주식회사를 설립할 수 있는 게 아니라, 누구나 회사설립증서Deed of Settlement (DOS)를 상무부에 등기하면 법인 주식회사를 설립할 수 있게 되었다.

1848년,
칼 마르크스와 프리드리히 엥겔스, "공산당 선언"을 영국에서 출판했다.
1867년에는 마르크스의 "자본론"이 출판되었다.

자유방임주의의 부작용이 심각해져 노동자는 노예나 다름없는 신세로 전락해 있었다. 국가는 고대의 경찰만 유지하면 된다는 야경국가로 변해있었다. 그래서 공산주의자들은 만국의 프롤레타리아들이 단결해 혁명을 일으켜서 부르주아의 피로 세상을 물들이자고 선언했다. 그래서 공산당을 상징하는 색은 붉은색 즉 피의 색깔이다.

이제 막 자유주의와 공산주의의 힘겨룸이 시작될 판이었다. 우리는 이 싸움의 결과를 알고 있지만, 당시의 사람들은 알지 못했다. 자본주의는 그 내재된 속성 때문에 프롤레타리아의 혁명에 의해 반드시 공산화될 것이라는 마르크스의 예언은 이루어질 것인가?

산업화와 자유방임주의로 고생했던 영국, 미국, 프랑스는 공산화되지 않았는데, 반면에 산업화는 맛도 보지 못하고 짜르, 황제, 임금님 밑에서 농업에 종사하던 러시아, 중국, 북한이 공산화되었다.

되돌아보면, 1776년에 국부론을 출간한 아담 스미스는 해외무역과 식민지 사업으로 국부가 엄청나게 증가하던 시절의 영국에서 (정확히는 스코틀랜드에서) 살았다. 주식회사혁명의 장점만 본 것이다. 90여 년 후인 1867년에 자본론을 출간한 칼 마르크스는 산업혁명 이후 공장주가 노동자를 노예처럼 부리던 시절에 독일과 영국에서 살았다. 주식회사혁명의 단점만 본 것이다.

부르주아와 프롤레타리아는 서로 적대적이기만 한 것이 아니다. 용어도 바꿔야 한다. 인베스터investor와 워커worker는 서로 협력하기도 하고 갈등도 하면서 새로운 세상을 만들어나간다.

주식회사혁명이란 것의 실체를 보려면 오른쪽과 왼쪽, 장점과 단점을 모두 보아야 하는데, 그들이 살던 시대에는 허용되지 않았다. 아담 스미스와 국부론은 자유시장경제가 주는 혜택 즉 주식회사혁명의 오른쪽 면만 보았고, 칼 마르크스와 자본론은 자유방임에만 맡겼을 때 나타나는 부작용 즉 주식회사혁명의 왼쪽 면만 본 것이다. 두 사람 모두 야누스의 두 얼굴을 보지 못하고, 외눈박이 물고기처럼 야누스의 한쪽 얼굴만을 보았던 것이다.

양극단에는 지옥이 있다. 오른쪽 끝 즉 국부론대로만 하면 야경국가가 되어 국민이 귀족(공장주)과 천민으로 나뉘어버리고, 왼쪽 끝 즉 자본론대로만 하면 공산국가가 되어 역시 국민이 귀족(공산당)과 천민으로 나뉘어버리는 아이러니가 발생한다. 천국은 오른쪽과 왼쪽의 중간 어디쯤엔가 있다. 국부론과 자본론의 중간 어디쯤 천국이 있다. 자유시장경제를 유지하되 국가가 "적절히" 관리하는 체제가 가장 좋은 것이다. 이 "적절히"가 어렵다. 너무 과도해도 안되고, 너무 느슨해도 안된다. 항상 그렇지만, 중간이 가장 어렵다.

1855년,
영국, 유한책임법Limited Liability Act이 제정되었다.
주식회사의 주주는 회사의 채무에 책임이 없어졌다.

1856년,
영국, 주식회사법Joint Stock Companies Act이 제정되었다.
1년 전의 유한책임법까지 포괄해 주식회사에 관한 법적 제도가 완성되었다.

1857년,
인도, 세포이 항쟁이 발발했다.

인도인 용병 세포이들은 힌두교도나 이슬람교도였는데, 이들에게 소기름 돼지기름
이 발라져 있는 탄약통을 입에 물라는 명령을 내리는 바람에 항쟁이 시작되었다.
항쟁은 인도 북부지역에서부터 시작되어 무굴제국의 수도 델리를 점령하고 무굴
황제를 복위시켜 제국을 부활시키려고 했으나 영국군에 패배하고 실패로 끝났다.

1858년,
EIC, 해산하였다.

세포이 항쟁을 진압한 후 영국 정부는 회사의 통치로는 인도 지배가 불가능하다
고 판단하였다. 회사가 인도에 가진 모든 권한을 국왕과 정부에 넘기라는 인도법
이 1858년에 제정되었다. 이에 따라 인도는 영국령이 되었다.
1877년에는 영국의 빅토리아 여왕이 인도 황제를 겸직하게 되어 인도는 영국령
인도제국Indian Empire이 되었다.
이제 명실공히 세계는 영국이 지배하는 세상이 되었지만, 이에 대한 실질적인 공
로는 영국이라는 국가 조직이 아니라 EIC라는 주식회사 조직이었다. 유럽 대륙
서쪽의 작은 섬나라 잉글랜드를 해가 지지 않는 대영제국으로 만든 진짜 주체인
영국동인도회사가 258년 역사를 뒤로하고 해산되었다.

1861년,
J. P. 모건John Pierpont Morgan, 뉴욕에 "J.P. Morgan & Co."를 설립하였다.

런던에 있는 아버지 J. S. 모건Junius Spencer Morgan의 회사에서 인수한 유럽
의 증권을 뉴욕에서 판매하면서 사업을 시작하였다. 연이은 합병으로 은행의 덩치

가 커졌고, 2000년에는 "Chase Manhattan Bank"와 합병하여 지금의 이름인 "JPMorgan Chase & Co."가 되었다.

1865~1900년,
중화학공업혁명 (제2차 산업혁명),
철강회사와 화학회사 등 중화학공업이 폭발적으로 성장하였다.

1868년,
이리 철도Erie railroad의 경영권을 두고 이리 전쟁Erie war이 발생했다.

센트럴 철도를 운영하고 있던 코넬리우스 밴더빌트Cornelius Vanderbilt가 이리 철도를 빼앗으려고 가격인하 경쟁을 시작했다가, 나중에는 이리 철도의 주식 매집으로 작전을 변경했다. 하지만 이리 철도의 다니엘 드루, 제이 굴드, 짐 피스크는 주식 물타기로 대응했다.
이리 전쟁의 최종 승자는 굴드와 피스크가 되었지만, 밴더빌트는 이후에도 미국의 철도산업을 꾸준히 키워 위대한 사업가, 투자자로 존경받고 있다.
이리 전쟁 이후에 신주 발행을 사전에 알리는 공시제도가 시행되어 물타기를 할 수 없게 되었다.

1875년,
알렉산더 그레이엄 벨Alexander Graham Bell과 동업자들, "Bell Telephone Company"를 설립했다.

1881년에 "American Bell Telephone Company"로 이름을 바꾸었다. 1885년에 자회사인"American Telephone and Telegraph Company (AT&T)"가 설립되었고, 1899년에는 모회사의 자산을 물려받아 AT&T가 새로 모회사가 되었다. 이후 "Bell System"이라는 기업집단을 형성해 세계 최대의 통신회사가 되었다.

1882년,
찰스 다우, 다우존스사를 설립하였다.

1884년 7월 3일,
찰스 다우, 세계 최초로 평균주가를 발표했다.
그날의 평균주가는 69.93이었다.

1889년에는 월스트리트저널을 창간했고, 1900~1902년에는 추세에 관한 자신의 이론을 월스트리트저널에 기고하였다. 이를 바탕으로 1932년에 로버트 레아가 "다우이론 The Dow theory"을 출간하였다.

1927년,
벤저민 그레이엄, 콜럼비아 대학교에서 증권분석을 강의하기 시작하였다.

이를 바탕으로 1934년에 "증권분석 Security analysis"을 출간하였다. 이 책은 전문가용으로 일반인들에게는 너무 어려웠으므로, 1949년에는 일반인들을 위해 쉽게 저술한 "현명한 투자자 The intelligent investor"를 출간하였다. 이후 "현명한 투자자"는 주식투자의 고전이 되었다. 가치추종Value-Following 투자법의 고전이라고 할 수 있는 책이다. 주식투자에 관한 책을 딱 한 권만 권하라고 한다면 이 책을 꼽는다.

1929년,
미국, 대공황이 발생하였다.

1940년,
제시 리버모어, "주식 매매하는 법How to trade in stocks"을 출간하였다.

추세추종Trend-Following 투자법은 누구나 쉽게 시작할 수 있지만 아무나 성공할 수 있는 투자법이 결코 아니다. 리버모어는 이 책을 통해 추세추종의 기본 개념을 정립했다. 추세추종에 관한 고전이라고 할 수 있다.

1958년,
필립 피셔, "위대한 기업에 투자하라Common stocks and uncommon profits"를 출간하였다.
성장주투자, 즉 가치예측Value-Anticipating 투자법의 고전이 되었다.

1989년,
피터 린치, "전설로 떠나는 월가의 영웅Once up on Wall street"을 출간하였다.

피터 린치는 펀드매니저였으므로 여러 가지 성격의 주식을 포트폴리오에 담았지만, 그의 가장 큰 관심사는 항상 성장주였다.
즉 그는 가치예측Value-Anticipating 투자자였다.

2000년,
앙드레 코스톨라니, "돈, 뜨겁게 사랑하고 차갑게 다루어라Die Kunst uber Geld nachzudenken"가 그가 사망한 다음 해에 출간되었다.
추세예측Trend-Anticipating 투자법의 고전이 되었다.

[부록] 주식투자자의 필독서

[추세주의]
* 다우이론, 로버트 레아 저, 박정태 역, 굿모닝북스, 2005
원지 ; The Dow theory, Robert Rhea, 1932

[추세추종 투자법]
* 주식 투자의 기술, 제시 리버모어 저, 박정태 역, 굿모닝북스, 2010
원저 ; How to trade in stocks, Jesse Livermore, 1940
* 터틀의 방식, 커티스 페이스 저, 이은주 역, 이레미디어, 2010
원저 ; Way of the Turtle, Curtis Faith, 2007

[추세예측 투자법]
* 돈, 뜨겁게 사랑하고 차갑게 다루어라, 앙드레 코스톨라니 저, 김재경 역, 미래
의창, 2001
원저 ; Die Kunst uber Geld nachzudenken, Andre Kostolany, 2000
* Top Down 투자전략, 앤서니 크레센치 저, 이건 역, 리딩리더, 2011
원저 ; Investing from the top down, Anthony Crescenzi, 2009

[가치추종 투자법]
* 현명한 투자자, 벤저민 그레이엄 저, 강남규 역, 국일증권경제연구소, 2002
원저 ; The intelligent investor, Benjamin Graham, 1973, (초판 1949)

[가치예측 투자법]
* 위대한 기업에 투자하라, 필립 피셔 저, 박정태 역, 굿모닝북스, 2005
원저 ; Common stocks and uncommon profits, Phillip Fisher, 1958
* 전설로 떠나는 월가의 영웅, 피터 린치, 존 로스차일드 공저, 이건 역, 국일증권
경제연구소, 2009
원저 ; One up on Wall street, Peter Lynch, John Rothchild, 2000, (초판
1989)

[계량분석 투자법, 퀀트]
* 나는 어떻게 시장을 이겼나, 에드워드 소프 저, 김인정 역, 이레미디어, 2019
원저 ; A man for all markets, Edward O. Thorp, 2017

참고문헌

[추세주의]
* 다우이론, 로버트 레아 저, 박정태 역, 굿모닝북스, 2005
원저 ; The Dow theory, Robert Rhea, 1932
* 주식시장의 비로미터, 윌리엄 해밀턴 저, 박정태 역, 굿모닝북스, 2008
원저 ; The stock market barometer, William Hamilton, 1925 (초판-1922)

[추세추종 투자법]
* 주식 투자의 기술, 제시 리버모어 저, 박정태 역, 굿모닝북스, 2010
원저 ; How to trade in stocks, Jesse Livermore, 1940
* 어느 주식투자자의 회상, 에드윈 르페브르 저, 박성환 역, 이레미디어, 2005
원저 ; Reminiscences of a stock operator, Edwin Lefevre, 1923
* 월스트리트 최고의 투기꾼 이야기, 리처드 스미튼 저, 김병록 역, 새빛인베스트
먼트, 2006
원저 ; Jesse Livermore : World's greatest stock trader, Richard Smitten,
2001
* 터틀의 방식, 커티스 페이스 저, 이은주 역, 이레미디어, 2010
원저 ; Way of the Turtle, Curtis Faith, 2007
* 기술적 분석 모르고 절대 주식투자 하지 마라, 잭 슈웨거 저, 이은주 역, 이레미
디어, 2019
원저 ; Getting started in technical analysis, Jack Schwager, 1999
* 차트의 기술, 김정환 저, 이레미디어, 2013
* 볼린저밴드 투자기법, 존 볼린저 저, 신가을 역, 이레미디어, 2010
원저 ; Bollinger on Bollinger Bands, McGraw-Hill, J. Bollinger, 2001
* 미래의 주가를 예측하는 일목균형표, 김중근 저, 청아, 2003

[추세예측 투자법]
* 엘리어트 파동이론, 랠프 엘리어트 저, Robin Chang 역, 이형도 엮음, 2006
원저 ; 1. The wave principle, Ralph Elliott, 1938

2. "Financial world" articles, Ralph Elliott, 1939
3. Nature`s law, Ralph Elliott, 1946
* 주식시장 흐름 읽는 법, 우라가미 구니오 저, 박승원 역, 한국경제신문사, 1993
원저 ; 相場サイクルの 見分け方, 浦上邦雄, 日本経済新聞社, 1990
* 돈, 뜨겁게 사랑하고 차갑게 다루어라, 앙드레 코스톨라니 저, 김재경 역, 미래
의창, 2001
원저 ; Die Kunst uber Geld nachzudenken, Andre Kostolany, 2000
* 투자는 심리게임이다, 앙드레 코스톨라니 저, 정진상 역, 미래의 창, 2001
원저 ; Kostolanys Börsen-psychology, Econ Ullstein List Verlag GmbH & Co.
KG, Munichi
* 투자의 비밀, 앙드레 코스톨라니 저, 최병연 역, 미래의 창, 2002
원저 ; Kostolanys Börsenseminar, Econ Ullstein List Verlag GmbH & Co.
KG, Munichi
* Top Down 투자전략, 앤서니 크레센치 저, 이건 역, 리딩리더, 2011
원저 ; Investing from the top down, Anthony Crescenzi, 2009

[가치추종 투자법]
* 현명한 투자자, 벤저민 그레이엄 저, 강남규 역, 국일증권경제연구소, 2002
원저 ; The intelligent investor, Benjamin Graham, 1973, (초판 1949)
* 증권분석 제3판, 벤저민 그레이엄, 데이비드 도드 공저, 이건 역, 리딩리더,
2010
원저 ; Security analysis, 3rd edition, Benjamin Graham, David Dodd, 1951
(초판 ; 1934)
* 벤저민 그레이엄 회고록, 벤저민 그레이엄 저, 김상우 역, 굿모닝북스, 2004
원저 ; Benjamin Graham : The Memoirs of the Dean of Wall Street,
Benjamin Graham, 1996 (집필 ; 1964)

[가치예측 투자법]
* 위대한 기업에 투자하라, 필립 피셔 저, 박정태 역, 굿모닝북스, 2005
원저 ; Common stocks and uncommon profits, Phillip Fisher, 1958
* 보수적인 투자자는 마음이 편하다, 필립 피셔 저, 박정태 역, 굿모닝북스, 2005
원저 ; 1. Conservative investors sleep well, Phillip Fisher, 1975

2. Developing an investment philosophy, Phillip Fisher, 1980
* 전설로 떠나는 월가의 영웅, 피터 린치, 존 로스차일드 공저, 이건 역, 국일증권 경제연구소, 2009
원저 ; One up on Wall street, Peter Lynch, John Rothchild, 2000, (초판 1989)
* 이기는 투자, 피터 린치, 존 로스차일드 공저, 권성희 역, 흐름출판, 2008
원저 ; Beating the street, Peter Lynch and John Rothchild, 1993
* 피터 린치의 투자이야기, 피터 린치, 존 로스차일드 공저, 고영태 역, 흐름출판, 2011
원저 ; Learn to earn, Peter Lynch and John Rothchild, 1995
* 가치투자의 귀재 존 네프, 존 네프, 스티븐 민츠 공저, 김광수 역, 시대의창, 2004
원저 ; John Neff on investing, John Neff, Steven Mintz, 2001

[워런 버핏]
* 나, 워런 버핏처럼 투자하라, 워런 버핏 저, 로렌스 커닝험 정리, 이창식 역, 서울문화사, 2001
원저 ; The Essays of Warren Buffett, Warren Buffett / Lawrence Cunningham, 1997
* 워런 버핏의 완벽투자기법, 로버트 핵스트롬 저, 김중근 역, 세종서적, 1995
원저 ; The Warren Buffett Way, Robert Hagstrom, 1994
* 주식 투자 이렇게 하라, 메리 버핏, 데이비드 클라크 공저, 고영술 감역, 이기문 역, 청림출판, 2000
원저 ; Buffettology, David Clark and Mary Buffett, 1997
* 워런 버핏의 가치투자 전략, 티머시 빅 저, 김기준 역, 비즈니스북스, 2005
원저 ; How to pick stocks like Warren Buffet, Timothy Vick, 2001
* 스노볼, 앨리스 슈뢰더 저, 이경식 역, 랜덤하우스, 2009
원저 ; The snowball, Alice Schroeder, 2008
* 워런 버핏 평전, 앤드류 킬패트릭 저, 김기준, 안진환 공역, 월북, 2008
원저 ; Of permanent value : the story of Warren Buffett, Andrew Kilpatrick, 2006 (초판-1994 ??)

[계량분석 투자법, 퀀트]
* 나는 어떻게 시장을 이겼나, 에드워드 소프 저, 김인정 역, 이레미디어, 2019
원저 ; A man for all markets, Edward O. Thorp, 2017
* 인공지능 투자가 퀀트, 권용진 저, 카멜북스, 2017년
* 퀀트, 세계 금융시장을 장악한 수학천재들 이야기, 스캇 패터슨, 구본혁 역, 다산북스, 2011,
원저 ; Quants : The Maths Geniuses Who Brought Down Wall Street, Scott Patterson, 2011
* 할 수 있다! 퀀트 투자, 강환국 저, 에프엔미디어, 2017

[주식 심리학]
* 군중심리, 귀스타브 르 봉, 김성균 역, 이레미디어, 2008
원저 ; La psychologie des foules, Gustave Le Von, 1895
* 행동경제학, 도모노 노리오 저, 이명희 역, 지형, 2007
* 생각에 관한 생각, 대니얼 카너먼 저, 이진원 역, 김영사, 2012
원저 ; Thinking, fast and slow, Daniel Kahneman, 2011
* 억만장자의 고백 : 돈과 시장을 이긴 미완의 철학, 조지 소로스 저, 이건 역, 북돋움, 2014
원저 ; The Soros Lectures : At the Central European University, George Soros, 2010

[기타]
* 존 템플턴의 가치투자 전략, 로렌 템플턴, 스콧 필립스 공저, 김기준 역, 비즈니스북스, 2009
원저 ; Investing the Templeton way, Lauren Templeton, Scott Phillips, 2007
* 존 템플턴 : 월가의 신화에서 삶의 법칙으로, 로버트 허만, 박정태 역, 굿모닝북스, 2004
원저 ; Sir John Templeton : From Wall street to humility theology, Robert Herrmann, 1998
* 템플턴 플랜, 존 템플턴, 제임스 엘리슨 공저, 박정태 역, 굿모닝북스, 2003
원저 ; The Templeton Plan, John Templeton, James Ellison, 1987
* 존 템플턴의 영혼이 있는 투자, 게리 무어 저, 박정태 역, 굿모닝북스, 2002

원저 ; Spiritual investments, Gary Moore, 1998

* 시장의 마법사들, 잭 슈웨거 저, 임기홍 역, 이레미디어, 2008

원저 ; Market Wizards : Interviews with Top Traders, Jack Schwager, 2006

[주식혁명]

* 날씨와 역사, 랜디 체르베니 저, 김정은 역, 반디출판사, 2011

원저 ; Weather's Greatest Mysteries Solved, Randy Cerveny, 2009

* 기후, 문명의 지도를 바꾸다, 브라이언 페이건 저, 남경태 역, 씨마스21, 2021

원저 ; The Long Summer : How Climate Changed Civilization, Brian Fagan, 2004

* 제3의 물결, 엘빈 토프러 저, 원창엽 역, 홍신문화사, 1994

원저 ; The Third Wave, Alvin Toffler, 1984

* 총, 균, 쇠, 제레드 다이아몬드 저, 김진준 역, 문학사상사, 2005

원저 ; Guns, Germs, and Steel : The Fates of Human Societies, Jared Diamond, W.W. Norton & Company, 1997

* 사피엔스, 유발 하라리 저, 조현욱 역, 김영사, 2015

원저 ; Sapiens, Yuval Noah Harari, 2011

* 역사의 연구 1, 아놀드 토인비 저, 동서문화사, 2016

원서 ; A Study of History, Arnold J. Toynbee, 1934~1961

* 18세기 영국 산업혁명 강의, 아널드 토인비 저, 김태호 역 , 지식의풍경, 2022

원저 ; Lectures on the Industrial Revolution of the 18th Century in England, Arnold Toynbee, 1902

* 수렵채집사회 - 고고학과 인류학, 로버트 켈리 저, 성춘택 역, 사회평론, 2014

원저 ; The Lifeways of Hunter-Gathers, The Foraging Spectrum, Robert L. Kelly, 2013

* 슬픈 열대, 레비스트로스 저, 박옥줄 역, 한길사, 1998년

원저 ; Tristes Tropiques, Claude Levi-Strauss, 1974

* 선사문화의 패턴 1, 로버트 웬키 저, 안승모 역, 서경문화사, 2003

원저 ; Patterns in prehistory, Robert J. Wenke, 1999

* 신석기혁명과 도시혁명, 비어 고든 차일드 저, 김성태, 이경미 공역, 주류성, 2013

원저 ; Man Makes Himself : Man's Progress Through the Ages, Vere Gordon Childe, 1957

* Man the hunter, Richard B Lee, 1968

* 리바이어던, 토마스 홉스 저, 최공웅 최진원 역, 동서문화사, 2021년

원저 ; Leviathan or The Matter, Forme, and Power of a Commonwealth Ecclesiasticall and Civil, Thomas Hobbes, 1651

* 통치론 – 시민정부의 참된 기원, 범위 및 그 목적에 관한 시론, 존 로크 저, 강정인 문지영 역, 까치글방, 2022

원저 ; Two Treatises of Government, 1689

* 인간 불평등 기원론, 장 자크 루소 저, 고봉만 역, 책세상, 2018년

원저 ; Discours sur l'origine et les fondements de l'inégalité parmi les hommes, Jean Jacques Rousseau, 1755

* 사회계약론, 장 자크 루소 저, 산수야 역, 2011년

원저 ; Du Contrat social, Jean Jacques Rousseau, 1762

* 국부론, 애덤 스미스 저, 유인호 역, 동서문화사, 2008

원저 ; An Inquriry into the Nature and Causes of the Wealth of Nations, Adam Smith, 1776

* 자본론, 정치경제학 비판 1 : 자본의 생산과정, 마르크스 저, 김정로, 전종덕 역, 모두의책, 2022

원저 ; Das Kapital, Kritik der politischen Oeconomie, Karl Heinrich Marx, 1867

* 공산당 선언, 카를 마르크스, 프리드리히 엥겔스 저, 이진우 역, 책세상, 2018

원저 ; Manifest der Kommunistischen Partei, Karl Marx & Friedrich Engels, 1848

* 불평등의 창조, 켄트 플래너리, 조이스 마커스 저, 하윤숙 역, 미지북스, 2015

원저 ; The Creation of Inequality : How Our Prehistoric Ancestors Set the Stage for Monarchy, Slavery, and Empire, Kent Flannery and Joyce Marcus, 2014

* 국가는 왜 실패하는가, 대런 애쓰모글루, 제임스 로빈슨 저, 최완규 역, 시공사, 2012

원저 ; Why Nations Fail : The Origins of Power, Prosperity, and Poverty, Daron Acemoglu, James Robinson, 2012

* 왜 서양이 지배하는가, 이언 모리스 저, 최파일 역, 글항아리, 2013

원저 ; Why the West Rules – for Now : The Patterns of History, and What They Reveal About the Future, Ian Morris, 2011

* 이탈리아 상인의 위대한 도전 : 근대 자본주의와 혁신의 기원, 남종국 저, 앨피,

2015

* 베니스의 상인, 윌리엄 셰익스피어 저, 이태주 역, 푸른생각, 2022

원저 ; The Merchant of Venice, William Shakespeare, 1600 (1596년에 초연)

* 대항해시대 - 해상 팽창과 근대 세계의 형성, 주경철 저, 서울대학교출판부, 2008

* 향료전쟁, 가일스 밀턴 저, 손원재 역, 생각의나무, 2002

원저 ; Nathaniel's Nutmeg : Or, the True and Incredible Adventure of the Spice Trader Who Changed the Course, Giles Milton, Penguin Books, 2000

* 세계 최초의 증권거래소, 로데베이크 페트람 저, 조진서 역, 이콘, 2016

원저 ; De bakermat van de beurs, Lodewijk Petram, 2011

* Confusion de Confusiones (English Edition), Josef de la Vega, Martino Publishing, 2013

원저 ; Confusion de Confusiones, Josef de la Vega, 1688

* 네덜란드 - 튤립의 땅, 모든 자유가 당당한 나라, 주경철 저, 산처럼, 2003

* 하멜표류기 - 낯선 조선땅에서 보낸 13년 20일의 기록, 헨드릭 하멜 저, 김태진 역, 서해문집, 2018

원저 - 야하트 선 데 스페르베르 호의 생존 선원들이 코레 왕국의 지배하에 있던 켈파르트 섬에서 1653년 8월 16일 난파당한 후 1666년 9월 14일 그 중 8명이 일본의 나가사키로 탈출할 때까지 겪었던 일 및 조선 백성의 관습과 국토의 상황에 관해서, 1668

* 인류 모두의 적 - 해적 한 명이 바꿔놓은 세계사의 결정적 장면, 스티븐 존슨, 강주헌 역, 한국경제신문사, 2021

원저 : Enemy of All Mankind, Steven Johnson, 2021

* 미친 항해 - 바타비아 호 좌초 사건, 마이크 대쉬 저, 김성준, 김주식 공역, 혜안, 2012

원저 ; Batavia's Graveyard, Mike Dash, 2002

* 아마존은 옷을 입지 않는다, 정승희 저, 사군자, 2006

* 금융투기의 역사, 에드워드 챈슬러 저, 강남규 역, 국일증권경제연구소, 2001

원저 ; Devil Take the Hindmost : a History of Financial Speculation, Edward Chancellor, 2000

* 월스트리트제국, 존 고든 저, 강남규 역, 참솔, 2002

원저 : The Great Game : The Emergence of Wall Street as a World Power, John Steele Gordon, 1999

* 경제사 - 세계화와 세계 경제의 역사, 제2판, 송병건 저, 해남, 2014 (초판

2012)

* 영국 산업혁명의 재조명, 김종현 저, 서울대학교출판문화원, 2013

* 19세기 주식회사제도 도입의 지연 요인, 송병건, 영국연구 통권 제19호, 영국사학회, 2008

* 영국 주식회사제도의 발달 연구 – 19세기 주식회사제도의 발달지연과 특색, 최준선, 기업법연구 제27권 제2호, 한국기업법학회, 2013

* 현대어성경, 성서교재간행사, 1991